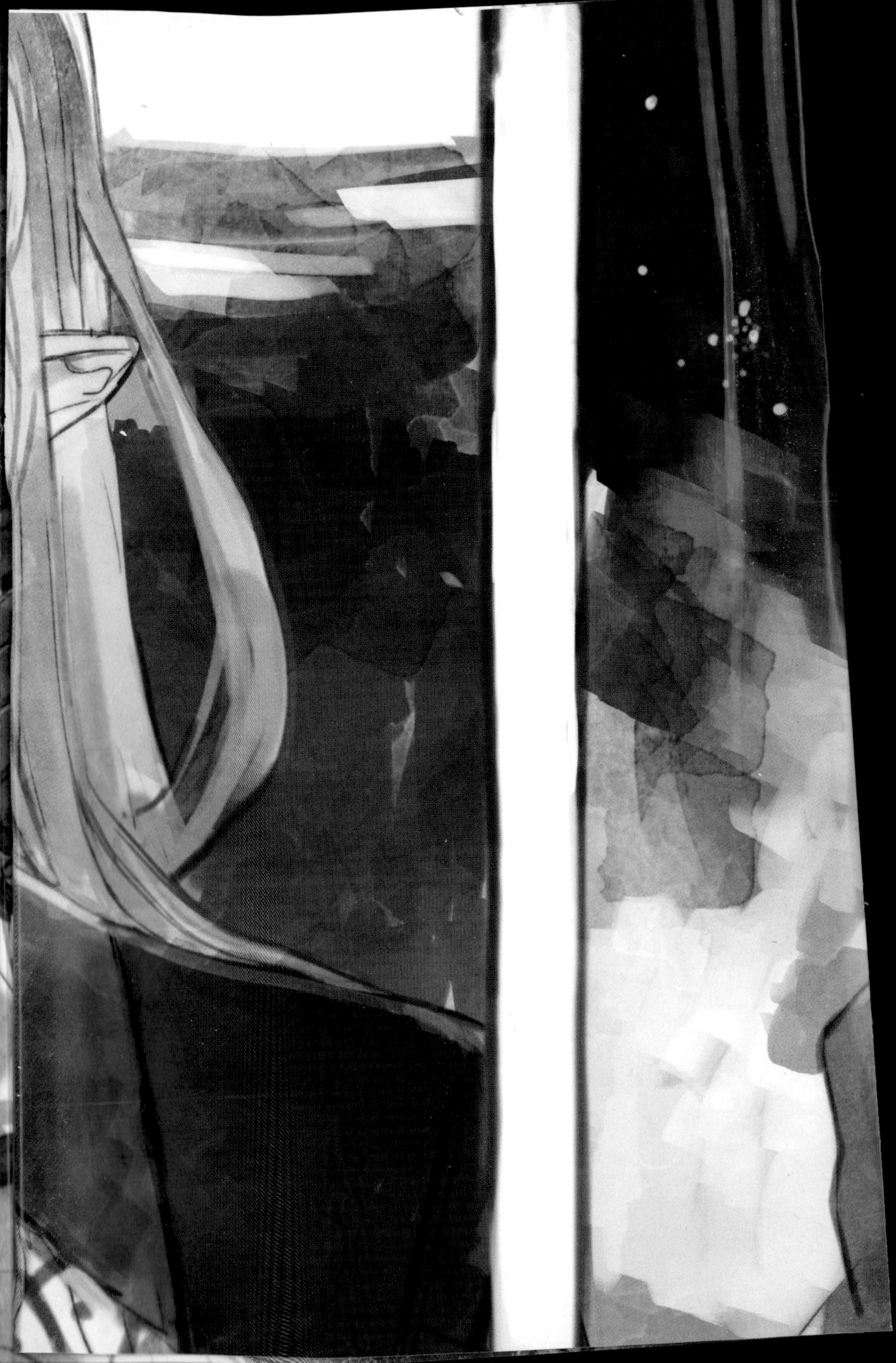

모험가가 되고 싶다며
도시로 떠났던 딸이
S랭크가 되었다
MY DAUGHTER GREW UP TO "RANK S" ADVENTURER.
모지 카키야
MOJIKAKIYA
toi8
ILLUSTRATION
9

등장인물 PERSONS

【칭호(?): 적귀】

젊은 시절에 꿈이 부서져서 고향으로 돌아온 은퇴 모험가. 과거를 청산하기 위해 여행에 나서기로 한다.

【칭호: 흑발의 여검사】

벨그리프의 딸, 최고위 S랭크 모험가. 아빠를 몹시 좋아한다.

안젤린과 파티를 짠 궁수, AAA랭크 모험가. 3인 파티에서 중재역을 맡고 있다.

마법이 특기인 AAA랭크 모험가. 안젤린, 아넷사와 파티를 짜서 활동한다.

【칭호: 천개 파괴자】

벨그리프의 옛 동료 중 한 사람. 모험가로 복귀한 S랭크의 대마도사.

【칭호: 패왕검】

S랭크 모험가이자 뛰어난 실력의 검사. 벨그리프의 옛 동료 중 한 사람이며, 긴 시간이 흘러 마침내 화해했다.

벨그리프의 옛 동료이며 멤버의 홍일점. 현재는 제국에 반기를 들었다가 쫓기는 입장이 되었다만…….

줄거리

옛 동료 퍼시벌과 재회하여 다시 마음을 터놓는 사이가 된 벨그리프. 안젤린은 재회를 기뻐하는 한편, 옛 동료들과 웃고 떠드는 아버지의 처음 보는 미소에 마음이 죄어들었지만, 카심과 퍼시벌의 말 덕택에 평소 모습을 되찾을 수 있었다.

옛 동료 중 마지막 한 사람, 사티를 찾아 제도로 향한 일행은 국가에 반기를 든 엘프가 있다는 정보를 입수한다. 벨그리프와 안젤린은 단서를 찾아 둘로 나뉘어 행동하기로 했다.

그 후, 안젤린은 추적자를 피해 도망친 사티와 우연히 마주쳐서 얼결에 도움의 손을 내밀고 함께 위기를 벗어난다. 벨그리프의 이름을 들은 사티는 눈물 흘리며 자신이 노림당하고 있는 이유, 그리고 제국의 음모를 말해주었다. 안젤린은 자신도 아버지도 동료들도 힘을 빌려주겠다고 말하나 사티는 서글프게 미소 짓더니 전이 마법을 전개.

"잠깐만! 이러면 안 돼……!"
"너와 만나서 기뻤어……. 나는 잊어주렴."

안젤린의 앞에서 모습을 감춰버렸다.

MY DAUGHTER GREW UP TO "RANK S" ADVENTURER.

MY DAUGHTER GREW UP TO "RANK S" ADVENTURER.
WORLD MAP
공국 수도 에스트갈
제도
핀데일
온천의 마을
루크레시아 방향
다단 방향

틸디스
관문
이스타프
대지의 배꼽
닌디아 산맥

C O N T E N T S

제 9 장

특별 수록 번외편

제 9 장

MY DAUGHTER
GREW UP TO
"RANK S"
ADVENTURER.

111 정원에서 올려다보는 밤하늘에는 별이 반짝이고

정원에서 올려다보는 밤하늘에는 별이 반짝이고 있었다. 단속적으로 흘러오는 구름이 끊임없이 야경을 가렸다가 또 흘러 지나갔다.

사방이 싸늘한 돌벽에 막혀 있어서 몹시도 좁고 답답한 인상을 받는 정원이다. 하지만 정원수며 꽃들은 정성껏 손질되어 아담하면서도 아름다운 색채를 갖고 있었다.

오싹오싹 하늘에서 냉기가 내려온다. 아직 서리가 내릴 정도는 아니다. 밤이슬이 나무의 잎을 적시고, 벽에서 일렁이는 황휘석 램프의 빛을 반사하며 반짝반짝 빛났다.

중앙의 우거지는 수풀에 가려지는 모양새로 탁자와 의자를 한 벌 놓아두었다. 그곳에 단정한 용모의 남자가 앉아 있었다. 백색의 질 좋은 의복을 몸에 걸쳤고, 노란색의 짙은 금발은 램프의 불빛을 반사하여 황금처럼 빛나고 있다. 로데시아 제국 황태자 벤자민이다.

벤자민은 조금 탐탁지 않다는 듯이 얼굴을 찌푸리며 손가락으로 탁자를 똑똑 두드렸다.

"또 실패했구나……. 이렇게 자꾸 실패하다니 마음에 안 드는걸."

"면목 없습니다. 미처 예상치 못한 방해꾼이 나타났던지라."

옆쪽에서 무릎을 꿇고 있었던 에스트갈 대공의 삼남, 프랑수아가 변명과 함께 고개를 숙였다. 불안해하는 눈빛이 흔들거렸다. 이곳저곳의 어둠에서 시선과 기척을 느끼는 것 같았다.

벤자민은 거칠게 머리를 긁적이더니 탄식한 뒤 의자 등받이에 몸을 기댔다.

"아니, 일단은 괜찮아. 덕분에 엘프를 꾀어냈잖아. 결국 못 해치워서 놓친 건 큰 실패였지만."

핀데일에서 엘프를 습격하는 작전은 두 번 모두 실패했다. 첫 번째는 넘어가더라도 두 번째는 방해꾼이 끼어들었다고 한다. 그러나 그 직후 엘프는 직접 벤자민의 목을 노리고자 제도에 나타났다. 결계에 간섭을 당하자 조바심을 느꼈던 것이 틀림없다.

다만 슈바이츠와 헥터가 반격에 나섰고, 그렇게 저지당한 엘프는 분명 목숨을 잃을 상황이었다.

"설마 『흑발의 여검사』가 나타나다니 말이야."

프랑수아의 눈살이 꿈틀 움직이며 얼굴을 들어 올렸다.

"그자가 나타났단 말씀입니까?"

"그래. 그 탓에 슈바이츠와 헥터가 같이 나섰는데도 엘프를 결국 놓쳐버렸어."

벤자민은 뒤쪽을 돌아보며 말했다.

"마이트레야는 어떻게 되었을까. 혹시 살해당했다거나?"

"상대가 『패왕검』 한 명뿐이라면 죽었겠지. 다만 『적귀』는 산 자를 함부로 죽이지 않는 남자다. 단언할 수 있군."

하얀 로브를 입고 후드를 눈이 가려지도록 깊이 눌러쓴 남자, 『재액의 창염』 슈바이츠가 물음에 대답했다. 벤자민이 히죽 웃었다.

"꽤 높이 사는구나. 요컨대 물러 빠졌다는 뜻인가."

"사람이 무르긴 하지. 다만 약하지는 않다. 놈의 삶에서 무른 마음은 곧 강함이다. 루크레시아의 귀족 계집도, 실패작 애송이도 그자에게 완전히 마음을 붙여 놓았더군. 아마 임프조차 농락당했을 가능성도 있다."

"인망이 있단 말이었군. 후후, 슈바이츠. 설마하니 너도 한동안 같이 행동하면서 농락당한 건 아니겠지?"

"어디까지나 유사 인격의 이야기다. 그 덕에 녀석들의 내부 사정도 모조리 알아냈지."

"……너만큼은 제발 배반하면 안 된다?"

"배반이라?"

슈바이츠는 후드 안쪽에서 예리한 눈빛으로 벤자민을 바라봤다.

"그 말은 이쪽에서 할 대사다. 네놈, 황태자의 자리에 애착이라도 가지게 된 것은 아니겠지."

벤자민은 얼굴을 돌리더니 아무렇지도 않은 표정을 짓고 하늘을 올려다봤다.

"……걱정하지 마. 네 연구와 호기심을 방해할 뜻은 없으니까."

프랑수아가 의아하다는 얼굴로 두 사람을 번갈아 쳐다봤다. 슈바이츠는 팔짱을 다시 끼고는 언짢아하며 한숨 쉬었다.

“뭐, 되었다. 아무튼 간에 녀석들이 걸림돌 노릇을 할 것은 틀림없군.”

“네가 이렇게까지 말하는 건 별일이네. 뭐, 『흑발의 여검사』 때문에 우리 쪽 계획이 몇 번이나 방해를 받기도 했고……. 슬슬 결판을 낼 때가 오기는 했지?”

“……어찌하든 간에 방심하지 마라. 움직임이 요란해지면 교황청에서도 눈치를 챌 가능성이 있다.”

벤자민은 한숨 쉬더니 의자의 등받이에 몸을 기댔다.

“겨우 엘프를 마무리 지을 수 있을 줄 알았는데 또 이상한 녀석들이 불쑥 끼어드는구나. 자꾸 귀찮게 굴어, 곤란한데.”

그러고 나서 곁눈질로 프랑수아를 돌아봤다.

“넌 다음 임무를 맡아줘야겠어. 이번에는 실패하면 안 된다? 물러나도 좋아.”

“네…….”

잔뜩 긴장한 낯빛이었던 프랑수아는 인사를 올린 뒤 물러났다. 벤자민은 턱받침을 하고 중얼거렸다.

“적이 불어났다……. 그럼 이쪽도 조금 더 수하를 불려줘야 대응할 수 있겠어. 어휴, 그 녀석들과 엘프가 합류하기 전에 어떻게든 결판을 내야 할 텐데 말이야.”

“실력 애매한 것들을 늘려봐야 녀석들은 못 막는다.”

슈바이츠가 말했다. 벤자민은 일어서서 허리에 찬 단검을 뽑아 들었다.

"네가 제 실력을 발휘해주면 좋을 텐데. 뭐, 그런 타입이 아니라는 것은 잘 알지만 말야."

"나는 정치 놀이에는 흥미가 없다. 네놈의 도락을 거들어주는 것만도 고맙게 생각해라."

"예예, 알고말고요……."

벤자민은 손가락에 단검으로 상처를 냈다. 한일자로 그은 상처에서 핏방울이 뚝 삐져나왔다. 거기에 손바닥을 덮어서 작게 무엇인가 중얼거린다. 흘러넘친 피가 탁자에 방울방울 떨어졌다. 벤자민은 무언가 읊조리며 피가 나오는 손가락으로 탁자 위에다가 어떤 문양을 그리기 시작했다. 마법진이다.

진이 완성으로 가까워짐에 따라서 붉은 빛이 희미하게 주위를 떠다녔다. 은은하게 뒤가 비치는 사령이 벤자민을 에워싸는 위치에서 쓱 떠오른다. 이윽고 마법진의 중심에서 검은 소용돌이가 일어나더니 곧 공중에서 인간의 형태를 취하기 시작했다.

벤자민은 만족스럽게 고개를 끄덕인 뒤 그대로 영창을 이어 나가며 손가락을 움직였다. 미적지근한 바람이 나뭇잎을 훑어 올리자 안뜰은 점점 더 기묘한 분위기로 물들어 갔다.

팔짱을 낀 채 지켜보던 슈바이츠가 불쑥 중얼거렸다.

"……과연 이 싸움으로 현상의 흐름은 더욱 고조될 수 있을 것인가."

○

높은 성벽의 더 위쪽까지 시선을 주면 어쩐지 어질어질해지는 심정이 들었다. 저도 모르게 비틀거릴 뻔하다가 퍼뜩 놀라고 발에 힘주어 버텼다.

제도 로데시아의 이야기는 톨네라에 찾아오는 행상인이며 유랑민, 음유 시인들에게 자주 들었다. 긴 역사를 자랑하는 이 제국의 수도는 현란하고 중후한지라 이국의 여행자들도 거대한 규모와 훌륭한 건물 외장에 감탄한다고 했다.

시골에서 올라온 촌사람이라는 말이 딱 들어맞는 벨그리프는 이스타프, 요벰보다 더욱 거대한 성벽을 보고 이미 압도되어 있었다. 핀데일도 제법 큰 곳이었지만 제도는 정말 굉장하다.

멀리서 보면 밤이기도 해서 산 그림자와 섞여 까맣고 평탄하게 어떤 뭉텅이로 보이기만 했다. 그런데 가까이에서 온갖 조명에 비추어지고 있는 광경을 보면 과거 전쟁의 흔적이 여기저기에 새겨진 터라 상응하는 역사의 깊이를 느끼게 했다.

이런 상황에서 온 것이 아니었다면 느긋하게 둘러볼 수 있었을 텐데. 벨그리프는 쓴웃음 짓고는 곧이어 가볍게 두 뺨을 때려서 마음을 다잡았다. 놀러 온 처지가 아니잖은가.

안젤린과 다른 일행의 연락을 받았던 벨그리프, 퍼시벌은 마이트레야의 전이 마법으로 제도 근처까지 이동했다. 마이트레야는 「실력을 보여줄 때가 왔어」라며 분발했다. 그림자를 이용한 전이 마법이라던데 비슷하게 따라 할 사람도 없다면서 호언했다만, 마법을 잘 알지 못하는 벨그리프에게는 별로 와닿지 않았다. 물론 전이 마법이 고등의 술법이라는 것은 안다. 카심과 마리아조차 습득을 하지 못했으니까.

어쨌든 간에 전이 마법을 처음 경험해봤다. 물에 잠기는 듯한 감각이 느껴지다가 잠시간 눈에 아무리 힘줘도 앞이 보이지 않는 칠흑의 어둠 속을 떠다녔다. 그러던 중 불현듯 떠오르는 듯한 느낌이 들었고, 정신을 차렸을 때는 어두운 곳에 서 있었다.

너무 사람이 많은 곳으로 전이하는 것은 피하고 싶다기에 제도에서 조금 떨어져 있는 부근에 전이를 마쳤다. 그곳에서 대략 한 시간쯤 걸어 제도로 이동하는 동안 수많은 마차와 엇갈렸고 수많은 마차에 추월당했다.

여행의 상식으로 말하자면 야간 이동은 가능한 한 피해야겠지만, 제도와 핀데일의 중간에는 군대가 주류하고 있다. 치안 유지를 국가에서 보증을 서준 격이다. 따라서 승합 마차며 행상인의 마차까지 달려 다니고 있었다. 시간에 관계없이 사람과 물품이 오갈 수 있는 덕분에 경제도 제법 활성화되었을 테지.

이러한 정책 하나만 봐도 본인의 뜻을 실현시킨 황태자 벤자민의 수완은 분명 여간내기가 아닐 것이다. 아직 수도의 바깥, 이미 해가 다 떨어져서 어두워졌는데도 불구하고 눈 앞의 시장은 시끌벅적 영업하고 있었다. 위정자로서 우수한 인물임은 의심의 여지가 없다.

"……가짜였을, 줄이야."

그래서 더더욱 적대하는 것이 유감스럽기도 했다. 사정을 알지 못하는 사람이라면 본인들의 생활 여건을 향상시켜준 은인이잖은가. 그 성과를 목격하자 벨그리프의 심경도 복잡해졌다. 자기 생활을 위해 열심히 사는 사람들의 입장에서는 황태자가 가짜든 뭐든 관계없을 테니까.

사티와 만난 안젤린의 이야기에 따르면 뒤에서는 죄 없는 여성들을 쓴 잔인한 실험에 손을 물들였다고 한다. 분명 용서받을 수 있는 처사가 아니었다. 다만 눈앞의 번영도 또한 사실이다. 감정적으로 벤자민을 전부 부정할 수 있을 만큼 자신은 이제 젊은 나이가 아니게 되어버렸기에 벨그리프는 탄식했다.

"무슨 생각해."

바로 곁에 서 있었던 마이트레야가 물었다. 임프의 뿔을 숨기기 위해서겠지. 천 모자를 눈가 깊숙이 쓴 데다가 아울러 후드까지 걸치고 있다.

"아니, 아무것도 아니란다. 만만찮은 상대라는 생각이 들어서 말이지."

"무서워졌어? 도망치려면 지금 도망쳐."

"무섭긴 하지."

그래도 도망칠 수는 없단다. 벨그리프는 웃음 짓고는 마이트레야의 머리를 쓱쓱 어루만졌다. 마이트레야는 불만스럽게 입을 삐죽였다.

"꼬맹이 취급하지 마."

"그래. 미안, 미안."

마이트레야는 흥, 콧소리를 냈다. 그럼에도 은근히 흠칫흠칫하는 모습으로 벨그리프의 망토를 붙잡았다.

전이 이후에 제도 앞까지 오는 데 대략 한 시간이 걸렸다. 주변에는 온통 밤의 장막이 내려와 있었다. 낮 동안은 아직 포근했던 공기가 갑자기 살을 에는 냉기와 함께 다가오는 듯이 여겨졌다.

그때 퍼시벌이 다가왔다. 노점에서 구입한 듯한 꼬치구이 고기와 얇게 구워 낸 빵을 내밀었다.

"옜다."

"고맙네."

"싸구려 같아. 딱딱하겠네."

"시끄럽다, 불평하지 마라."

얼굴 찌푸리는 마이트레야를 퍼시벌이 쥐어박았다. 벨그리프는 주위를 둘러봤다. 마치 대낮인 양 착각할 만큼 시끌벅적하다.

"신기한가? 이런 게."

퍼시벌이 말했다.

"그래. 한밤에 이리 시끌벅적하다니 말이야. 올펜에서도 이런 광경은 거의 못 봤었지."

올펜도 술집 주변은 밤에 취한이 꽤 돌아다녔던 것으로 기억하지만, 시장은 해가 저물면 닫히기에 한산했었다. 하지만 이곳은 마치 잠들 줄 모르는 것처럼 보인다.

“『대지의 배꼽』도 밤까지 꽤 떠들썩하긴 했지.”

“거야 대해일 때 잠깐이지.”

퍼시벌은 고기를 베어 물더니 「딱딱하군」 얼굴을 찌푸렸다.

“자넨, 자주 와봤나.”

“제도는 꽤 오랜만이군. 이 주변도 예전에는 가난뱅이들의 집합지 같은 느낌이었다만……. 시끌벅적하군. 많이 변했어.”

“이것도 황태자의 수완일 테지? 솔직히 적대하는 게 꺼려지는군.”

“벨. 악인이라는 족속은 말이지, 누구보다도 선량한 사람 행세를 하는 법이다.”

“……그래서 더욱 까다로운 상대군.”

“그렇지. 죄다 닥치는 대로 베어버려서 해결될 문제가 아니니까. 모험가가 감당하기는 좀 어렵지.”

그러니까 모험가가 아닌 너한테 의지하는 거다. 퍼시벌은 웃음 짓고는 벨그리프의 등을 두드렸다. 벨그리프는 난처해하며 마주 웃었다.

“너무 과신하면 곤란하네만.”

“다 떠넘기자는 게 아니니까 너무 무서워하지 마라. 나도 카심도 있고, 무엇보다 안제가 같이 있잖냐.”

“……그렇군.”

믿음직한 딸아이의 얼굴을 떠올리며 벨그리프는 미소 지었다.

퍼시벌은 다 먹은 고기의 꼬치를 입에 물더니 「인마」 부르며 마이트레야의 머리를 쿡 찔렀다. 빵을 깨지락거리던 마이트레야는 놀라서 얼굴을 들어 올렸다.

"뭐야."

"자꾸 덜덜거리지 마라, 오히려 더 수상해 보이잖냐."

"그치만, 여긴 벤자민의 손바닥 위야. 경계가 지나쳐서 나쁠 건 없어."

"이렇게 사람이 잔뜩이면 결계의 술식으로도 식별은 어림없다. 마법 전문인 주제에 왜 뻔한 사실을 모르는 거냐."

"그치만, 벤자민도 슈바이츠도 몹시 신중해. 아군이었던 나한테도 자기 세력과 수법을 다 알려주진 않았어. 방심하면 목숨이 위험해."

"흥……. 슈바이츠 일당은 구성원 수가 적다고 말했었지. 너처럼 고용된 녀석이 더 있나? 『처형인』이 있다는 말은 들었다만."

마이트레야는 시선이 흔들리며 잠시 생각에 잠겼다.

"아마, 다른 녀석이 더 있을 거야. 슈바이츠도 벤자민도 별로 드러나게 활동하는 느낌은 아니었고, 실행 부대도 헥터 한 명으론 분명 모자라. 그렇지만 무작정 막 사람을 늘리려고도 하지 않았으니까……. 실력자가 두세 명 정도 더 있다는 게 현실적인 추측. 다만 벤자민의 주위에는 모습을 감추고 있는 경호원이 몇 명 있어. 암살자 같은 느낌으로."

"구성원끼리 얼굴을 마주할 기회는 없었고?"

벨그리프가 묻자 마이트레야는 고개를 옆으로 흔들었다.

"헥터 한 명만 만났어. 하지만 딱히 대화를 나눈 게 아니야. 벤자민의 곁에 경호원 노릇을 하는 누군가가 있다는 것도 알아. 하지만 어떤 인물인지는 몰라."

"알겠다, 너 같은 배반자가 나올까 봐 잔뜩 경계한다는 말이군."

퍼시벌이 심술궂게 말하자 마이트레야를 빰을 볼록거리며 하얀 입김을 토했다.

"이게 다 누구 때문인데……."

"벨 때문이지. 나 혼자였으면 너는 핀데일에서 벌써 죽었다."

퍼시벌은 그렇게 말한 뒤 보란 듯이 칼자루에 손을 가져다 댔다. 마이트레야는 얼굴이 핼쑥해지며 벨그리프의 뒤로 허둥지둥 숨었다. 벨그리프는 쓴웃음을 지었다.

"퍼시, 지금은 같은 편이니까 너무 놀리지 말게."

"하하, 미안하다."

서늘한 바람이 불어 내려와서 머리카락을 흔들었다. 살짝 벌어진 목덜미의 틈으로 냉기가 파고 들어와서 등줄기를 떨리게 했다. 군데군데 구름이 끼어 있긴 하지만 머리 위쪽의 하늘에는 별이 가득하다. 맑은 날씨인 만큼 쌀쌀하다.

벨그리프는 주위를 둘러보며 대검을 고쳐 메고는 짐을 들었다.

"일단 안제와, 일행들과 합류부터 해야 할 텐데……. 지금 위치를 알 수가 없군."

"거참. 녀석들, 집합 장소도 말 안 하고 통신을 끊어버렸잖나."

통신 마법도 그렇고 안젤린과 사티의 갑작스러운 해후도 그렇고 예상외의 사건이 연속되었던지라 구체적인 행동에 대해서 딱히 상의를 하지 못한 입장이다.

제도까지 잘 건너오기는 했는데 다른 일행들이 어디에 묵고 있는지, 살라자르의 연구실이 있는 장소는 어디인지 같은 세부 내용을 전혀 알지 못한다. 더구나 밤이 꽤 깊어져서 주위는 떠들썩하지만 어둠이 펼쳐져 있다. 길도 잘 모르는 처지에서 이리저리 대강 수소문하기에는 도저히 적당한 곳 같아 보이지가 않았다.

"일단 리젤로테 님을 만나러 가면……. 안제와 다른 아이들과 합류할 수 있을 듯하군."

"그렇겠지. 이봐, 꼬마 임프. 에스트갈 대공의 제도 저택은 왕성 근처에 있었던가?"

"맞아. 여기에서 가려면 꽤 멀어."

"네 전이 마법으로 어떻게 할 순 없겠니?"

마이트레야는 우물쭈물 눈을 치켜뜨며 벨그리프를 바라봤다.

"……가능은 한데, 되도록 하고 싶지 않아."

"어째서냐."

퍼시벌이 노려보자 마이트레야는 긴장한 모습으로 계속 말했다.

"이렇게 사람들 틈에 들어와 있는 동안은 아마 상대도 나를 못 찾아낼 거야. 그렇지만 전이 마법을 쓴 공간의 흔들림을 상대가 놓치고 넘어갈 것 같지는 않아. 이동은 좀 빨라져도 위치를 감지당할 테지……. 내가 너희의 편에 돌아섰다는 것도."

"하지만 핀데일에서 제도까지는."

"제도의 바깥까지는 저쪽도 그물을 쳐 놓지 않아. 하지만 왕성 근처는 엘프를 경계해서 분명 결계를 쳐 놓았을 거야. 그 근처에 전이하는 것은 자살행위야."

일리가 있다. 확실히 본거지의 주변은 신경 써서 방어책을 마련해 놓았겠지. 비록 가짜일지언정 상대는 제국의 황태자와 대륙 유수의 마법사가 아닌가. 퍼시벌이 눈을 가늘게 뜨며 턱을 쓰다듬었다.

"흠……. 뭐, 확실히 전이 마법을 제대로 쓰는 녀석은 얼마 안 되니까 말이지. 대책용 술식도 썩 어렵지는 않겠군……. 사티 녀석, 어느 사이에 습득한 거지."

"하하, 그 아이라면 정말로 배워 익혔어도 딱히 놀랍진 않을 것 같군."

"확실히. 그러면 마법 방면으로 가버린 건가, 그 녀석……."

퍼시벌은 살짝 불만스러운 듯 미간을 찌푸렸다. 과거에 검을 겨루던 호적수가 마법으로 넘어갔다는 것이 석연치 않은가 보다.

벨그리프는 눈을 내리떴다. 사티도 줄곧 단련을 계속했을 것이다. 카심과 퍼시벌처럼 힘을 키워서 무엇인가를 이루고자 했던 것일까. 가령 벨그리프의 다리를 고쳐주자고. 그러다가 지켜야 할 대상을 이곳에서 발견했겠지. 그렇게 상처 입고 고통 받으면서도 도움을 거절한 채 혼자 싸워왔다. 상상만 해도 마음이 몹시 아렸다. 정도는 다르지만 과거에 도망쳤던 자신 때문에 동료들은 다들 이런 괴로움을 겪었던 걸까.

"……퍼시, 미안하네."

벨그리프는 퍼시벌에게 머리 숙였다. 퍼시벌의 당황한 눈동자가 흔들거렸다.

"뭐냐, 갑자기."

"힘들 게 뻔한 친구에게 도움의 손을 외면당하면 섭섭하지. 이렇게 다시 돌아오는군."

"……그 소리는 더 이상 꺼내지 말자고. 게다가 지금 우리는 거절당해도 도우러 갈 수 있다. 그걸로 충분하잖나."

"그런가……. 그렇군."

벨그리프는 겸연쩍어하며 웃고는 턱수염을 비비 꼬았다.

"아니, 미안하네. 자꾸 감상적이 되는군."

"심정은 알겠는데 말이다. 지금은 앞으로 치고 나갈 때다."

"그래……. 아무튼 전이 마법은 삼가는 게 좋을 듯하네. 설마 마차가 이 시간까지 운행을 하지는 않을 테고……. 오늘 밤은 적당히 숙소를 잡아 쉬다가 내일 아침부터 움직이는 게 좋지 않을까 싶군."

"그러게나 말이다. 어두운 거리를 무작정 돌아다녀 봤자 아무런 해결도 안 될 테지. 됐냐?"

묵묵히 듣고 있었던 마이트레야도 끄덕끄덕 고개를 움직였다.

세 사람은 나란히 성벽 안쪽으로 걸어 들어갔다. 길을 따라서 여러 가게와 식당이 쭉 늘어서 있었지만, 절반은 이미 문을 닫았고 불빛도 꺼졌다. 그저 조용히 밤의 잠자리에 들려 할 뿐이다.

바깥의 시장이 시끌벅적했던 만큼 도시의 안쪽은 다소 조용하게 느껴졌다. 그럼에도 문을 연 주점에는 사람이 북적북적 드나들고 있고, 거리에서 취한이 이리저리 비틀거리다가 순회하는 병사에게 붙들리는 등 역시나 떠들썩한 분위기는 변함이 없다.

입구 가까운 곳에는 숙소도 많았다. 크고 작은 숙소가 아직껏 불을 밝힌 채 영업 중이다. 많은 건물이 주점도 함께 갖춰 둔지라 객실이 있을 2층부터 위쪽의 고요함과 대부분 1층에 있는 주점 공간의 떠들썩함이 묘하게 뒤죽박죽이었다.

적당히 숙소를 골라 들어간 뒤 2층에 올라 방 안에 짐을 놓았다. 마이트레야의 굳센 주장에 따라 침대가 셋 있는 큼지막한 방이다. 망토를 벽에 걸치고 퍼시벌이 어깨를 돌렸다.

"잠깐 마시러 가지."

"그렇군……. 한 잔만 같이 마시지. 솔직히 좀 졸립군."

"하하, 나라고 딱히 과음할 생각은 아니야. 좋아, 가자고."

"마이트레야, 너는 어떻게 할래?"

그렇게 말을 마치기도 전에 마이트레야는 벌써 벨그리프의 옷자락을 붙잡고 있었다.

"나를 혼자 놔두지 마."

"간땡이도 참 작구나, 이 녀석……."

기막혀하며 퍼시벌이 말했다. 마이트레야는 못 들은 척 시늉하며 휙 고개 돌렸다.

그렇게 또 1층에 내려간다. 1층의 공간에는 주점을 차려 놓았는데 숙박객으로 보이는 사람이 있는가 하면 근처에서 걸치러 온 듯한 사람도 있고 아무튼 간에 떠들썩하게 술을 마시고 있었다.

류트를 손에 든 여행자 음유시인이 옛날 서사시를 노래 부른다. 제국의 개척 시대, 많은 영웅들이 득세했던 시대의 노래다. 어린 시절에 들은 영웅들의 이름이 드문드문 귀에 남았다가 도로 사라져 갔다.

사람들 틈을 누비고 가서 빈자리를 잡아 앉았더니 뭔가 힘이 쭉 빠지는 느낌이 든다. 이미 심야에 가깝다. 본래 벨그리프는 푹 잠들어 있을 시간이다.

"……벌써 지쳐서 어쩌자는 거냐."

혼자 중얼거리고 눈자위를 손가락으로 꾹 눌렀다. 아직 아무것도 시작조차 하지 않았다.

술을 주문한 퍼시벌은 턱받침을 했다.

"내일부턴 아마 긴장을 풀 틈도 없겠지. 오늘 푹 쉬어 두자고."

"……너무 긴장을 풀진 말아줘."

"시끄러운 녀석이군, 그렇게 무서우면 무릎에 태워주랴?"

퍼시벌이 살짝 의자를 당겨서 무릎을 손바닥으로 두드렸다. 마이트레야는 언짢아하며 손가락으로 탁자를 똑똑 두드렸다.

"꼬맹이 취급하지 마."

"도대체 뭐냐, 이 녀석아."

퍼시벌은 손을 뻗어서 마이트레야의 이마를 쥐어박았다.

그때 에일이 든 큰 술잔과 안주가 탁자에 놓였다. 테두리에서 흘러넘친 하얀 거품을 보고 벨그리프는 난처해하며 수염을 쓸어 만졌다.

“에일인가……. 마셔도 맛이 영…….”

“뭐냐, 몸이 안 받아주나.”

“그냥 익숙하지 않아서겠지……. 아니, 괜찮아. 한잔 마셔볼까.”

“묘한 데서 어린애 같군, 넌.”

그렇게 말한 뒤 퍼시벌은 한입에 술잔 절반을 쭉 마셔버렸다. 마이트레야가 거품을 홀짝이더니 떨떠름한 표정을 짓는다.

“싸구려 맛이야.”

“싸구려 술집이잖냐. 뭘 기대했냐.”

“더 맛있는 술을 마시고 싶어. 너는 S랭크 모험가잖아. 더 괜찮은 술 좀 주문해봐.”

“거 시끄럽군, 비싼 술은 입에 안 맞는단 말이다.”

“……혀가 저렴하네.”

“어쭈? 임프 주제에 거들먹이냐.”

“자, 자아, 싸우지 말고.”

에일을 홀짝홀작 마시며 튀긴 감자와 생선 초절임을 집어 먹는데, 벌써 두 잔째 술을 주문한 퍼시벌이 몸을 쓱 내밀었다.

“그래, 생각은 좀 했나. 자세한 이야기는 합류한 다음 나눠도 될 테지만, 작전의 개요 정도는 추려 놨겠지.”

마이트레야도 벨그리프를 쳐다보고 있다. 벨그리프는 탁자에 두 손을 얹은 채 살짝 목소리를 낮췄다.

“……만약 파고들 틈이 있다면 분명 황태자가 가짜라는 것, 단 하나뿐이지.”

"어떻게 할 생각이야?"

"아직은 잘 모르겠구나. 그러니까 정보를 더 모으고 싶어."

"오호라……. 부자연스러운 곳을 찾아내면 거기부터 쳐서 무너뜨리자는 심산인가."

"그렇게 잘 풀린다면야 좋겠지."

벨그리프는 쓴웃음 짓고 에일을 홀짝 마시다가 눈빛이 조금 흐려졌다.

"솔직히 지금 상황에서 잘 풀린다면 그게 오히려 기적이겠지. 만약 위험해진다면……. 아니, 안제와 다른 아이들이 위험에 처하는 때가 온다면……. 나는 사티를 포기할지도 몰라."

"……그렇게 돼도 난 너를 탓하지 않는다."

퍼시벌은 웃음 짓고는 벨그리프의 어깨를 세차게 두드렸다.

"너무 속 태우지 마라! 너 혼자 문제가 아니잖냐."

"하하, 고맙네."

"……별꼴이야."

마이트레야는 탐탁지 않단 표정을 지은 채 술잔을 입에 가져갔다.

불현듯 주점 입구가 소란스러워졌다. 눈을 돌려서 봤더니 술 취한 사람끼리 싸움이 붙은 듯 듯 병과 잔 깨지는 소리가 난다. 또한 비명과 고함, 아울러 거의 비슷할 만큼 웃음과 부추기는 목소리가 들렸다.

"시끄럽군."

"하하, 술집답잖나."

처음에는 주먹을 휘둘러 맞붙었는데 점점 더 열이 오르며 서로가 단검을 뽑아 들자 장내에 몹시 긴장된 분위기가 감돌았다.

이런, 안 말리면 큰일 나겠군. 무의식중에 벨그리프가 몸을 절반쯤 일으켰을 때 단검을 번쩍 치켜든 남자의 앞쪽으로 누군가 스륵 파고들더니 급소를 냅다 가격했다. 남자는 눈을 까뒤집으며 바닥에 푹 쓰러져 엎어졌다. 한편 맞상대하고 있었던 남자도 다른 누군가가 목을 꽉 붙잡고 바닥에 내던졌다. 훌륭한 솜씨를 본 주위의 구경꾼들이 들끓는다.

소란을 수습한 자는 뷔에나 교의 문장이 들어간 맞춤 복장을 갖춘 2인조였다. 그게 전부라면 뷔에나 교의 성직자라고 생각할 수 있었겠지만, 평범한 문장과 형태가 다른 데다가 허리에 검을 장비하고 있었다. 명백하게 단순한 성직자는 아니다.

퍼시벌이 눈에 힘을 주었다.

"성당 기사인가. 별일이군."

"뷔에나 교의?"

"그래. 루크레시아 교황청 직속의 녀석들이다. 요컨대 엘리트 집단이지. 제도에도 분명 교황청의 지부가 있었지……. 그쪽 녀석들인가?"

퍼시벌은 과거 방랑자 시절에 루크레시아에도 갔던 경험이 있고, 그곳에서 성당 기사도 목격했던 적이 있다고 했다.

성당 기사 두 사람은 주변을 힐끗 둘러보다가 구석 쪽 자리를 잡고 앉았다.

벨그리프는 살짝 얼굴을 찡그리며 곁눈질로 두 사람을 돌아봤다. 한 명은 다부진 체격의 남자였고 다른 한 명은 수인이었다. 토끼 귀가 머리 위에서 흔들거리고 있는 소년이었다.

숙소의 주인인 듯한 사람이 몹시 허둥지둥 달려와서 꾸벅꾸벅 머리 숙이고 있다. 남자는 거들먹거들먹 몸을 젖히며 이것저것 주문하는 반면에 소년은 무슨 이유인지 무기력한 모습이다. 멍하니 시선이 허공을 헤매고 있다.

벨그리프는 본인은 주신 뷔에나에게 막연하게나마 신앙을 갖고 있지만, 샤를로테의 이야기를 들었던 터라 교황청에는 별달리 좋은 인상을 가질 수 없었다.

정죄 기관에 속한 인물들과 무엇이 다를까 싶어 무심코 눈이 쏠렸다가, 토끼 귀 소년과 시선이 딱 맞추친 터라 급히 눈을 피했다. 그렇게 왠지 떨떠름한 기분으로 술잔을 비운 뒤 숨을 내쉬었다.

마이트레야가 몸을 잔뜩 움츠리며 슬그머니 벨그리프의 옷자락을 잡아당겼다.

"뷔에나 교도 위험해……. 임프라는 게 들통나면 덤벼들 거야."

"거 매사에 되게 귀찮은 녀석이군. 이봐, 한 잔 더 주게. 벨, 너는?"

"나는 다 마셨네. 마이트레야도 많이 불편한 것 같고, 먼저 방으로 돌아가겠어."

"그런가. 뭐, 푹 쉬어라. 내일부터가 진짜니까."

"그래. 자네도 과음은 하지 말게."

"하핫, 걱정 말라고."

벨그리프는 퍼시벌의 어깨를 툭툭 두드린 후에 마이트레야를 데리고 방으로 돌아왔다. 문이 닫히자 마이트레야는 안도한 모습으로 침상에 걸터앉았다.

"지금 제도는 적투성이야……."

"성당 기사인가……."

비록 교황청은 샤를로테와 얽힌 사연이 있다지만, 구태여 이런 상황에 적대를 할 의미는 없다. 관련되지 않는 게 현명할 테지.

벨그리프는 겉옷을 벗고 의자의 등에 기댔다. 먼저 휴식부터 취해야 할 때다.

"이제야 쉬는구나……."

"한마디 해 두겠는데."

"음?"

마이트레야는 진지한 표정을 짓고 벨그리프를 똑바로 쳐다봤다.

"아무리 내가 매력적인 여자여도 이상한 짓 하면 안 돼. 너희와 협력 관계를 맺었을 뿐 어떤 행위든 다 받아주는 건 아니니까."

"음………? 그, 그래, 알겠다……. 아……. 으음?"

무슨 말인지 영문을 모르겠다. 뭐라고 대답해야 하나 당황하다가 벨그리프는 애매하게 고개를 끄덕거렸다.

마이트레야는 흥, 콧소리를 내더니 머리까지 이불을 쭉 올려 덮고는 둥글어졌다.

112 그러니까 아빠는 이렇게 생각했을 거야

그러니까 아빠는 이렇게 생각했을 거야. 안젤린은 가슴을 쭉 펴면서 의기양양하게 말했다.

"그 벤자민이 가짜라면 황태자 신분에 정당성도 없어."

"그래서?"

"사실을 밝혀내서 알리면 놈들의 못된 계략도 막을 수 있어."

"어떻게 할 생각인데?"

마르그리트가 질문하며 고개를 갸웃거렸다. 안젤린의 눈이 흔들렸다.

"……저 사람 가짜입니다, 하고 황제한테 말하게?"

아넷사가 어이없다는 표정으로 고개를 절레절레 흔들었다.

"아니, 무리지. 애당초 황제는 쉽게 만날 수 있는 상대가 절대 아니고."

"더구나 우수한 황태자가 가짜라는 말을 떠들면 믿어주긴커녕 벌컥 화낼걸, 아마."

토야에게도 한 소리 듣고 안젤린은 입을 삐죽거렸다. 밀리엄이 쿡쿡 웃는다.

"뭐~ 안제한텐 안 어울리기는 하지~ 이렇게 뭔가 궁리하는 거."

"괜찮아. 분명 아빠가 다 해결해줄 거야."

안젤린은 그렇게 말한 뒤 의자에 걸터앉아서 등받이에 몸을 기댔다. 마르그리트가 의자를 삐걱삐걱 흔들었다.

"그런데 벨 녀석, 우리 위치도 안 물어봤잖냐. 제도에 와서 우리랑 어떻게 만날 생각인 거야?"

"리제와 이야기를 하고 싶다고 말했으니까 모르겠으면 대공가의 제도 저택으로 올 거야. 아마도……."

"결국 합류는 빨라도 내일이다냥~."

"그렇겠지. 살라자르 녀석, 조금만 더 힘을 내주면 좋았을 텐데."

카심이 그렇게 말한 뒤 수염을 비비 꼬았다.

핀데일에 남은 벨그리프, 퍼시벌과 통신을 마치고 나서 살라자르는 마법진의 한복판에 큰대자로 뻗어서 쿨쿨 잠들어버렸다. 상당히 많은 마력을 소모했는지 흔들어도 때려도 안 일어나는지라 포기하고 가만 놓아둔 채 나왔다.

사티와 뜻밖의 만남을 이룬 안젤린은 잠시간 머리에 피가 올라온 듯이 흥분했었지만, 이렇게 숙소 의자에 앉고 나니 차츰 머리가 차분해졌다.

리젤로테와 대화를 나눌 수 있게 준비해달라는 벨그리프의 요청에 잔뜩 들떴던 안젤린은, 통신을 마친 뒤 곧바로 에스트갈 대공의 제도 저택에 가려다가 카심에게 제지되었다. 기운 넘치는 것은 상관없지만, 쓸데없는 소리를 다 떠들어서 일이 꼬이면 난처하다. 리젤로테에게 직접 협력을 부탁하기에는 시기상조다. 이렇게 말했다.
그래서 일단 동료들끼리 상의를 마치기 위해 시간을 좀 가지자는 말이 나왔고, 이렇듯 숙소로 되돌아왔다. 어떻게 하든 간에 벨그리프와 합류한 이후 움직이는 게 통솔자가 있어주는 만큼 무난할 테지.
"아이고. 세상에, 내가 이런 역할을 맡게 될 줄이야."
카심이 거하게 하품하며 머리 뒤편으로 깍지를 꼈다.
"그야 카심 아저씨가 가장 어른이니까 당연하다냐~."
"나이는 어른인데……. 이 녀석은 벨처럼 잘 끌어줄 것 같지가 않아."
마르그리트가 놀림조로 웃음을 띠며 카심을 쿡쿡 찔렀다.
"시끄러워. 그런 건 내가 가장 잘 안다고."
카심은 모자를 벗어 손가락으로 빙빙 돌렸다.
"그나저나, 생각보다 전개가 빨라서 난처해졌어. 끙, 머리가 아직 따라잡질 못하네."
사티에 관한 정보를 얻기 위하여 제도까지 왔는데 하필이면 본인과 딱 마주쳤다. 게다가 황태자와 적대하게 될 가능성이 있다.
헤어질 때 봤던 사티의 쓸쓸히 웃는 얼굴이 안젤린의 머리를 스쳐 지나갔다. 그 웃는 얼굴이 너무 서글퍼서 마주 볼 수가 없었다.
마르그리트가 주먹을 손바닥에 퍽 부딪쳤다.
"아직 얘기만 들었는데 실력 괜찮은 녀석들이 적으로 나타난단 말이잖냐? 헤헤, 어설픈 상대만 만나서 지루했는데."

“……맞다, 토야. 악연을 맺은 상대가 있단 말 했었지? 혹시, 검은 옷 입었던 사람이야? 얼굴에 흉터가 있고, 부러진 커틀러스를 쓰는.”

안젤린이 묻자 토야는 눈을 내리깔았다.

“뭐, 맞아.”

“얼굴 흉터에 부러진 커틀러스? 들은 기억이 나는데……. 어라, 『처형인』 아니냐?”

카심이 수염을 비비 꼬았다. 토야는 고개를 끄덕거렸다.

“맞아요. 『처형인』 헥터.”

아넷사가 눈을 동그랗게 뜬다.

“『처형인』이면……. 분명 S랭크 모험가 아니었어?”

“어? 모험가였어……?”

안젤린이 말하자 카심이 고개를 끄덕거렸다.

“그래, 냉혹하고 무자비하지만 굉장한 실력자라고 들었지. 마수 상대를 할 때가 많은 모험가치고 드물게도 도적 퇴치나 현상 수배범 토벌로 이름을 날린 녀석이야. 뭐, 나쁜 소문도 잔뜩 나돌았지만 말이야.”

“나쁜 소문? 또 뭔데.”

마르그리트가 물었다.

“그냥 닥치는 대로 막 죽인다더라. 무기를 버리고 항복하는 도적도 한 사람 남김없이 죽인다나 봐. 어디까지나 소문인데 인질도 전부 싹 죽인 경우가 있단 말까지 들은 기억이 나네. 그러다가 붙은 칭호가 『처형인』이지, 위험한 놈이야.”

카심은 능청 부리며 껄껄 웃었지만, 안젤린은 눈살을 찌푸렸다. 자신도 도적을 섬멸한 경험이 있다. 셀렌을 구출한 때가 딱 그 경우다. 그러나 그때 도적들은 끝내 투항하지 않고 저항했다. 그래서 전부 죽일 수밖에 없었다만, 만약 무기를 버린 채 항복했다면 결과는 어떻게든 달라지지 않았을까. 본래 안젤린은 살인이 조금도 달갑지 않다. 하물며 무저항의 상대를 죽이는 행위따윈 상상만 해도 기분이 나빠졌다.

밀리엄이 얼굴을 지푸렸다.

"그런 사람이 적이란 말야? 역시 싸워야 되려나."

"그렇게 될 가능성이 높겠네. 한 번 전투도 없이 해결하기는 무리일 테고……."

"그 자식은 내가 상대할게. 모두들 다른 데 집중해주면 돼."

토야가 말했다. 안젤린이 살짝 고개를 옆으로 흔들거렸다.

"혼자서는 무리일 거야……. 아까도 결국."

"다음에는 지지 않아. 절대로."

절박하게 굳은 표정을 짓는 토야의 머리를 카심이 손가락으로 툭 건드렸다.

"그렇게 좁은 시야로 이길 수 있겠냐. 상대를 너무 깔보는구나."

"그나저나 무슨 악연인 거야? 이렇게까지 고집을 부리다니……."

아넷사의 질문에 토야는 눈을 내리깔았다.

"……소중한 사람을 말이야, 옛날에 그 자식이 죽였거든."

안젤린은 숨을 멈췄다. 모린이 걱정하는 표정으로 바라보고 있었다. 토야는 눈을 뜨고 웃었다.

"괜찮아. 혼자 폭주하지는 않아. 약속할게."

"토야……."

"괜찮다니까, 모린. 그런 표정 짓지 마."

다들 말문이 막혀버렸다. 뭐라 말해야 할지 안젤린은 물론이고 다른 일행도 갈피를 못 잡는 모습이다.

"……벨~ 빨리 와줘라~. 나는 이런 거 무리라고."

카심이 눈을 꾹 누르며 작게 중얼거렸다.

마르그리트가 의자에 거꾸로 앉아 등받이에 두 팔을 올려서 턱을 얹었다.

"아무튼 간에 자세한 작전은 벨한테 맡기기로 하고, 싸움은 피할 수 없다는 말이잖냐? 그럼 적의 정보를 잘 알아 두는 게 좋지 않겠어? 『처형인』이랬지, 그놈 검사야?"

"검사가 맞아. 그런데 암흑 마법의 사용자이기도 하지. 그림자에서 언데드를 꺼내 병력으로 부린다거나 실체를 가진 그림자를 팔처럼 쓴다거나."

"와아, 만만치 않겠는데……."

"그래도 수법을 이미 안다는 건 다행이야. 아무것도 모른 채 맞붙었다면 위험했을 텐데."

아넷사는 그렇게 말하며 활을 손에 들어서 손질을 시작했다. 안젤린도 퍼뜩 생각이 나서 짐을 끌어 들었다. 검 손질 도구를 꺼내서 칼집을 빼낸 검날에다가 기름을 바른 뒤 천으로 정성껏 닦아

낸다.

상대가 강력하면 강력할수록 무기 손질은 게을리할 수 없다. 중요한 때에 검의 예리함이 무디어지면 목숨마저 위태롭다.

뭔가 다른 할 일에 집중하니 마음이 차분해졌다. 아직 난 조금 혼란에 빠져 있었구나. 안젤린은 새삼 깨달았다. 게다가 토야의 사연까지 듣지 않았나. 다들 이런저런 과거를 짊어지고 있다.

카심은 잠시 상념에 잠긴 듯 팔짱을 끼고 있다가 얼마 뒤 얼굴을 들어 올렸다.

"자, 대충 얘기를 정리해볼까. 개인적인 악연은 어쨌든 간에 우리의 공통된 목적은 사티를 구출하는 거다. 여기에 이견은 없겠지?"

일동은 고개를 끄덕였다. 그렇다. 적은 강대하나 목표는 로데시아 제국의 전복이 아니다. 벤자민이나 슈바이츠와의 싸움은 피할 수 없을 테지만, 그것이 목적이 아니다.

아넷사가 어렵다는 표정을 지은 채 시선은 허공을 헤맸다.

"그런데 안제랑 토야 얘기론 사티 씨가 황태자나 슈바이츠 일당과 줄곧 적대했다는 말이었잖아요? 결국 구출해 봤자 저 문제를 해결하지 못하면 계속 공격을 받을 텐데요……."

"맞아. 뭘 어떻게 하든 전투는 못 피할 거다. 그래도 두목만 박살을 내면 쓸데없이 힘 안 써도 되거든. 그러자면 이것저것 잔재주를 좀 부려야 한단 소리고."

"가짜 황태자와 슈바이츠만 해치우면 괜한 전투는 필요 없단 말이지~."

안젤린은 다 닦은 칼날을 들여다보다가 납검한 뒤 옆에 놓았다.

"한 번 더…… 사티 씨를 만날 수 있으면 좋을 텐데."

다시 만난다면 서로 협력하며 더욱 잘 싸울 수 있을 텐데. 아쉬움에 안젤린은 한숨 쉬었다. 토야가 팔짱을 끼고 눈을 내리깔았다.

"다른 공간인가……. 살라자르라면 뭔가 방법을 만들어줄 것 같기도 한데 말이야."

"그 녀석 믿어도 되는 거냐? 영문도 모를 소리만 막 지껄이질 않나, 벨이랑 얘기할 수 있게 연결해줄 때도 답답하게 시간만 잔뜩 들어갔잖냐."

"그냥 힘을 좀 보태주면 감지덕지이고, 너무 기대하면 안 되겠네. 벨이 어디까지 생각을 정리해서 올지 모르겠군."

카심이 그렇게 말한 뒤 중절모자를 고쳐서 썼다.

벤자민의 조직을 무너뜨리는 데 성공해도 사티와 만나지 못한 채 놓쳐버리면 의미가 없다. 또한 벤자민 일당에게 선수를 빼앗겨서 사티가 붙잡혀버려도 안 된다. 안젤린은 머리를 감싸 쥐며 고민했지만, 도무지 괜찮은 생각이 떠오르질 않았다.

"……아무튼 간에, 우선은 정보 수집이네."

"그렇지. 토야, 모험가 길드에서도 정보는 좀 얻을 수 있겠지?"

아넷사가 묻자 토야는 고개를 끄덕거렸다.

"얼마나 유용할지는 알 수 없지만, 정보가 많이 모이기는 해. 종류에 따라서는 정보료를 받아 갈 수도 있겠지만."

"그 아가씨의 저택과 길드, 나눠서 맡는 게 좋을지도 모르겠네요~."

모린이 말했다. 안젤린도 동감이었다. 어차피 인원수야 충분히 많지 않은가. 분담해서 맡는 게 분명 효율도 좋을 터였다. 상대도 가만 앉아서 기다리지는 않을 것이다. 신중해야겠지만, 머뭇머뭇할 상황은 절대 아니었다.

카심이 턱받침을 하고 말했다.

"일단 난 조금 더 살라자르와 얘기 좀 해볼까. 직접 사티와 만날 수 있다면 더할 나위가 없을 테니까."

"그럼 대공가에 가는 인원과 길드에 가는 인원으로……. 그리고 카심 아저씨?"

"흐흥. 카심, 혼자 다니면 쓸쓸하지 않겠냐? 내가 같이 따라가 줄까?"

"오지랖 넓은 녀석이라니까. 건방진 녀석. 헤헤헷."

"안제는 꼭 대공가에 가야 되겠네. 리제와 가장 편하게 얘기할 수 있는 사람이니까."

"게다가 벨 아저씨가 함께니까~."

밀리엄이 쿡쿡 찌르자 안젤린은 뺨을 볼록거렸다.

"물론 중요하지만 이번엔 우연이야……."

"결국 중요하단 말이잖냐."

"시끄러, 마리……."

"길드는 토야와 모린 씨한테 소개를 받아야 편할 테니까 두 사람은 확정으로 하고……. 이제 우리만 결정하면 되겠다, 미리."

“그러게~ 파티 멤버니까 안제를 따라가는 게 좋기는 할 텐데.”

“퍼시벌 씨가 어디에 갈지, 이게 중요하지 않을까? 조별 행동 중 전투를 할 가능성도 감안하면 너무 균형이 치우치는 편성은 안 좋을 거야. 게다가 목적을 명확하게 아는 사람이 있어야 대화가 매끄럽게 진행될 테고.”

토야가 말을 보탰다.

확실히 이번 작전에서 목적을 정확하게 이해하고 있는 사람은 벨그리프, 카심, 퍼시벌까지 세 명이겠다. 아무래도 본인들의 옛 동료와 다시 만나기 위함이니까.

그러면 역시 자세한 이야기는 벨그리프 및 퍼시벌과 합류한 이후 마치는 것이 좋을 것이다. 벨그리프와 퍼시벌의 쪽에도 누군가 협력자로 짐작되는 작은 인물이 있었던 데다가 혹시 뒤늦게라도 이슈멜이 합류해서 힘을 더해줄지도 모른다.

안젤린은 흥흥, 고개를 끄덕거리다가 탁자에 두 손을 짚었다.

“그러면 일단 내일부터 제대로 힘써야 할 테니까…….”

“좋았어! 그럼 기운을 채워야지, 술 마시러 가자! 건너편에 술집 있더라.”

“가요, 가요. 배가 고파졌어요.”

마르그리트가 기운차게 일어서자 곧장 모린이 찬성했다. 토야가 기막혀하며 머리를 푹 수그렸다. 안젤린과 친구들은 쿡쿡 웃으며 저마다 자리에서 일어났다.

○

그다지 깊은 잠이었다고 말할 순 없었다. 몸이 졸린데도 의식만 묘하게 각성되어 있는 기분이었다.

그래서 작게 울리는 소리에도 눈이 뜨였다. 꽤 오래전 눈을 감았던 것 같았는데 막상 눈뜨면 아직 어둡고, 두꺼운 커튼 너머에는 태양의 기척도 없다.

잠든 마이트레야의 희미한 숨소리가 들리고, 그다음은 바스락바스락 몸 뒤척이는 소리가 들렸다.

바닥을 사이에 두고 희미하게 들려오는 1층 주점의 시끌벅적 소리가 일단 신경이 쓰이자 귀에 들러붙어서 줄곧 떨어지질 않는다.

무척 졸리다는 생각으로 누웠을 텐데. 벨그리프는 잠 못 이루는 스스로가 조금 답답했다. 이래서는 내일부터 할 활동에 지장이 생기지 않겠는가.

비록 싸구려 숙소일지언정 이불 품질은 나쁘지 않다. 베개는 부드럽고 시트는 보들보들하니 엎드려 얼굴을 꾹 누르면 기분 좋았다. 다만 이런다고 곧바로 잠이 오지는 않는다. 조바심이라고 할까, 뭐라고 해야 할까. 여러 감정이 공연히 잠을 방해하는 것 같다는 생각도 든다. 아무튼 이러다간 제대로 눈도 못 붙이겠다.

나잇값도 못 하고 마음이 들썩거리는 건가. 벨그리프는 자조하며 옆으로 몸을 누였다.

옆쪽 침상은 비었다. 퍼시벌은 아직 돌아오지 않았나 보다. 과음은 삼가도록 당부했건마는. 아니, 자신의 체감과 달리 썩 많은 시간이 지난 게 아닐 수도 있겠다.

벨그리프는 몸을 돌려서 똑바로 누운 뒤 목조 천장을 바라봤다. 까맣고 밋밋한 바탕에서 대들보로 걸쳐 둔 나무가 명암만으로도 뚜렷하게 분간되었다.

눈을 감는다.

눈꺼풀 안쪽에서 사티의 모습이 아른아른한다.

자신도 퍼시벌도 카심도 나이를 먹었다. 그러나 사티는 엘프다. 나이를 먹었어도 외모는 자신들처럼 많이 달라지지 않았을 테지.

비단처럼 고운 은발, 장난기를 담아 빛나는 에메랄드색 눈동자, 백자처럼 반들반들한 피부와 가느다란 손가락, 투명한 구슬같이 천진난만한 웃음소리……. 이미 20년은 훌쩍 지난 기억인데도 신기할 만큼 명확하게 떠올릴 수 있었다.

그러고 보니 옛날에 수욕을 하던 사티가 비명을 질러 세 사람이 같이 허둥지둥 무기를 손에 들고 달려갔었던 기억이 떠오른다. 그게 단순히 물속에서 개구리를 밟아서 나온 비명이었기에 꽤 오래 놀림거리가 되었더랬다.

당황해서 눈을 감았던 터라 일순간밖에 못 봤지만, 물에 촉촉하게 젖은 하얗고 아름다운 수족은 그날 이후로 한동안 망막에 각인되어버렸다.

그땐 젊었지. 벨그리프는 하품을 했다. 이불을 다시 덮어서 다리를 오므린다. 머릿속 추억은 따뜻했기에 천천히 의식을 녹여 잠재워주는 것 같았다.

살짝 잠에 빠져들 것 같다는 생각이 들던 때 벽에 세워 둔 대검이 윙윙 소리를 냈다. 벨그리프는 퍼뜩 놀라서 상체를 일으켰다. 어두운 방의 구석에 확실히 무엇인가가 있는 기척이 느껴졌다.

갑자기 오른 다리가 칼에 찔린 듯 아팠다. 놀라 곧바로 손을 뻗었지만 의족을 떼어 낸 무릎 아래에는 아무것도 없다. 환지통이다. 침대에 세워 둔 의족이 바닥으로 굴러 소리를 냈다.

"크……."

무릎을 부여잡으며 이를 악문다. 방의 공기는 선뜩한데도 땀이 배어난다. 하필 이 타이밍에 후유증이 도질 줄이야.

"뭐야, 뭐야, 뭐야."

이불을 몸에 둘둘 만 마이트레야가 고개만 쏙 움직여서 주위를 살펴보고 있었다. 그러다가 방구석을 보고 흠칫하며 표정을 굳힌다.

"저주체……!"

방구석에는 너덜너덜한 망토를 걸친 그림자가 몸을 웅크리고 있었다. 다만 묘하게도 윤곽이 드문드문 안개처럼 허공에 풀어져서 자잘자잘한 흑색의 가루처럼 변화하더니 또다시 제 몸을 형성해 냈다. 아울러 뭔가 중얼중얼 혼잣말을 늘어놓고 있다.

"……추워. ……추워."

마이트레야가 침상에서 뛰쳐나와 벨그리프의 침상으로 몸을 날렸다. 그러곤 옷자락을 붙들어 잡아당긴다.

"왜 꾸물꾸물하는 거야! 살해당할 거야!"

"기다려다오……. 도대체 뭐지, 저것은……."

"저건 저주체야. 실체를 가진 주살(呪殺)의 괴물……. 분명 벤자민이나 슈바이츠가 나를 죽이려고 보냈을 거야……."

벨그리프는 환지통 때문에 얼굴을 일그러뜨리면서도 손을 뻗어 간신히 의족을 붙잡았다. 다만 통증이 다리부터 머리 꼭대기까지 치고 올라오는 것 같다. 의족을 꽉 쥐며 견뎌봐도 도저히 장착 가능한 상태가 아니었다.

마이트레야는 속이 타는지 벨그리프와 저주체를 번갈아 쳐다봤다.

저주체는 바닥을 기어 조금씩 움직였다. 그라함의 대검이 더욱 커다랗게 윙윙 소리를 낸다. 검집에 가려졌는데도 칼날이 밝게 빛남을 알 수 있었다.

"성검의 영향 때문에 제대로 움직이질 못하는 건가……?"

"마이트레야……."

간신히 의족을 달았지만 아직 통증이 가시질 않아 벨그리프는 괴로워하며 말했다.

"검을……."

"아, 안 돼……. 나는 임프잖아, 저 검을 건드릴 수 없어."

마수를 정화하는 엘프의 마력이 소용돌이치는 대검은 마수인 마이트레야와 상성이 나쁜가 보다. 못 움직이는 자신이 한심해서 벨그리프는 이를 갈았다.

그때 문이 세차게 열리더니 누군가가 뛰어들었다.

눈 깜짝할 짧은 동안에 번쩍이는 칼날이 저주체에게 박혀 들어

간다.

쓰앗, 기묘한 소리가 들리는가 싶더니 저주체의 형체가 허물어지며 검은 안개로 바뀌었다가 제 몸에 박힌 검의 칼날로 빨려 들어갔다.

환지통이 조금씩 사라져 간다. 숨을 죽이다시피 하여 통증에 견디던 벨그리프는 그제야 숨을 내쉬고 어깨를 크게 들썩거렸다. 무슨 일이 일어났는지 잘 알지는 못하지만, 아마 위기가 물러난 것 같다는 사실은 알 수 있었다.

"벨."

고개 돌리자 문 너머에서 퍼시벌이 막 들어오는 참이었다.

"저주체인가? 어떻게 된 거야."

"퍼시……? 아니, 적의 공격이 있었다만……. 도와준 게 자네가 아니었던 건가?"

당연히 방금 뛰어들어 온 사람은 퍼시벌이라고 생각했었는데 아무래도 아니었나 보다. 퍼시벌은 의아하다는 표정을 짓고 방 안쪽을 둘러봤다.

"저 녀석이 갑자기 일어나서 2층으로 달려 올라가더라. 나도 묘한 기척을 느낀 참이라 뒤를 쫓아왔다만……."

퍼시벌이 턱으로 가리키는 방향을 보면 토끼 귀 소년이 막 사라진 저주체가 있던 위치를 멍하니 쳐다보고 있었다. 아까 주점에서 보았던 뷔에나 교의 성당 기사 소년이다. 손에는 칼집에서 빼낸 검이 쥐여져 있다. 검날에서 까맣고 탁한 색깔이 명멸하다가 이윽고 싸늘한 금속의 색으로 돌아왔다. 아직 대검은 윙윙 소리를 내고 있다.

마이트레야가 슬금슬금 벨그리프의 뒤편으로 숨더니 머리에 난 뿔이 가려지도록 이불을 정수리까지 뒤집어썼다. 벨그리프도 몸을 움직여 슬쩍 가려주면서 입을 열었다.

"도움을 받았군요. 정말 감사드립니다."

"……."

토끼 귀 소년은 고개 돌려서 벨그리프를 바라봤다. 멀뚱멀뚱, 특별히 아무 관심도 가지지 않는 표정을 짓고 있었다.

벨그리프도 뭐라 말해야 할지 알 수 없어서 묵묵히 입을 다물었더니 소년은 눈을 끔뻑거리며 귀를 움직였다. 그러곤 검을 칼집에 넣은 뒤 아무런 말 없이 휘리릭 방을 나갔다.

소년이 모습을 감추자 대검도 윙윙 소리를 낮추다가 조용해졌다. 주위가 잠잠한 터라 주점의 떠들썩한 소리도 멀게 들려온다.

"……성당 기사 주제에 꽤나 흉흉한 검을 쓰시는군."

떠나간 소년의 뒷모습을 힐끔 쳐다봤다가 퍼시벌이 중얼거렸다. 이제야 호흡을 가다듬은 벨그리프는 얼굴을 들어 올려서 퍼시벌을 바라봤다.

"흉흉하다? 검이?"

"그래. 척 봐도 마검의 부류더군. 아마 상대를 베면 마력을 흡수할 거다. 『팔라딘』의 검과 정반대의 불길한 기세가 풀풀 나더라. 성당 기사가 저런 물건을 들고 다니다니."

마이트레야가 주위를 살피며 퍼시벌에게 가까이 달려가서 옷을 잡아당겼다.

“여긴 위험해. 장소를 바꾸지 않으면 또 습격당할 거야.”

“멍청한 소리 마라, 진짜 우리를 없앨 작정이었다면 저딴 조무래기를 보낼 리 없잖냐. 뭔가 다른 이유가 있다. 신경 쓸 필요 없어.”

“아무 근거도 없어. 지금은 성당 기사가 온 덕에 우연히 살았을 뿐이야.”

“그 자식이 안 왔어도 내가 왔을 거다. 아니면 나는 불안하냐? 아앙?”

“그런 게 아니라……. 진짜 한 마디도 져주질 않아.”

마이트레야는 입을 삐죽였다. 퍼시벌은 자기 침상에 걸터앉아서 벨그리프를 돌아봤다.

“……다리가?”

“환지통이야. 가끔 이러더군. 아까처럼 아팠던 적은 오랜만이네만…….”

“그런가……. 알겠다, 자라. 내가 봐주면 걱정 없지.”

“음, 걱정은 안 하지만……. 어쩐지 잠이 안 오는 기분이군.”

벨그리프는 쓴웃음 짓고 침상에 앉은 채 바닥으로 다리를 쭉 내밀었다. 완전히 머리가 각성해버린 터라 몸을 누여도 수마가 찾아와주지는 않을 것 같다. 퍼시벌은 어깨를 으쓱거렸다.

“그래도 앉아 있을 바에야 눕는 게 낫겠지. 잠이 안 오면 자장가라도 불러주랴?”

"하하, 그것도 나쁘지는 않다만……. 실제론 어떻게 보나? 퍼시, 상대가 우리 쪽 위치를 파악했을 거라 생각되나?"

"글쎄다. 그냥 견제인지 다른 수작인지……. 뭐, 나는 그렇게까지 걱정은 안 된다만, 넌 어떻게 봤지?"

벨그리프는 턱수염을 쓸어 만졌다.

"원래 제도는 적의 본거지잖나. 사실인지 과한 걱정인지는 어쨌든 간에 우리의 위치는 당연히 파악당한다고 가정하는 게 무난할 테지. 적이 우리의 정보를 갖지 못했다고 낙관하면 오히려 위험하다는 것이 내 생각이네만."

"맞아, 옳은 말이야. 나는 거기에 한 표. 이동하자, 빨리 움직이자."

떠들어 대는 마이트레야를 힐끔 쳐다본 뒤 퍼시벌은 피식 웃었다.

"글쎄, 애매한데. 만약 진짜 공격이었다면 벌써 덮쳤을 테고, 아까 본 녀석이 자객이라면 우리를 너무 무시한 거다. 어느 쪽이든 간에 별로 무서워할 필요도 없지 싶다만."

"흠……. 뭐, 자네가 같이 있는데 딱히 위험한 상황에 빠질 것 같지는 않군."

"그런 거다. 벌벌 떨면서 힘이나 빼는 게 바보짓이지. 잘 때는 푹 자야 하는 법이다."

"진지하게 생각해……. 내 목숨이 걸려 있단 말이야."

"꿍얼꿍얼 시끄럽다, 이 녀석아. 조용히 좀 해라."

버둥버둥 두 팔을 흔드는 마이트레야의 머리를 퍼시벌이 큰 손바닥으로 덥석 움켜잡아서 내리눌렀다. 마이트레야는 「끄앙」 소리

질렀다.

어떻게 하든 간에 이곳까지 온 이상 조만간 적과 충돌하는 것은 필연적이다. 이제는 정말 우물쭈물할 틈이 없겠구나 싶어서 벨그리프는 작게 한숨을 내쉬었다. 빨리 안젤린과 합류해야겠다는 생각도 든다.

잠이 올 것 같지는 않으나 다시 똑바로 벌렁 몸을 누였다. 아까와 같은 사태가 일어나면 곤란한지라 의족은 그대로 채워 놓았다.

퍼시벌은 의자가 있는 곳으로 엉덩이를 옮기더니 언제 가져왔는지 병에 든 술을 조그만 잔에 따라서 홀짝홀짝 마시고 있다. 마이트레야는 잠깐 망설이다가 역시 자신의 침대에 올라서 몸을 움츠렸다.

눈을 감는다. 자신의 호흡과 심장 소리에 더하여 퍼시벌이 의자를 움직일 때 나는 소리, 잔을 탁자에 놓거나 병을 기울이거나 하는 소리가 들려온다.

마이트레야는 잠시간 이불 속에서 바스락바스락하다가 곧 새근새근 숨소리를 냈다. 몹시도 겁이 많은 녀석인데 묘한 구석이 담대하구나. 벨그리프는 살짝 입가에 미소를 머금었다. 아니면 퍼시벌이 와서 안심한 덕분이려나.

어쩐지 마음이 가라앉지 않아 머릿속으로 이런저런 상념을 떠올리던 중에 점점 종잡을 수가 없게 되었고, 사고의 앞뒤 순서마저 자꾸 애매해졌다. 이상하다는 생각을 떠올리다가 아마 잠들었나 보다. 눈을 떴을 때에는 퍼시벌도 코골이를 하고 있었고, 방

안이 희미하게 밝아졌다는 느낌을 받았다.

113 세피아색으로 물든 나무들이 흔들거리자

세피아색으로 물든 나무들이 흔들거리자 여기저기 이파리가 흩날려 내리쌓여 간다.

마당에 있는 밭의 채소며 작은 꽃들도 왠지 기운이 없는 듯 끝부분이 늘어졌기에 시든 것처럼 보였다.

아담한 집의 안쪽에서 흑발 쌍둥이 중 한쪽, 하루가 달려 나왔다. 곧바로 밭에 들어가서 약초가 자라나고 있는 한 모퉁이로 가더니 몇몇 약초를 뜯어다가 집 안에 또 달음박질쳐서 돌아간다.

집 안은 어둑어둑했다. 창문으로 비쳐 들어오는 빛 이외에는 광원이 없다. 묘하게 먼지가 많아 갑자기 낡았다는 인상을 받을 만큼 공기가 무거웠다.

침대에 드러누운 엘프 사티의 곁에 쌍둥이 중 다른 한 사람, 마루가 곁에 붙어서 젖은 수건으로 얼굴을 닦아주고 있었다. 하루는 약초를 질냄비에 집어넣으며 말했다.

"어때?"

"안 좋아."

"무리하게, 마법을 잔뜩 써서?"

"아마도."

쌍둥이가 말을 주고받던 때 사티가 작게 신음하며 실눈을 떴다.

"……자버렸나 봐?"

"괜찮아, 더 자자."

"우리가 있어줄게, 걱정 마."

하루도 가까이 달려와서 쌍둥이가 동글동글한 검은 눈동자로 사티를 바라봤다. 사티는 미소 짓고는 두 사람의 머리를 쓰다듬었다.

"고마워, 믿음직하네."

쌍둥이는 의기양양 가슴을 펴곤 약초로 탕약을 끓이기 위해서일 테지, 염석(焰石) 풍로 쪽으로 갔다. 사티는 두 아이를 가만히 지켜보다가 이윽고 다시 침대에 똑바로 누워 천장을 바라봤다.

불현듯 마주치게 된 옛 동료 딸아이의 얼굴이 떠오른다. 전혀 뜻하지 않았는데도 눈물이 배어 나왔다.

"……잘한 짓일까, 이게."

잘못된 행동이라는 생각은 안 한다. 솔직하게 도움을 청해 협력하며 벤자민이나 슈바이츠 일파와 싸울 수 있다면 자신 혼자서 싸우기보다 좋았을지 모른다.

그러나 상대의 무시무시함은 자신이 직접 겪어서 잘 알았다.

긴 싸움의 시간 동안에 몇몇 협력자와 함께했던 때도 있었으나 지금은 아무도 없다. 구출해 내서 뿌듯해했던 사람들도 죽어버렸다. 지난 과거가 사티의 마음에 상실에 대한 두려움을 심어 두었다.

그러나 가장 처음에 잃은 줄 여겼던 동료가 살아 있었다는 사실이 사티에게 얼마간의 위안을 가져다준 것도 분명했다. 그래서 더

더욱 같은 사람을 다시 잃어버릴 수 있다는 것이 두렵다. 얼마나 괴로울지 상상하면 재회의 기쁨을 마냥 솔직하게 받아들일 수 없다는 마음이 든다.

"역시 바보구나, 나는."

살짝 자조하며 중얼거리고 상처의 아픔에 얼굴을 찌푸렸다. 뭔가 잘 알지 못하는 것이 상처의 안쪽에서 욱신욱신 쑤시는 느낌이었다.

『처형인』 헥터의 검에는 암흑 마법이 걸려 있었나 보다.

평소라면 자신의 마력으로 분명 저항할 수 있었을 터였다. 하지만 핀데일에서 전투를 치른 이후부터 거의 사이를 두지 않은 연전이었고 결계를 간섭당함에 따른 대책과 강화가 필요했다. 덧붙여서 이 공간의 유지에 마력을 할애하고 있었기 때문에 자신의 치유력이 제 역할을 못하고 있었다.

자작품 영약이야 물론 있지만, 재료가 부족한 탓에 썩 대단한 효과는 발휘하지 못했다. 현 상황을 유지하는 것도 버거웠다.

외통수다. 사티는 이를 갈았다. 그때마다 역시 도움을 청하는 게 맞지 않았을까 생각이 들고, 다만 휘말리게 하면 괴로울 뿐이라는 상반된 감정이 맞부딪쳤다.

그때 콧속이 시원해지는 신비한 냄새가 감돌았다. 쌍둥이가 질냄비를 들고 다가왔다.

"다 됐어."

"사티, 괜찮아?"

사티는 상체를 일으켰다.

"괜찮아. 고마워."

뭐가 괜찮다는 거야, 거짓말쟁이야. 사티는 먹먹한 심정으로, 다만 미소를 지을 수밖에 없었다.

○

바깥이 살짝 밝아지나 싶더니 날이 새는 것은 순식간이었다. 비좁게 바짝 붙여서 지은 집들의 틈 사이 길도 어스레하게 밝아졌고, 옅게 구름이 낀 하늘에는 막 떠오른 태양이 번쩍번쩍 빛나고 있다. 그러나 바람은 휭휭 울부짖듯이 불어와서 사람들의 살갗을 싸늘하게 쓸어 만졌다.

짐 꾸리기를 마친 벨그리프와 퍼시벌이 내려올 무렵에는 활동이 빠른 상인들이 시끌벅적하게 아침 식사를 하는 참이었다. 여관의 주점이지만 아침때는 술주정뱅이의 숫자가 적다. 술을 마시는 곳이 아니라 식당 비슷한 분위기로 바뀌었고, 밤부터 열심히 마신 듯 탁자에 푹 엎드려 취한 이들 외에는 다들 빵이며 수프, 죽, 구운 고기나 찐 감자 따위를 먹고 있다.

가볍게 아침 식사를 먹은 뒤 대공가의 제도 저택에 가려는 생각이었는데 건너편 자리에서 누군가가 일어서는 기척이 나더니 곧장 똑바로 벨그리프와 퍼시벌의 자리에 다가왔다.

쓱 봤더니 어젯밤에도 본 뷔에나 교의 성당 기사가 성큼성큼 걸어서 다가오고 있었다. 줄곧 기다렸다는 느낌이 든다. 마이트레야가 허둥지둥 퍼시벌의 뒤에 숨었다.

"간밤에 봉변을 당했더군."

다부진 체격의 성당 기사는 다소 불손한 태도로 벨그리프를 주시했다. 나이는 대강 서른을 넘겼을 테지. 살짝 거무스름한 피부에 짙은 갈색의 머리카락이 눈에 띈다.

"도노반이다. 루크레시아 교황청의 성당 기사로 활동 중이다."

"이런, 귀한 분이셨군요. 벨그리프라고 합니다."

내미는 손을 마주 잡는다. 도노반은 살짝 입가에 웃음을 띠고 턱짓으로 뒤쪽을 가리켰다.

"저 녀석이 있었다는 게 행운이었군. 주신의 가호 아니겠나."

어젯밤 방에 뛰어들었던 토끼 귀 소년은 도노반의 뒤쪽에서 의자에 앉은 채 멍하니 허공을 보고 있다. 벨그리프는 미소 지었다.

"예, 덕분에 큰 도움을 받았습니다……."

"파르카! 인사는 좀 해라!"

도노반이 소리 지르자 파르카라고 불린 토끼 귀 소년은 얼굴만 벨그리프와 퍼시벌이 있는 방향으로 돌려서 살짝 머리를 꾸벅했다. 벨그리프도 미소 짓고는 꾸벅 머리 숙였다.

"그래, 성당 기사님이 뭔 볼일이신가?"

뒤쪽에 있던 퍼시벌이 수상쩍어하는 표정을 짓고 말했다. 도노반은 흥, 코웃음 쳤다.

"저 녀석에게 들었다만……. 너희에게 흥미가 솟았다. 특히 벨

그리프였던가. 네가 등에 멘 무기는……. 꽤나 대단한 검 같아 보이는군?"

어깨 너머로 보이는 칼자루에 뻗는 손길을 벨그리프는 슬쩍 다리만 움직여서 피했다. 그러고는 쓴웃음을 짓는다.

"아니요, 별로 대단한 검은 아닙니다."

"괜히 겸손 떨지 마라. 그 검에서 뭔가 청정한 기운이 느껴진다……. 성검의 부류일 테지?"

말투는 평온했지만 도노반의 눈은 사냥감을 노리는 맹수와 비슷했다. 불길한 예감이 들어 벨그리프는 얼굴에만 생긋 웃음을 띠며 머리 숙였다.

"대단히 죄송하오나 바쁜 처지인지라……."

"너무 무서워하지 마라. 위해를 끼치자는 게 아니니까. 검을 잠시만 보고 싶을 뿐이다."

걸음을 떼려고 한 벨그리프의 팔을 도노반이 자연스러운 동작으로 붙잡았다. 힘을 썩 강하게 주는 느낌도 아닌데 어쩐 이유인지 팔에서 맥이 빠지는 이유는 저 남자가 정확하게 약한 부위를 붙잡았기 때문일 테지. 상당한 경지에 오른 강자인 듯하다.

그때 도노반의 팔을 퍼시벌이 붙잡아 떼어 냈다.

"우린 너희에게 아무런 볼일도 없다. 방해하겠다면 성당 기사든 뭐든 베어버리겠다."

"오호, 재미있군……."

"잠깐, 잠깐."

벨그리프는 살기를 띠는 두 사람의 사이에 끼어들었다.

"퍼시, 이런 곳에서 쓸데없이 싸워 어쩌잔 건가……. 실례했습니다, 도노반 님."

"하하, 넌 예의를 좀 차릴 줄 아는 녀석이군. 한데 분수에 안 맞는 귀물은 자기 신세를 망치지 않겠나?"

도발적인 언사다. 퍼시벌이 들으라는 듯이 혀를 찼다.

성당 기사라는 신분은 모종의 특권 계급이다. 배후에 뷔에나 교의 교황청이 있기 때문인지 저들은 하나같이 거만하며 귀족인들 이러할까 싶은 행동거지조차 용납된다고 했다.

벨그리프는 잠시 입을 다물고 있다가 이윽고 훗 웃으며 눈을 내리뜨고는 등에 멘 검을 칼집째 잡아 도노반에게 내밀었다. 도노반은 히죽 웃더니 칼자루에 손을 가져갔다.

"고분고분하니 기특하군……. 음?"

벨그리프가 손을 놓자마자 검은 심상치 않은 무게를 가중하며 도노반의 팔을 압박했다. 즉각 온몸에 힘을 넣어서 버텼지만 결국 검은 들려 올라가기는커녕 도노반을 바닥에 넘어뜨렸다. 양쪽의 실랑이를 힐끔힐끔 곁눈질하며 보고 있었던 주위 관객들이 놀라서 눈을 부릅뜬다.

"큭……."

도노반은 어떻게든 다리에 힘을 꽉 줘서 일어났다. 자루를 두 손으로 쥐고 이마에 핏대를 세우며 신음하고 있다. 이를 악물며 버티느라 비지땀이 새어 나왔다. 그러나 대검은 꿈쩍도 하지 않는다. 칼집에서 빠질 낌새도 없었다.

퍼시벌이 껄껄 웃음을 터뜨렸다.

"뭐냐, 엘리트 나리. 벌써 허리가 구부러지셨나."

"제길……. 어떻게 된 거냐."

움직이지 않는 검 때문에 악전고투하는 도노반을 보다 못해서 벨그리프는 칼자루에 손을 가져가 쑥 들어 올렸다. 검은 아무 저항도 없이 휙 들려 올라갔다. 도노반은 어안이 벙벙한 채 해방된 손을 쥐었다가 폈다가 했다. 조금 저릿한가 보다.

"실례했습니다. 다만 이 검은 사용자를 선택하는지라."

"……그래, 알겠다. 결론이 났군."

도노반은 서늘한 표정으로 벨그리프를 쳐다봤다.

"마음에 안 들지만 역시 진짜였다."

그렇게 말한 뒤 갑자기 미끄러지듯 몸을 옆으로 비켰다. 벨그리프의 등에 싸늘한 예감이 치달렸다. 즉각 검을 칼집째 몸 앞에 내민다. 불현듯 충격이 느껴졌다. 도노반의 뒤편에서 기척도 없이 다가들었던 파르카가 본인의 검을 대검에 내리찍어서였다.

검이 맞부딪친 위치에서 파팟, 무엇인가가 터져 나오는 듯한 감각이 느껴졌다. 양쪽의 검 모두 칼집에 들어가 있는데도 마치 칼날에서 직접 솟구치는 듯한 마력이 충돌한다. 불쑥 서로의 발밑에서 바람이 일어나 망토와 옷자락을 흔들었다.

벨그리프를 노린 공격이 아닌 처음부터 검끼리 서로 부딪치는 것이 목적인 일격이었다. 그래서 충격도 한층 더 크다. 칼날에서 자루를 통해 전해지는 마력이 전격처럼 벨그리프의 팔을 저릿하게 했다.

저도 모르게 얼굴이 일그러졌다.

대검이 화내며 윙윙 소리를 낸다. 파르카의 검은 신음하며 소름 끼치고 나지막한 소리를 냈다.

사고가 따라오는 동시에 쭉 뒤로 끌려가는 감각이 느껴졌다. 급히 자세를 바로잡던 중 벨그리프를 뒤로 끌어다 놓은 퍼시벌이 대신 앞으로 치고 나갔다. 얼굴은 안 보였지만 괴물 같은 위압감을 쏟아 내고 있다. 천천히 허리에 찬 검에 손을 가져갔다.

"……싸움이면 내가 상대해주지. 덤빌 텐가?"

"서두르지 마라. 조만간 또 만나게 될 테니."

도노반은 사납게 미소 짓다가 발걸음을 돌렸다. 한편 파르카는 변함없이 멍한 얼굴 그대로 도노반의 뒤를 따라서 떠나간다. 팽팽하게 긴장되었던 주점 안 분위기가 이제야 누그러졌다.

퍼시벌이 혀를 차고는 돌아섰다. 눈살을 잔뜩 찡그리고 있다.

"역시 성당 기사 놈들은 마음에 안 드는군. 괜찮나? 벨."

"그래, 미안하네……."

조금 저릿함이 남은 손을 팔랑팔랑 흔들며 벨그리프는 대검을 다시 짊어졌다. 대검은 언짢아하며 작게 윙윙거리고 있다.

탁자의 뒤편에 숨어 있었던 마이트레야가 얼굴을 쏙 내밀어서 주위를 둘러봤다.

"갔어?"

"그래……. 거참, 바쁜 처지인데 귀찮은 놈들의 눈에 찍혀버렸군."

퍼시벌이 투덜거리고는 짐을 고쳐서 멨다.

"되도록 빨리 다른 녀석들과 합류하는 게 좋겠군."

"그렇, 군……."

벨그리프는 한숨 쉬었다. 더욱 상황이 혼돈에 빠져드는 것 같았다. 그러나 가만히 멈춰 서 있을 시간은 없다. 욱신욱신한 감촉이 남은 손가락으로 주먹을 꽉 쥐었다가 벨그리프는 얼굴을 들어 올렸다.

"저 사람들은…… 무엇이 목적이었을까."

"글쎄다. 아무튼 『팔라딘』의 검에 눈독을 들인 것은 분명하군. 조심하라고."

난처한데. 벨그리프는 머리를 긁적였다.

성당 기사 두 사람은 무엇인가 알고 있는 기색이었다. 온갖 운명의 실이 교차하면서 자신들이 거기에 뒤얽혀 끌려가는 것 같다는 느낌이 든다.

약한 마음을 먹을 상황이 아니다. 벨그리프는 한껏 숨을 들이마셨다가 얼굴을 들어 올렸다.

바람이 휭휭 불어오고 있다.

○

아직 해가 다 떠오르기 전에 눈을 뜬 안젤린은 살짝 안달복달하는 기분으로 침대 위에서 책상다리를 했다. 꽉 닫은 커튼 아래의 빈틈으로 바깥의 희미한 빛이 비쳐 들어서 푸른색으로 보인다. 물 속에 있는 것 같은 분위기였다.

2층 침대가 둘 있는 4인용 방이다.

카심은 남자 혼자니까 혼숙용 방에서 자겠다며 나갔다. 토야와 모린은 둘이서 다른 방을 쓴다. 아무리 파트너라지만 남녀가 한 방을 쓴다는 게 굉장하다는 생각이 들어 안젤린은 살짝 뺨을 붉혔다.

그렇게 따로따로 침대에 누운 뒤에도 어쩐지 마음이 들썩거려서 잠에 든 시간이 늦어졌었다. 다만 일어난 때도 빨랐다. 도무지 진정이 되질 않는다. 어쩐지 신출내기 무렵을 떠올리게 되는 심정이구나 싶어서 안젤린은 머리를 긁적거리다가 자는 동안에 살짝 헝클어진 흑발을 손빗으로 빗었다.

위쪽 침대에서 바스락바스락 옷 스치는 소리가 났다.

"안제, 일어났냐?"

"응……. 마리도?"

쏙, 거꾸로 머리를 내민 소녀는 마르그리트다. 매끄러운 은발이 중력에 이끌려서 똑바로 쭉 늘어졌다.

"오늘은 벨이랑 합류할 수 있겠지. 헤헤, 어떻게 될지 기대된다니까. 야, 사티는 어떤 녀석이었냐?"

"잠깐 만나서 잘……. 예쁜 사람이었어. 눈매가 착하더라."

굳이 구별하자면 예리하게 꽉 올라간 눈매의 마르그리트와 달리 조금은 처진 모양새였던 선량한 눈매를 떠올린다. 다만 눈동자의 빛은 강한 심지가 느껴졌었다. 그럼에도 하루와 마루 쌍둥이를 바라보는 눈빛은 몹시 사랑하는 사람을 보는 것 같았다.

자신의 어머니 운운 발언은 별개로 쳐도 한 번 더 만나고 싶다는 생각이 들어 안젤린은 베개를 안아다가 턱을 얹었다. 벨그리프까지 네 사람이 함께 모여서 하는 옛날이야기를 듣고 싶다. 가능하면 톨네라에서, 새로운 집의 난로 앞에서. 그곳에서 마시는 사과주는 분명 무척이나 달콤하겠지.

멍하니 앉아 있는 안젤린을 가벼운 몸놀림으로 폴짝 뛰어내린 마르그리트가 의아하다는 표정을 짓고 콕콕 찔렀다.

"뭐냐, 잠이 모자라냐?"

"딱히 모자란 게 아니라……. 마리야말로 졸리지 않아?"

"전혀. 빨리 움직이고 싶어서 못 견디겠다."

마르그리트는 그렇게 말한 뒤 안달 난다는 듯이 두 손을 맞대어 주물거리다가 몸을 쭉 펴거나 다리를 구부리거나 했다. 마르그리트처럼 단순하면 좋을 텐데. 안젤린은 베개에 입을 파묻고 색색 숨을 쉬었다. 자신의 머리카락 냄새가 난다.

얼마쯤 지나 아넷사와 밀리엄도 깨어나서 몸단장을 하던 때 문을 두드리는 소리가 났다. 열어보니 카심이 졸린 얼굴을 하고 서 있었다.

"오, 다들 푹 잤냐?"

"그냥저냥……. 카심 아저씨는?"

"좀 잠이 부족한 기분인데……. 뭐, 걷다가 눈이 뜨이겠지."

카심은 그렇게 말한 뒤 거하게 하품을 하고 눈가의 눈물을 손가락으로 닦았다.

"그럼 난 한발 먼저 살라자르한테 가보도록 하마."

"응, 힘내, 카심 아저씨."

"너무 기대하지는 말고. 뭐, 할 만큼은 해봐야지……. 이따가 보자. 너희도 빠릿빠릿하게 일하고 와라."

카심은 손을 휙휙 흔들며 걸어갔다. 뒤이어서 토야와 모린도 바로 얼굴을 내밀었다.

"다들 좋은 아침이야."

"좋은 아침. 토야, 다친 덴 어때……?"

"나는 괜찮아. 모린한테 영약도 받았고."

"빨리 사티 씨를 구해서 다 같이 맛있는 음식을 먹으러 가죠."

모린이 주먹을 꽉 쥐며 말했다. 토야가 절레절레 머리를 흔든다. 안젤린은 쿡쿡 웃으며 방 안을 돌아다봤다.

"아네, 준비됐어?"

"응."

아넷사가 자신의 작은 가방을 어깨에 걸쳤다.

"그럼 다녀올게."

모험가 길드에는 토야와 모린 이외에 아넷사가 함께 가기로 했다. 처음엔 벨그리프, 퍼시벌과 합류한 다음 각각 갈라져도 괜찮지 않을까 생각했었는데 역시 시간이 아까웠다. 언제 합류할 수 있을지 알지 못하는 벨그리프와 퍼시벌을 기다리기보다는 조금이라도 빨리 정보를 모아서 나중에 공유하는 게 좋겠다는 판단이었다.

모자를 푹 눌러쓴 밀리엄이 히죽히죽하며 아넷사의 뺨을 콕콕 찔렀다.

"아네, 괜찮겠어? 쓸쓸하지 않아~? 나도 따라가줄까?"

"됐어, 괜찮아. 오히려 난 너희가 더 걱정이야."

아넷사는 쓴웃음을 지으며 팔장을 꼈다.

리젤로테를 만나러 가는 일행은 안젤린, 밀리엄, 마르그리트다. 나중에 벨그리프, 퍼시벌이 와서 합류하더라도 아넷사로서는 내심 얼마간— 아니, 상당히 걱정되는 3인조이다. 안젤린이 입을 삐죽거렸다.

"걱정 마. 리제랑 얘기하는 건 즐거우니까. 길드같이 귀찮은 데는 아네한테 딱 맞아."

"그런 문제가 아니잖아……. 뭐, 어차피 리제를 만나려면 안제가 가는 게 맞잖아. 결국 나밖에 빠질 사람이 없네. 미리랑 마리는 제대로 대화를 진행하지도 못할 테니까."

으냥으냥 소리 높여서 항의하는 밀리엄과 마르그리트를 무시한 채 아넷사는 안젤린을 바라봤다.

"일단 황태자의 주변에 수상쩍은 움직임은 없는지, 요즘 제도에서 특이한 일은 없었는지를 중심으로 정보를 수집해서 올게. 그거면 되겠지?"

"응, 아마 괜찮을 거야. 잘 부탁할게, 셋이 고생해줘."

"맡은 임무인걸요~. 안심해주세요."

"안젤린 씨, 대공가의 저택은 왕성하고도 가까운 곳이니까 조심해."

"응. 너희도 조심해서 다녀와."

세 사람이 떠나갔다. 남은 안젤린 일행은 얼굴을 마주 바라봤다.

"우리도 슬슬…… 나갈까?"

"그러게~ 여기에서 느긋하게 앉아 있어도 시간만 아깝잖아."

"나도 좀이 쑤셔서 못 견디겠다. 빨리 나가자."

결정이 난 이상 우물쭈물하지 않는다. 세 사람은 나란히 숙소에서 나왔다.

아침의 제도는 떠들썩했다. 여기저기에 음식을 파는 포장마차의 처마가 쭉 늘어서서 김과 향긋한 냄새를 흩뿌리고 있다.

이 주변은 주택지가 아닌 상점이나 공장 따위가 있는 상업가, 또한 여행자가 들르는 숙소 및 주점이 모여 있는 지구인 듯 사람도 잔뜩 오가는지라 활기차다. 이런 장소는 올펜도 제도도 똑같다는 생각이 든다.

도중에 포장마차에서 음식을 사다가 걸어가며 아침 식사를 때우는 동안에 점점 번화가다운 떠들썩함은 희미해지고, 대신 채색해 놓은 것처럼 새하얀 석회 벽이나 색깔이 다른 벽돌을 쌓아 조형미에 공을 들인 형태의 건물 따위가 나타났다. 제도의 법복 귀족들이 사는 저택 같다.

이 주변까지 오면 고요하다는 말이 어울린다.

맞은편에서 내려온 마차와 엇갈렸을 때 아름답게 장식한 젊은 아가씨가 의아하다는 표정으로 마차 안에서 안젤린 일행을 바라보고 있었다.

밀리엄이 두리번두리번하며 중얼거렸다.

“어제도 왔었는데……. 역시 별난 곳이구나~. 조용한데도 뭔가 진정이 되질 않아~.”

“동감이야……. 진정이 안 돼.”

“그러냐? 그냥 예쁘기만 한데.”

마르그리트만 유독 태연한 모습이다. 그러고 보니 이 말괄량이 아가씨는 사실 왕족이었지. 안젤린은 옆에서 걷는 엘프의 공주님을 말똥말똥 바라봤다. 왠지 우습다는 생각이 들었다.

가끔 잡담을 나누며 한동안 걷다가 언덕길을 올라서 대략 한 시간이 걸려 대공가의 저택에 도착했다. 변함없이 큰 저택이다. 이렇게 멋진데도 별장이라고 한다.

평소에 본 영지에서 나오지를 않는데 이토록 큰 저택은 낭비가 아닐까? 안젤린 같은 사람은 당연히 할 법한 생각이지만, 예전에 길메냐가 말했던 힘을 과시하기 위해서라는 논리로 생각하면 납득이 되는 것 같기도 했다.

안내를 요청하자 얼마 뒤 수티가 나타났다.

“안녕하세요, 수티 씨.”

“안녕하십니까, 여러분. 어라, 오늘은 세 분만 오셨습니까?”

“그렇게 됐어. 리제는? 바빠?”

“언제나 바쁜 분이죠, 그 아가씨는. 오늘은 뭐였더라, 다과회에 초대받았다던가요……. 그런데 여러분이 와주셨으니 참석을 취소할 것 같기도 하군요.”

뭐, 이쪽으로 오시죠. 말을 건네는 수티를 따라 안젤린과 소녀들은 저택 안으로 들어갔다. 여전히 현란한 곳이었다.

몇 번인가 모퉁이를 돌아서 계단을 오르고 막다른 곳의 방 앞까지 왔다. 수티가 문을 두드린다.

"아가씨, 안젤린 양과 친구분들이 방문하셨습니다."

"뭐? 안제가?! 잠깐, 잠깐만!"

안쪽에서 우당탕 떠들썩한 발소리가 나는가 싶더니 문이 열리며 속옷 차림의 리젤로테가 뛰쳐나왔다.

"오늘도 와줬구나! 기뻐, 안제!"

"리제……. 옷 갈아입고 있었어?"

열린 문 너머에서 아마 옷시중을 들어주었을 메이드들이 멍한 표정으로 우두커니 서 있다. 수티가 어이없어하며 이마에 손을 가져갔다.

"이보세요, 아가씨……. 다들 여성분이니 다행이지……."

"앗, 미안. 기뻐서 나도 모르게."

리젤로테는 뺨을 붉히며 두 손으로 몸을 감싸 안았다. 퍼뜩 정신을 차려 뒤에서 달려온 메이드가 홑이불을 리젤로테의 어깨에 걸쳤다. 마르그리트가 깔깔 웃는다.

"기운 넘쳐서 괜찮네. 예쁘게 꾸미고 어디 나가나 보다?"

"맞아. 별로 가고 싶지는 않지만……."

"꼭 가야 되는 자리야~?"

밀리엄이 물으며 고개를 갸웃거렸다. 리젤로테는 홑이불로 몸을 감싸고 쑥스러워하며 웃음 지었다.

"떼쓰면 안 가도 되겠지만……. 나도 대공가의 여식이니까, 그런 자리는 꼬박꼬박 참석하는 게 좋을 테지."

"어라, 조금은 성장하셨군요. 기특합니다."

수티가 재미있다는 표정을 지으며 말했다. 리젤로테는 뚱하게 뺨을 볼록거렸다.

"그치만 안제랑 다들 무척 야무지게 살아가잖아. 나도 본받아야지."

"……쑥스러워."

안젤린은 조금 기뻐져서 뺨을 긁적였다.

귀족 사회는 잘 알지 못하는 터라 다과회라는 사교장의 중요성도 좀처럼 이해를 할 수 없었지만, 리젤로테도 자기 나름대로 성장하고자 이렇듯 노력한다는 것이 기껍게 여겨졌다. 더구나 자신들의 영향이라며 말을 해주니 딱히 뜻하지는 않았어도 기쁘다.

리젤로테는 퍼뜩 놀라며 미안하다는 듯이 눈을 올려다보며 안젤린에게 말했다.

"그게, 그게, 그러니까 오늘은 금방 외출해야 되거든……."

"그렇구나……. 아냐, 괜찮아. 있잖아, 아빠가 리제랑 이야기를 나누고 싶대."

"안제네 아버님이? 같이 오셨어?"

"이따가 올 것 같은데……. 뻔뻔한 부탁이지만 저택에서 기다리고 있어도 될까?"

리젤로테와 나눌 대화를 기대하고 있는 이상 벨그리프와 퍼시벌도 이 저택을 목적지로 움직일 것이다. 연락 수단이 없는 까닭에 변경은 어려웠다.

리젤로테는 싫은 내색도 한 번 하지 않고, 오히려 기뻐하며 눈을 빛내고 고개를 끄덕였다.

"물론 괜찮아! 나도 밤에는 돌아올 생각이었거든. 기다려주면 기쁠 거야!"

리젤로테는 그렇게 말한 뒤 수티를 돌아봤다.

"수티, 오늘은 베렝가리아 가문이니까 바로 코앞이야."

"물론 알지요."

"그러니까 너는 나 안 따라와도 괜찮아. 안제랑 같이 있어주면서 이것저것 돌봐줘."

안젤린은 허둥지둥 두 손을 흔들었다.

"괜찮아, 미안하잖아……."

"괜찮아! 가끔은 시끄러운 감시꾼한테 벗어나서 한숨 돌리고 싶은걸."

리젤로테는 장난스러운 어투로 말한 뒤 수티를 보고 메롱 혀를 내밀었다. 수티는 어깨를 으쓱거렸다.

"말재주가 많이 늘었군요. 뭐, 아가씨는 고집을 한번 부리면 꺾여주시질 않으니까 말씀하신 대로 따르겠습니다. 하지만 다른 누군가를 호위로 데려가주셔야 합니다."

"걱정 마. 후후, 고마워, 수티. 나는 이런 네 성격이 참 좋아. 그러면 안제, 마리, 미리, 편하게 있어."

리젤로테는 쿡쿡 웃으며 방 안에 들어가서 문을 닫았다. 안젤린과 소녀들은 얼굴을 마주 바라봤다. 밀리엄이 헤죽헤죽 웃고 있었다.

"귀엽구나~ 리제는."

"헤헤, 어른스럽게 행동하는 느낌이 참 좋지."

"치유된다……."

안젤린도 후후 웃다가 퍼뜩 깨닫고는 수티를 돌아봤다.

"미안해, 수티 씨……. 고마워."

"괜찮습니다. 오히려 제가 한숨 돌릴 수 있겠군요."

수티는 그렇게 말한 뒤 두 손을 들어서 기지개를 켰다.

"자, 일단 가만히 서 있지 마시고 다른 방으로 가십시다."

안젤린은 고개를 끄덕거리고 수티의 뒤에 서서 걸음을 뗐다. 발 아래의 두꺼운 융단이 신발 너머로도 부드럽게 느껴진다.

문득 창밖을 보면 거뭇한 구름이 걸려 있어서 어둑어둑했다.

한바탕 비가 쏟아질 분위기였다.

114 커다란 건물이었다. 문은 철제의 양문형이며

커다란 건물이었다. 문은 철제의 양문형이며 두껍고 튼튼한 구조로 만들어졌다. 거기에 제국의 문장과 모험가 길드의 문장이 같이 각인되어 있었다. 활짝 열어 둔 그 문을 남녀노소 모험가들이 끊임없이 드나들고 있었다.

이곳은 제도의 모험가 길드이다. 토야와 모린에게 안내를 받아 온 아넷사는 우선 거대함에 감탄했지만, 곧 상상했던 정도는 아니라는 생각을 했다.

분명 커다랗다. 사람 숫자는 더더욱이다. 그러나 이런 규모라면 다른 대도시의 길드와 썩 다를 게 없었다.

물론 커다랗지만 올펜과 이스타프 등 다른 대도시의 길드와 특별히 다르지 않다는 것은 이상한데. 아넷사가 슬쩍 물어보자 토야가 씩 웃었다.

"여기 말고도 길드 건물이 여기저기에 더 있거든. 전부 다 이곳과 비슷한 규모야. 여기는 제4지부였을걸?"

제도는 넓은 만큼 모험가의 의뢰 따위를 관리, 알선하는 시설도 도시 이곳저곳에 흩어져서 위치하며, 해당 건물마다 책임자가 배치되어 있다고 한다. 아넷사가 토야와 모린의 안내를 받아 찾아온

곳은 그중 하나다.

제도의 길드는 운영 기관의 중역, 즉 길드 마스터와 주변 인물들은 이 건물에 없다. 제국 내부의 길드를 통괄하기 위한 시설이 또 별개로 존재한다. 더욱이 상인을 대상으로 하여 던전 및 마수 산출의 소재를 도매하는 장소, 훈련소 역할을 하는 장소도 있는지라 길드와 관계된 시설만도 상당한 면적을 자랑한다고 한다.

흠, 이해가 되네. 아넷사는 납득했다. 이 커다란 건물이 몇 개나 더 있다고 상상해본다. 그리고 비슷하게 많은 사람들이 들락날락한다면……. 저절로 탄성이 새어 나왔다.

"굉장하네……. 역시 중앙 길드야."

"뭐, 모든 건물을 돌아다니며 일하는 분은 거의 없지만요."

모린이 그렇게 말한 뒤 아까 포장마차에서 산 설탕을 뿌린 튀김빵을 입안에 가득 물었다.

하늘에는 두꺼운 구름이 뒤덮인지라 당장에 비가 쏟아질 것 같았다. 세 사람은 걸음을 빨리하여 서둘러 건물 안에 들어갔다.

내부는 꽤나 복작복작했는데 발 디딜 자리도 없는 분위기는 아니었다. 다른 곳에도 길드의 건물이 있는 만큼 모험가도 분산되어 있을 테지. 그럼에도 이토록 많은 사람이 모여 있다는 것은 충분히 경탄할 만한 일이지만.

여기저기 제국 양식의 장식으로 공을 들여 놓았기에 사람은 많은데도 올펜의 길드보다 오히려 깔끔하다는 인상을 받는다. 이쯤 되면 북부의 대도시라는 올펜도 시골이구나 싶어서 아넷사는 괜히 쓴웃음이 나왔다.

얘기 좀 하고 올게. 토야가 뒤편 어딘가로 돌아 들어갔다. 아넷사는 모린과 둘이 로비의 의자에 앉아 기다린다.

"그러고 보니 두 사람, 집은? 제도에서 사는 거지?"

"그렇답니다~ 여기 근처예요. 한동안 비웠으니까 돌아가면 청소해야 돼요……. 잠깐 들러서 짐만 놔두고 왔는데요, 먼지투성이라 되게 난감하더라고요."

모린은 푸념하며 종이 봉투에서 조그만 나무 열매를 꺼내 들었다. 손바닥 안에 가려질 크기의 연붉은색을 띤 둥근 열매다. 꺼칠꺼칠하고 딱딱한 표피에 감싸여 있었다.

"자요, 드세요."

"아, 고마워. 이게 뭐야……?"

"무어 열매예요. 이걸…… 이렇게 껍질을 벗겨서요."

모린은 그렇게 말한 뒤 손톱 끝으로 껍질을 흠집 내서 깔끔하게 벗겼다. 꺼칠꺼칠한 표피만 봐선 상상하지 못할 싱그럽고 하얀 과육이 나타났다.

"올펜에서는 본 적이 없는데, 이런 열매……."

"어머, 그랬어요? 맛있답니다. 독특한 풍미가 있거든요."

모린은 그렇게 말한 뒤 벗겨 낸 과실을 덥석 입에 물었다.

"응, 맛있어. 아, 씨앗이 커다라니까 씹을 때 조심하세요."

아넷사도 본 대로 흉내를 내서 껍질을 벗긴다. 과즙이 손가락을 따라 흘렀다. 급히 반사적으로 핥아서 닦았는데 달콤하고 신비한 향기가 났다. 과육을 씹자 향기는 더욱 강해졌고 한가운데의 커다란 씨앗을 이빨로 흠집 내자 또 다른 향기가 느껴졌다. 어쩐지 이국정취가 느껴지는 것 같다.

껍질을 벗겨서 먹는다. 이런 음식을 먹을 땐 묘하게 정신이 집중되고는 한다.

모린은 물론 아넷사도 묵묵히 손과 입을 움직이던 중 토야가 다가왔다.

"아, 무어 열매다. 나도 하나만 줘."

"누구랑 얘기하고 온 거야? 무슨 책임자와 아는 사이야?"

"그렇지, 뭐."

토야는 익숙한 손놀림으로 무어 열매의 껍질을 벗긴 뒤 입에 집어넣었다. 그러곤 오물오물 씹다가 씨앗만 손바닥 위에 뱉는다.

"맛있다. 일단 움직이자."

탁자에 흩어져 있는 껍질을 전부 주워서 종이 봉투에 넣고 자리를 떴다.

세 사람은 카운터를 지나친 뒤 뒤편으로 돌아들었다. 앞쪽과 달리 주로 관계자가 다니는 곳이라서 썩 소란스럽지도 않다.

복도의 양옆에 문이 다수 있었는데 저마다 각종 분야의 부서인 듯했다. 서류를 쌓아 운반하는 사람이나 용의 비늘 비슷한 소재가 가득 찬 바구니를 안아 든 사람이 들락거린다. 활짝 열어 둔 문 너머에서 통신용 수정에 대고 고함지르는 사람이 있기도 했다.

토야는 그중 한 곳의 앞에 멈춰 서더니 표찰을 확인한 뒤 문을 두드렸다. 「네에~」라며 살짝 맥 빠지는 목소리가 들렸다. 아넷사도 표찰에 눈을 돌렸다. 부지부장실이라고 쓰여 있었다.

"안녕하세요."

"야호, 토야. 드디어 돌아왔구나."

토야와 모린에 이어 아넷사가 들어갔다. 바로 정면에 집무용 책상을 놓아두었고, 다시 건너편에 여성이 한 명 앉아 있었다. 스물 후반에서 서른 초반쯤 되어 보이는 용모이다. 해초처럼 꾸물거리는 심녹색의 머리카락이 아무렇게나 막 자라서 흐트러져 있다. 얼굴에도 드리운 터라 한쪽 눈은 안 보인다. 드러난 한쪽 눈도 어쩐지 의욕이 없어 보이도록 처진 눈매였다.

토야가 쓴웃음을 지었다.

"어제도 왔었는데 자리를 비웠더라."

"어라라, 그랬나아?"

"으음, 이쪽은 아넷사 씨. 『흑발의 여검사』 안젤린 씨의 파티 멤버이고 AAA랭크의 사수, 맞지?"

아넷사가 고개를 끄덕거리자 여성은 「오오」라고 말하며 일어섰다. 무릎 위까지 내려오는 헐렁헐렁한 셔츠 한 장 차림이다. 곧 훌쩍 집무용 책상을 뛰어넘어서 아넷사의 앞에 착지하더니 두 손으로 손을 잡았다.

"소문 자자한 『흑발의 여검사』의 파티 멤버와 만나게 되다니 기쁜걸~. 나는 아이린 씨랍니다, 잘 부탁해~."

"아넷사입니다. 잘 부탁드려요, 아이린 씨……. 부지부장이시군요?"

“맞아, 맞아. 여기 제4지부에서 아마 두 번째로 높은 사람일 거예요~.”

아이린은 헤죽헤죽 웃으며 「자, 앉아요, 앉아」라며 접객용 소파를 권해줬다. 모린이 종이 봉투를 버석버석 뒤적거린다.

“아이린, 무어 열매 먹을래요?”

“아, 먹을래, 먹을래~. 후후, 그나저나 토야랑 모린이 나를 의지해주다니. 아이린 씨는 감격했어~.”

“뭐라는 거야, 어휴……. 여기, 괜찮아?”

토야가 목소리를 낮춰서 묻자 아이린은 살짝 눈매가 가늘어지며 목소리를 가라앉혔다.

“비밀 이야기?”

“누구 들으라고 떠들 얘기는 아닐걸, 아마.”

“흠흠. 뭐, 단순한 고민 상담은 아닐 테니까, 좋아~. 잠시 외출을 해볼까요~. 후후~ 사무직 일은 피곤하다니까아.”

아이린은 호들갑스럽게 큰 목소리를 내며 무어 열매를 입에 던져 넣더니 벽에 걸어 둔 코트를 걸쳤다. 아넷사는 의아하다는 표정을 지었다.

“나가야 돼요?”

“사정이 좀~. 큰 조직은 이것저것 얽힌 게 많답니다~.”

아넷사는 방 안을 쓱 훑어봤다. 감시의 눈이라도 있는 것인가 싶었는데 비슷한 낌새가 아주 안 느껴지는 것도 아니다.

그렇게 네 사람이 나란히 방을 나왔다.

복도를 걸어 길드의 바깥으로 나선다. 가랑비가 살짝 떨어지고 있다. 아직 본격적인 비는 아니었지만, 너무 느긋하게 걸어 다닐 상황은 아닌 날씨였다.

그러나 아이린은 여유로운 걸음걸이로 걷고 있다.

"살라자르의 의뢰는 다 마친 거야?"

"응, 문제없이……. 다만, 그 자식과 잠깐 마주쳤거든. 게다가 하필이면 제도에서."

"오옹? 세상에, 세상에……. 이야기도 그쪽 관련이려나?"

"조금 포함됐긴 하네. 복잡하게 얽힌 문제라 한마디로 설명이 안 돼."

"오호라, 오호라."

점점 비의 기세가 강해지는 듯 생각되었다. 일동은 걸음을 빨리 하여 아이린의 선도로 큰길에 면한 찻집 비슷한 곳에 휙 들어갔다.

"네 명이에요."

안쪽 구석으로 안내해준다. 칸막이가 있어서 소소하게 개인실 같은 분위기다. 코트를 벗은 아이린이 상쾌하다는 듯이 기지개를 켰다.

"후~ 좋아 ,좋아. 여기면 무슨 이야길 해도 문제없음~."

아하, 밀담을 하는 곳이구나. 아넷사는 납득해서 의자에 앉았다. 둥근 탁자다. 맞은편에 아이린이 앉았다.

"아넷사는 다들 어떻게 불러줘?"

"친구들끼린 아네라는 애칭으로요."

“아네. 괜찮네. 올펜인가~. 리오는 잘 지내?”

“리오……. 아, 길드 마스터 말이죠? 언제나 여윈 모습으로 다니지만, 대충 잘 지내고 있기는 해요. 아이린 씨, 아는 사이세요?”

“응, 걔가 옛날에 제도에서 활동했거든. 마수 대량 발생이란 게 어떻게 된 사태인지는 잘 모르겠는데 길이랑 에드 선배까지 쏙 데려갔잖아. 나는 쓸쓸해~. 유리도 없어져버렸고, 나도 불러주면 좋았을 텐데~.”

그러고 보니 길메냐와 에드거는 제도에서 현역 모험가로 활동하던 사람이었다는 것이 떠올랐다. 유리도 아이린과 아는 사이였나 보다. 의외로 좁은 세계구나. 아넷사는 살짝 웃어버렸다.

점원이 차와 과자를 가져다줬다. 모린이 기뻐하며 웃는다.

“여기 과자는 참 맛있죠~.”

“맛있지~ 달콤한 맛 엄청 좋아~.”

아이린도 덩달아 깍깍 떠들어 댄다. 토야가 이마에 손을 가져갔다.

“이야기 좀 해도 될까?”

“얘기해~.”

칸막이 너머에서 희미하게 큰길의 떠들썩한 소리가 들려온다. 토야는 작게 헛기침했다.

“아이린 씨는 벤자민 황태자를 어떻게 생각해?”

“멋있는 남자지~ 결혼해서 어리광 받아주고 싶어~.”

“아니, 그런 뜻이 아니라……. 뭔가 부자연스럽다고 생각한 적은 없었어?”

아이린은 차를 스푼으로 휘저으며 히죽히죽 웃었다.

"흐흥, 그 황태자가 가짜 아니냐는 이야기구나?"

토야는 물론 아넷사도 놀라서 눈이 휘둥그레졌다. 아이린은 쿡쿡 웃었다.

"너희들, 머리싸움은 못 하는구나~."

"알고 계셨어요?"

아넷사의 묻자 아이린은 시선이 살짝 흔들거렸다.

"으음……. 비슷한 소문은 줄곧 있었어. 너무 옛날이랑 사람이 달라졌으니까……. 다만 근거가 없는 데다가 명백하게 예전보다는 나아졌으니까 따지고 드는 녀석이 없지."

토야는 아넷사를 힐끔 쳐다봤다. 아넷사는 조금 고민하다가 결심한 뒤 입을 열었다.

"가짜예요. 실제로."

"하하~ 역시나 가짜였구나~."

"바로 믿어주시네요?"

모린이 말했다. 아이린은 턱받침을 했다.

"가짜라면 오히려 더 납득이 된단 말이지~. 아니면 꼭두각시거나……. 괜히 얽히면 귀찮으니까 모르는 척 넘어갔지만."

"그럼 역시나 부자연스러운 점이 있었군요?"

"길드에도 이것저것 압박이 있었다나 봐~. 나는 더 예전에 눈밖에 나서 이쪽으로 내려왔으니까 자세한 사정은 모르지만 말야, 뭔가 뒤에서 추진한다는 건 분명하네."

"그런가요……."

아넷사가 상념에 잠긴 표정을 짓던 때 아이린이 어깨를 으쓱거렸다.

"뭔가 망설이는 거야?"

"아니요, 딱히 망설이는 건 아닌데요. 그냥, 좀 복잡하네요. 가짜여도 민중에게는 우수한 위정자 역할을 하는 셈이잖아요……."

"우수한가……?"

아이린은 쿡쿡 웃고는 찻잔을 입가에 가져갔다.

"확실히 제도와 주변은 제법 활발해졌는데 말이야, 격차가 진짜 엄청나거든. 큰길은 화려하고 사람도 잔뜩 왕래하지만, 빈민가는 예전보다 더 심각해. 덧붙여서 여기 올 때 가도에 군대가 주둔하고 있었지? 비용이 꽤 많이 들거든? 의외로 예산이 빠듯빠듯할 거야."

"그래도, 치안은."

"응, 분명 치안은 괜찮아. 다만 결국은 핀데일에서 제도까지 사이만 괜찮아졌어. 다른 곳, 가도에서 떨어져 있는 조그만 마을은 자꾸자꾸 사라지는걸. 가도에서 쫓겨난 마수와 도적이 다른 데로 넘어가니까. 제도 제일주의를 주장하는 사람들은 말도 안 통하고. 괜히 여파를 받는 시골 마을은 세상 살기 힘들겠네~."

아이린은 아무렇지도 않게 말하고 깔깔 웃었다. 아넷사는 조금 당황하여 아무런 말도 못한 채 일단은 찻잔을 손에 들었다.

"아차, 미안해, 미안~. 관계없는 이야길 해버렸네. 암튼, 황태자가 뭘 어떻게 한 거야? 왠지 분위기가 평화로운 얘기는 아닐 것 같은데."

"헥터가 녀석들 편에 붙었어요."

토야가 말하자 이번에는 아이린도 꽤 놀랐는지 찻잔을 든 손이 공중에서 멈췄다.

"……토야, 요컨대 황태자와 적대하겠다는 거야?"

"결과적으로."

"게다가 『재액의 창염』 슈바이츠도 한패래요. 굉장하죠~."

모린이 깔깔 웃는다. 아이린은 방금 전까지 태연자약했던 모습은 온데간데없이 어깨를 축 늘어뜨리며 거하게 한숨 쉬었다.

"……순서대로 자세히 얘기해줄래? 아네, 너희 일행도 관련된 문제구나?"

"네. 오히려 저희가 토야와 모린 씨를 끌어들여버렸죠."

"앗, 먼저 주문부터 추가할게요."

모린이 불쑥 말했다. 어느새 텅 비운 과자 접시를 보고 아넷사와 토야는 털썩 어깨를 늘어뜨렸다.

○

안내받은 곳은 객실이었다. 어제 왔었던 곳과 또 다른 방이다. 깔끔하게 꾸며 놓아서 품위가 있다. 아마 평소에는 안 쓰는 방이었을 텐데 이렇듯 항상 깔끔하게 관리한다는 게 굉장하다. 안젤린은 내심 신기하게 생각했다.

세 사람을 안내한 수티는 차를 준비시키겠다고 말한 뒤 나갔다.

우선 소파에 자리를 잡고 앉는다. 무척 푹신푹신하다. 밀리엄은 창가에 가서 바깥을 내다보며 얼굴을 찌푸리고 있었다.

"어쩐지 머리가 자꾸 뻗치더라. 비 내릴 것 같아. 싫다~."

"아침에는 맑았는데 말이지. 우비도 안 갖고 왔다고. 막 쏟아지면 어떡하지."

"그땐 리제한테 빌리면 돼……. 어차피 밤까지는 여기서 기다려야지."

벨그리프와 퍼시벌은 언제 오려나. 안젤린은 소파에 몸을 기댔다. 마이트레야를 알지 못하는 터라 설마하니 공간 전이로 이미 제도에 와 있을 줄은 상상도 하지 못했다.

얼마 뒤 수티가 들어왔다. 뒤에는 차 세트를 손에 든 메이드들이 있었다. 곧바로 척척 손을 움직이자 눈 깜짝할 새에 향긋하고 우아한 차가 김을 피워 올린다. 수티가 창밖을 보고 말했다.

"쏟아질 것 같군요."

"응. 리제, 괜찮으려나."

"괜찮을 겁니다. 오늘 회장은 가까운 곳이니까요. 게다가 귀족은 여러모로 번거로워서 말입니다, 바로 코앞이어도 화려한 마차에 올라타서 굳이 재력을 과시하는 것이 관습이지요."

"흐음."

과연, 확실히 맞는 말 같았다. 안젤린도 무도회에 참가했을 때는 시종일관 진정이 되지 않았다. 힘이란 검과 마법의 실력이 전부는 아님을 깨달았었다.

밀리엄이 머리카락을 손빗으로 가다듬으며 말했다.

“그런데 괜찮은 거야~? 그럼 더더욱 수티 씨가 같이 따라갔어야 했을 텐데.”

“뭐, 그렇긴 합니다만 이번에는 그 아가씨의 성장을 존중해드릴까 합니다. 일단은 저 이외에도 수행인이 있고 말이죠. 근본이 다른 전문가가요.”

“그래도 평소에는 수티 씨 담당이지?”

“말괄량이의 시중꾼입니다, 저는. 귀족 상대의 예법이나 자질구레한 관습은 모험가 출신인지라 도통 아는 게 없으니까요. 오히려 제가 아가씨에게 가르침을 받는 입장이죠.”

수티는 그렇게 말한 뒤 웃었다.

대화가 즐거워지면 기다리는 중이라는 의식이 점점 사라진다. 네 사람은 차를 마시며 이런저런 주제로 담소했다.

그러던 중 창문 유리가 똑똑 소리를 냈다. 눈을 돌리자 물이 떨어지고 있었다. 드디어 비가 내리면서 바람을 타고 유리 창문을 적시고 있다. 생각보다 강한 비였다.

“와아, 제대로 쏟아지잖냐. 벨이랑 퍼시는 괜찮나?”

“지나가는 비라면 좋을 텐데…….”

안젤린은 비를 싫어하지 않는다. 톨네라는 겨울철 눈이 많이 내리지만, 다른 계절의 비는 썩 잦지가 않다. 가끔 지면을 적시고

가는 보드라운 비는 지금 돌이켜보면 어린아이의 마음에 아름답게 느껴졌던 것 같다는 생각이 든다.

다만 이 비는 어쩐지 불길한 느낌이었다. 분명하게 말은 못 하겠지만, 묘하게 마음이 들썩거린다. 빗소리가 요란한 것도 하나의 이유가 아니려나.

문득 문 두드리는 소리가 났다. 수티가 쓱 일어선다. 밀리엄이 고개를 들어 올렸다.

"벨 아저씨일까?"

"글쎄, 좀 빠르지 않나?"

문이 열린다. 안젤린도 일어섰다.

"아빠?"

말하다가 깜짝 놀라며 입을 다물었다.

뜻밖에도 방에 들어온 자는 에스트갈 대공의 삼남, 프랑수아였다. 어두운 짙은 갈색의 머리카락을 뒤로 묶어 놓았다. 묘하게 안색이 핼쑥하고 표정은 언짢은 기색이었다.

"네 아버지가 아니라 미안하게 됐군."

"……무슨 볼일?"

"흥, 여전히 무례한 모험가로군."

프랑수아는 눈살을 찌푸리며 방 안을 쭉 둘러봤다.

"『천개 파괴자』는 이곳에 없나."

"볼일 있으면 빨리 말해. 차 마시러 오진 않았을 텐데……."

"전하의 부르심이다. 따라와라."

프랑수아는 퉁명스럽게 말을 내뱉었다. 이자가 벤자민의 친위대장을 맡았다는 소식은 앞서 들었다. 그래서 리젤로테도 제도에 오지 않았던가. 그런 프랑수아가 나타났다면 벤자민이 직접 분부를 내렸음이 분명했다.

자, 어떻게 할까. 안젤린은 잠시 머뭇거렸다. 너무 수상한지라 고분고분 따라가자는 마음은 들지 않는다. 다만 이곳에서 말썽을 일으켜도 별 소용이 없을 것이다. 벤자민은 황태자이다. 자신의 지시를 따르지 않았다며 신병을 구속하는 정도야 쉽게 가능하다. 그렇게 되면 활동에 큰 제약을 받는 사람은 우선 안젤린이고 벨그리프와 다른 일행들이다. 리젤로테에게도 폐를 끼치게 되지 않을까. 그러면 상대의 의도에 넘어가는 셈이다.

따라가면 아마 위험할 테지. 그러나 이곳에서 안 가겠다고 버텨봤자 사태만 악화될 테니 오히려 호랑이 새끼를 잡기 위해서 호랑이 굴에 뛰어들어야 하지 않을까? 안젤린은 흥, 코웃음 쳤다.

"……나만?"

"그렇다. 어서 준비해라."

"저기, 프랑수아 님, 이분은 일단 리젤로테 아가씨의 손님인지라."

"입 다물도록. 누가 너에게 발언을 허락했느냐."

고압적인 질책에 수티는 난처해하며 입을 다물었다.

안젤린은 소파에 앉은 채 불쾌하다는 듯이 쳐다보는 밀리엄과 마르그리트를 돌아봤다.

"다녀올게. 아빠랑 오면 난 걱정하지 말라고 전해줘."

“괜찮은 거냐? 나도.”

그렇게 말하며 일어서려고 한 마르그리트를 손으로 제지했다.

“미리는 마법사니까 혼자 놔두고 싶지 않아. 부탁할게, 마리…….”

“……뭐, 너라면 걱정 없겠지.”

마르그리트는 소파에 털썩 깊숙이 앉아서 머리 뒤쪽으로 깍지를 꼈다. 밀리엄이 미안해하며 손을 만지작거린다.

“안제…….”

“미리, 그런 표정 짓지 마……. 아빠한테 잘 전해줘야 한다?”

“……알았어. 조심해서 다녀와.”

안젤린은 고개를 끄덕거린 뒤 줄곧 일어서 있던 수티의 어깨를 두드렸다.

“미안, 리제한테 잘 설명해줘.”

“……알겠습니다.”

“별꼴이군.”

입구에 서 있던 프랑수아가 가당찮다는 듯이 말했다.

“전하께서 구태여 너를 해치리라 생각하는 시점에서 불경이다.”

“……누가 너에게 발언을 허락했냐.”

안젤린은 쭉 손가락을 뻗어서 프랑수아의 코앞에 들이댔다. 프랑수아는 꽤나 당황한 듯 눈을 끔뻑거리다가 곧 혀를 차더니 발걸음을 돌렸다.

“따라와라.”

안젤린은 묵묵히 방을 나섰다. 뒤쪽에서 문이 닫혔다.

창문 너머는 쭉 비가 내리고 있다. 진눈깨비가 섞여 있는지 뚝뚝 유리창 때리는 작은 소리가 들려온다. 바람 소리도 나는 것 같았다.

복도가 공연히 길게 느껴졌다. 프랑수아가 입을 다물고 있는지라 오히려 더욱 거북했다. 욕설을 내뱉는다면 차라리 받아칠 수 있었을 텐데. 침묵을 견디다 못한 안젤린은 입을 열었다.

"……출세했네."

프랑수아는 꿈틀 어깨를 움직였지만, 그럼에도 다리는 멈추지 않은 채 계속 걸었다.

"……나를, 원망해?"

"……원망하고 싶었지."

의외의 대답이었다. 안젤린은 위화감을 느끼곤 눈에 힘줬다.

"아니야?"

"글쎄, 나는 네가 밉다. 미워해야 마땅할 테지. 언젠가 복수하기 위해 살아가자는 생각이었다. 다만……. 이상하군. 네 얼굴을 눈앞에 두면 분명히 곧장 죽이고 싶어질 것 같았는데. 그런데도 조금도 마음이 안 움직이는군."

프랑수아는 갑자기 걸음을 멈추고 뒤돌아봤다. 손을 뻗어서 안젤린의 목을 거머쥔다.

조금 울퉁불퉁한 프랑수아의 손가락은 놀랍도록 싸늘했지만, 안젤린은 애써 태연한 척하며 프랑수아를 마주 바라봤다. 살기가 티끌만큼도 느껴지지 않았다.

잠시 입을 다물고 있던 프랑수아는 이윽고 체념한 듯 손을 떼었다. 거하게 한숨을 쉰다.

"……공허하더군. 전하께 발탁되어 이 지위에 올랐는데도 나는 아직 별 대단한 성과를 거두지 못했다. 내려받은 임무도 실패뿐이지. 우수하다 자신했었는데. 그런데."

"그래도 리제는 기뻐했어. 자랑스러운 오빠라고 나한테 말해줬어."

"흥……. 이제 와서 나를 회유라도 하겠단 말인가? 소용없다. 나는 그 아이도 포함해서 대공가를 몰살하고자 했다. 태어날 때부터 이단자였지. 어우러질 수 없다."

"……저번에 만났을 때부터 생각했는데 너는 허세가 많이 심해. 굳이 스스로 즐겁지도 않은 길을 선택해서 뭘 하고 싶은 거야?"

"닥쳐라. 네가 뭘 안다고."

"별로 알고 싶지도 않지만, 알아주기를 바라니까 이렇게 떠드는 거 아니야?"

"……."

프랑수아는 입을 다물더니 빠른 걸음으로 앞서 나아갔다. 안젤린은 어깨를 으쓱거리고 뒤를 쫓았다.

싫은 상대였지만 이렇듯 약한 모습을 살짝 마주하게 되니까 묘하게 동정심이 솟았다. 리젤로테가 순수하게 프랑수아를 좋아한다는 것도 이유가 아니려나. 그 순수한 호의를 진실로 만들어주고 싶은 기분도 있다.

그러나 뭐라고 말해야 할지 안젤린은 잘 알 수 없었다. 검을 휘두르는 재주는 누구보다도 뛰어나다고 자부하지만 이런 상대에게 건넬 말을 고르는 마음 씀씀이는 너무나 서투르다. 아빠가 있어주면 좋았을 텐데. 아쉬웠다.

저택을 나와 마차를 타고 왕성으로 향했다. 그동안에도 안젤린은 두 번, 세 번 말을 붙여봤으나 프랑수아는 딱히 대답을 하지 않았다.

마차는 정문이 아닌 뒤편으로 돌아들었다.

줄곧 비가 내렸던지라 빠른 걸음으로 성에 들어갔다. 정면은 현란하게 장식을 해 두었지만, 뒤쪽은 투박한 만듦새였다. 대공가의 저택도 이랬더랬지, 안젤린은 묘하게 지난 기억을 떠올렸다. 그때 이후로 벌써 1년 가까이 지나갔다. 프랑수아와 시비가 붙었던 곳도 이렇듯 저택의 뒤편이었다는 생각이 들었다.

어둡고 좁은 복도를 나아가다가 이윽고 철로 만들어진 문이 보였다. 위압감 있게 장식을 해서 꽤 무겁겠다. 저 문이 어두운 복도의 분위기를 괜히 더 답답하게 만들었다.

프랑수아가 손잡이를 잡아 열었다. 무거운데도 심하게 귀를 찌르는 날카로운 소리와 함께 문이 열렸다.

“들어오도록.”

말을 따라서 안젤린은 안에 들어갔다.

그곳은 정원이었다. 다만 사방의 벽이 시야를 꽉 막아서 비좁다는 인상이다. 고개를 들어 올려다보면 두꺼운 구름이 드리워졌음을 알 수 있었다.

빗소리가 들린다. 아직껏 비가 분명히 내리는데도 이곳에는 물방울이 떨어지지 않는다.

이상한데. 안젤린이 의문을 품던 때 정원의 한가운데에서 누군가가 일어서는 기척이 느껴졌다.

황태자 벤자민이 만면에 미소를 띠고 그곳에 있었다.

"훗, 환영하지, 안젤린."

"……부름을 받아 찾아뵈었습니다."

안젤린은 일부러 정중하게 머리 숙였다.

115 빗소리는 들려오는데

빗소리는 들려오는데 이곳 주변은 젖지 않았다.

아직 대낮인데도 구름이 두꺼운 까닭인지 벽에 꽉 막혀서 그늘이 진 까닭인지 몹시 어두웠다. 벽에 걸어 둔 횃불의 불빛이 흔들릴 때마다 맞은편에 앉은 벤자민의 얼굴에 일렁일렁 그림자가 흔들거렸다.

안젤린은 탁자를 사이에 두고 벤자민과 마주 앉아 있었다. 벤자민은 여전히 경박하게 엷은 웃음을 머금은 채 안젤린을 빤히 뜯어보고 있다. 아울러 뒤쪽에서는 프랑수아가 대기 중이다.

왠지 가만히 앉아 있기가 불편했다. 주위의 정원수 그늘이나 으슥한 곳에서 다수의 시선이 느껴진다. 벤자민의 호위일까.

허리의 검에 눈길을 준다. 고락을 함께했던 파트너는 평소와 같은 모습으로 안젤린의 허리에 있다.

검을 소지한 채 들여보낼 줄이야. 나를 얕보는구나 싶어서 안젤린은 조금 얼굴을 찌푸렸다. 다만 빼앗기는 것보단 낫다. 도수공권으로도 아주 못 싸우지는 않을 터이나 역시 안젤린은 검사이니까. 검만 쥔다면 상대가 뭔가 수작을 부려도 몸을 끝까지 지킬 자신이 있다.

아무 기척도 없기 갑자기 탁자에 차가 놓였다. 안젤린은 힐끔 곁눈질로 쳐다봤다. 텅 빈 눈빛의 메이드가 한 사람, 아무 표정도 없이 탁자에 차 준비를 시작했다. 주전자로 따른 찻물이 좋은 향기가 나는 김을 피워 올린다.

손을 대려고 하지 않는 안젤린을 보고 벤자민은 쿡쿡 웃었다.

"안 마시려고? 독은 타지 않았어."

안젤린은 흥, 코웃음 쳤다.

"왜 불러낸 거야. 무슨 볼일인데……."

"너무 서두르지 마. 단순히 귀여운 여자아이와 차를 마시고 싶은 이유였을지도 모르잖아?"

"……그런 이유였다면 안 왔어."

"후후, 너는 도도하구나. 그런 부분도 매력적이지만."

벤자민은 웃으며 의자 등받이에 기댔다. 찻잔을 손에 든다.

"너하고 느긋하게 이야기하고 싶었어. 에스트갈 때는 야단법석이라 금방 헤어졌으니까 말이야."

"헛소리 늘어놓지 마. 그때 뒤에 둔 바보를 나한테 덤비도록 부추긴 게 너잖아……. 카심 아저씨한테 다 들었어."

프랑수아는 꿈틀 표정을 구겼다. 벤자민은 껄껄 웃었다.

"그야 같은 S랭크 모험가의 결투잖아? 쉽사리 볼 만한 구경거리가 아니니까 흥미가 솟는 건 당연하겠지? 단순한 호기심이야."

"그런 식으로 얼버무려도 소용없어. 넌 가짜 황태자잖아."

"흐음."

차를 한 모금 홀짝인 벤자민은 히죽히죽하며 탁자에 팔꿈치를 짚고 몸을 내밀었다.

“확실한 거야? 어째서 가짜라고 생각하지?”

“사티 씨한테 들었어.”

“사티가 누구인데?”

“시치미 떼도 소용없어. 너희가 노리고 있는 엘프잖아.”

벤자민은 껄껄 웃었다. 유쾌하게 손뼉을 친다.

“아핫핫핫, 그래그래. 분명히 맞는 말이야. 슈바이츠와 헥터 둘을 한 번에 물리쳤지. 그런데 말야, 엄연히 정당방위거든? 목숨을 노리는데 제 몸을 지키려는 건 당연하잖아.”

“너희 때문에 고통 받았던 사람들 앞에서도 똑같이 말할 수 있어……?”

“흠, 우리가 누구에게 고통을 줬지? 제도는 이렇게 번영하고 있는데 말이야. 다들 행복하지. 대체 누구한테 폐를 끼쳤을까?”

“실험했잖아. 죄 없는 사람을 이용해서. 사티 씨는 피해자들을 구출했어. 그래서 방해되니까 너희는 사티 씨를 죽이려고 했어.”

벤자민은 잠깐 멍한 표정을 짓다가 곧 웃음을 터뜨렸다. 우스워서 못 견디겠다는 듯이 배를 부여잡고 폭소한다. 안젤린은 눈살을 찌푸렸다.

“뭐가 우스운 거야…….”

“그래, 알겠다. 그 여자, 중요한 부분은 아무것도 말을 안 해줬구나. 아주 걸작이야.”

"……무슨 뜻?"

"이봐, 안젤린, 그 엘프 여자가 갑자기 어딘가에서 나타나 우리를 방해하기 시작했다고 진심으로 믿는 건가?"

안젤린은 입을 꾹 다물었다. 자세한 사정까지 하나하나 묻진 않았다. 다만 사티는 분명 어딘가에서 벤자민 일파의 악행을 발견한 뒤 전투에 임한 것이 틀림없다. 안젤린은 믿어 의심치 않았다.

벤자민은 히죽히죽하며 말을 이었다.

"확실히 우리는 인체 실험도 했지. 더욱 큰 힘을 얻기 위해서. 그건 결국 제국의 발전을 위해서였어. 절대 자신들의 욕망을 위해서가 아니였지. 대다수 사람들의 행복을 위한 행동이야."

"뭐라는 거야……. 입으로는 무슨 말인들 못 하겠어."

"그 엘프도 마찬가지 아닌가? 사실을 숨김없이 말했다는 보장이 대체 어디에 있지? 상처 입은 모습을 봤기 때문에 그냥 동정심이 솟았던 게 아닐까?"

"아니야."

"게다가 말이지, 그 엘프는 처음 무렵에는 우리의 동료였거든."

안젤린은 흠칫 놀라며 눈이 휘둥그레졌다. 입속이 말라붙는 느낌이 든다.

"……거짓말이야."

"거짓말이 아니라니까. 그 여자는 우리 실험에 참가했었어. 도중에 배반한 거야. 그게 아니라면 어딘가에서 훌쩍 나타난 엘프가 우리의 내부 사정을 알아낼 방법이 뭐가 있겠어?"

"그래도…… 그건 너희가 잘못된 짓을 저질러서."

"무엇인가를 이루자면 희생도 필요한 법이지. 그 엘프는 끝까지 견뎌 내지 못했고. 요컨대 겁먹었달까? 우리가 잘못되었다는 차원의 이야기가 아니야."

"믿을 수 없어."

"하하하, 말로만 떠들어선 무린가."

벤자민은 몸을 쓱 내밀며 안젤린을 주시했다.

"안젤린, 내 밑으로 오지 않겠어?"

"뭐? 무슨 바보 같은 소리를."

"믿기지 않는다면 내가 하는 일을 가까이에서 보고 판단해봐. 그렇게 하면 내가 추진하는 목표가 올바르다는 것을 깨달을 수 있을 테니까."

"웃기지도 않아. 잠꼬대는 잘 때나 해."

안젤린은 어이없어하며 의자에 몸을 기댔다. 벤자민은 어깨를 으쓱거렸다.

"잠시만 역사 이야기를 할까, 안젤린. 솔로몬은 물론 알고 있겠지?"

"대륙을 지배했다가 불쑥 사라져버렸잖아. 그래서 마왕이 남았고. 결국 용사에게 쓰러져서 대륙은 평화로워졌어."

"그렇게 전해 내려오기는 하지. 그러면 왜 솔로몬이 대륙을 지배하고자 마음먹었는지 이유를 아나?"

"……응? 권력욕에 사로잡혔던 거 아니야?"

“틀렸어. 사실은 말이지, 솔로몬은 인류를 위해 싸웠던 거야.”

허황된 이야기다. 안젤린은 수상쩍어하며 눈살을 찌푸린 채 벤자민을 바라봤다. 벤자민은 진지한 표정을 짓고 있었다.

“이제는 몹시 오래된 이야기이지. 대륙에는 옛 신이라고 불리는 지배자들이 있었어. 상위 존재로군. 그들은 강대한 힘을 보유했었기에 인간과 아인들을 지배했어. 옛 신들은 서로 사이가 나빠서 말이야, 항상 이곳저곳에서 전쟁이 벌어지고는 했어. 그들의 대리전쟁에 사용된 게 인간이지.”

벤자민이 말하기를 옛 신들은 지배하에 둔 인간들을 모아 군대를 결성한 뒤 반쯤 장난삼아서 싸움을 붙여 영지와 물자 따위를 주고받았다고 한다. 또한 변덕을 부려 희롱하는 경우도 있었기에 인간들은 옛 신들을 두려워하며 살아갈 수밖에 없었다던가.

옛 신들은 대부분이 잔혹한 성격을 갖고 있었지만, 몇몇 온후하며 인간을 대할 때에도 깊은 자비심을 보인 존재가 있었다. 현재는 뷔에나 교의 주신으로서 숭앙받는 자애의 여신 뷔에나도 옛 신들 중 일좌였다고 한다.

안젤린은 놀랐다.

“그런 얘기는…… 못 들어봤어.”

“당연하지. 지금 뷔에나 교 녀석들은 오직 권력에만 정신이 나가 역사를 왜곡하고 있어. 그런데 이상하다고 생각한 적은 없었나? 다른 신이 없는데 뷔에나는『주신』이라고 불리고 있지. 마치 다른 신이 많으니까 그중 대표라고 말하는 듯한 표현이잖아.”

안젤린은 몹시 당황했다. 듣고 보니까 맞는 말 같기도 하다. 이제껏 단지 천사나 정령 같은 존재가 뷔에나를 섬기기 때문이라는 생각만 갖고 있었다. 사실 대정령 등등은 신격을 보유하고 있는 고위의 존재로 대우받기도 한다. 그저 각지의 토착 신앙과 어우러져서 만들어진 전설인지도 모르겠다만.

혼란에 빠진 안젤린을 보고 벤자민은 껄껄 웃었다.

"어쨌든 간에 인간들은 옛 신들에게 지배를 받으며 살아왔어. 다만 어떠한 때에 한 사람의 마법사가 나타났지. 그자는 강대한 마력을 활용하여 직접 만들어 낸 일흔둘의 호문클루스들을 거느리고 옛 신들과 전쟁을 시작했어."

"그 사람이……."

"그래, 바로 솔로몬이지. 그 남자는 옛 신들에게 학대받았던 인간을 위해서 들고 일어선 거야."

왠지 빗소리가 강해진 것 같았다.

머리가 아찔하다. 완전히 상대의 말수작에 놀아나고 있다. 이런 심리전 같은 공방은 서툴렀다. 안젤린은 입을 우물우물했다. 어차피 아무 근거도 없는 이야기인데 다음 내용이 궁금해서 못 견디겠다. 진지하게 귀를 기울이면 안 된다는 생각을 하면서도 호기심이 머리를 치켜들며 다음 이야기를 자꾸만 졸라 댄다. 벤자민의 뒤쪽에 서 있는 프랑수아도 멍한 모습이었다. 벤자민은 미소 짓고는 말을 이었다.

"솔로몬은 강했어. 게다가 호문클루스 부하들은 불사신이야. 전쟁은 극히 치열했지만, 여신 뷔에나의 협력도 있어 솔로몬은 결국 대륙에서 옛 신들을 전부 없애버렸지. 차도 좀 들지? 조금 식어버렸지만."

안젤린은 구태여 대답하지 않고 조금만 몸을 내밀었다.

"뭐야, 잠깐만……. 그럼 주신과 솔로몬이 같은 편이었다는 말이야……?"

"잘 이해했군. 결과적으로 옛 신들 중 유일하게 남은 건 뷔에나뿐이야. 본인이 인간을 좋아하기도 했고, 인간도 뷔에나만큼은 다르다고 생각했었지. 다만 뷔에나 본인의 힘이 약했던 탓에 단독으로 다른 옛 신들과 싸울 정도는 못 됐어. 하지만 솔로몬과 같이 협력해서 결국 실현시켰던 셈이네."

어쩐지 어질어질한 심정이다. 안젤린은 한숨 쉬었다. 그야말로 아닌 밤중에 홍두깨 같은 이야기였다.

온 대륙의 사람들이 신앙하는 거대 종교의 주신과 마왕을 만들어 냈던 대마도사가 같은 편이었다? 루크레시아 교황청에서 알면 열화와 같이 분노할 것이 틀림없는 내용이다.

다만 완전히 허황된 말로 들리지 않는 이유는 무엇일까.

안젤린은 묘하게 가슴 안쪽이 두근두근하는 것을 느끼고 무의식중에 왼손을 심장 위쪽에 얹어서 힘을 주었다.

"하지만……. 그럼 어째서 솔로몬은 악인이 된 거야……?"

"나는 악인이라고 생각하지 않아. 요컨대 솔로몬은 인간에게 절망한 거야. 그자는 학대당하던 인간들을 구원했어. 그런데 지배자가 사라진 인간들은 점점 더 탐욕을 키워 나가며 서로 싸우기 시작했지. 솔로몬 본인이 과연 인간들에게 구할 가치가 있었던가 고민할 만큼 말이야."

벤자민은 껄껄 웃고는 두 손을 펼쳐 보였다.

"그렇게 결국 자신이 직접 무력으로 인간들을 다스리겠다는 생각에 이르렀지. 어리석은 인간들을 줄로 묶어서 자신이 직접 이끌어주는 게 맞다는 결론이야."

"으으……."

"솔로몬은 호문클루스들을 부려서 대륙을 지배했어. 그 지배 체제는 솔로몬의 실종에 의해 무너졌지만……. 나는 솔로몬의 심정을 잘 알 수 있어. 너도 이해가 되는 마음 아니려나? 안젤린."

"아니야, 나는……."

"체면치레는 관두자. 인간 따위 어차피 힘 있는 누군가에게 의지하는 것밖에 재주가 없는 주제에 막상 강자가 한두 번 실패하면 더러운 말로 모욕하지. 돕기를 거절하면 박정하다고 투덜대지. 그런 경험이 있지 않았나? S랭크 모험가라서 의지가 된다는 허울뿐인 말에 종처럼 이용당했을 뿐이야."

"아니야!"

탁자를 꽉 쥔 주먹으로 내리쳤다. 완전히 무의식에서 나온 행동이었기에 안젤린 자신부터 깜짝 놀랐다. 벤자민은 여전히 웃고 있다.

"아닌 게 아니야. 인정하기 싫을 뿐이지. 인정하는 게 무서운 거야."

"그렇지 않아……!"

"그런 거야. 이렇게 당황하는 게 증거지."

안젤린은 입술을 꽉 깨물고 벤자민을 노려봤다. 벤자민은 천연덕스러운 표정을 지은 채 타이르는 어조로 말을 이었다.

"이봐, 지금 세계에는 어리석은 인간이 너무 많잖아? 눈앞의 돈과 자신의 생활밖에 흥미가 없는 평민들. 더러운 권력 싸움에 정신이 팔린 귀족. 모험가는 귀찮은 일감 다 떠안는 천덕꾸러기지? 누군가가 바꾸면 달라질 거야, 안젤린. 그게 모두의 행복으로 이어질 테고. 네게는 충분한 힘이 있어. 눈을 돌리지 마."

아니야. 강하게 부정하지 못한 이유는 자신도 마음 어딘가에 비슷한 생각을 가지고 있기 때문일까. 안젤린은 더욱 강하게 손을 꽉 쥐었다. 약한 사람이 답답하다는 말은 강자의 오만이다. 머릿속 생각은 이러해도 비슷한 상황에 직면했던 경험이 여러 번 있다. 어쩐지 숨이 거칠어졌다.

슥, 턱이 들려 올라갔다. 벤자민의 싸늘한 손가락 감촉 때문에 소름이 돋는다. 뭔가 술법에 걸린 것처럼 몸이 굳어 있었다.

"내 밑으로 와라, 안젤린."

벤자민의 형체가 새카만 그림자처럼 보였다. 눈만 번뜩번뜩 빛나며 이쪽을 주시하고 있는 것 같았다.

안젤린은 꽉 눈을 감았다.

아빠.

작게 입속으로 중얼거렸다. 곧장 어깨의 힘이 확 빠졌다. 눈을 뜨고 벤자민을 마주 노려봐준다. 턱에 닿은 손길을 쳐냈다.

"거절이야. 절대 너희들 편에 안 들어가. 사티 씨를 포기하고 나쁜 짓도 안 하겠다면 눈감아줄게……. 그게 아니면 철저하게 부숴버릴 거야."

일순간 멍한 표정을 지은 벤자민은 곧 웃음을 터뜨리며 유쾌하게 껄껄거렸다.

"아하하핫, 그런가, 그런가."

불현듯 시선이 싸늘해진다.

"유감이야."

휙, 손가락이 휘둘러졌다. 안젤릭은 눈을 한껏 부릅뜨며 허리의 검에 손을 뻗었다. 다만 자루에 손이 닿을락 말락 한 지점에서 몸이 굳어버렸다.

눈앞의 벤자민이 천천히 떠오르고 있었다. 아니, 틀렸다. 자신이 지면에 가라앉고 있는 탓이다.

안젤린은 어찌 된 영문인지 모른 채, 하지만 신속하게 주위를 시선으로 쭉 훑었다. 뭔가 마력이 소용돌이치는 것을 느꼈다. 속박과 강제 전이의 마술 같다. 역시나 아무 대책도 없이 자신을 초대할 리 없었다. 안젤린은 입을 꽉 다물었다.

벤자민이 일어선다. 손가락이 마법의 빛으로 옅게 빛나고 있다.

"지금 죽이기는 간단한데……. 유감이지만 해칠 순 없군. 뭐, 당분간 끼어들 수 없는 곳에서 손가락 물고 구경이나 하자."

안젤린은 예리한 눈빛으로 벤자민을 노려봤다.

"……후회할 거야."

"하하, 기대할게. 어떻게 후회를 하게 만들어주려나."

이윽고 안젤린이 머리끝까지 지면에 잠겨 사라지자 벤자민은 한숨 쉬고는 의자에 걸터앉았다. 탁자의 차에 손을 뻗었다. 이미 다 식었다. 벤자민이 손가락을 딱 울리자 텅 빈 눈빛의 메이드가 다가와서 새로 뜨거운 차를 따랐다.

"불만인가 보네."

어깨 너머로 뒤돌아보며 말했다. 가만히 서 있던 프랑수아가 눈살을 찌푸린 채 벤자민을 보고 있었다.

"죽이고 싶었나 봐?"

프랑수아는 살짝 멍멍한 표정을 짓고 있다가 퍼뜩 놀라며 고개를 옆으로 흔들었다.

"아닙니다, 제가 어찌……."

"흐음. 뭐, 어차피 슈바이츠가 죽이지 말랬거든. 무리야."

그 녀석도 참 무슨 생각을 하는 거람. 벤자민은 중얼거렸다.

그때 철제 문이 소리를 내며 열렸다. 집사처럼 옷을 입은 남자가 들어왔다.

"전하, 성당 기사님들이 알현을……."

"그래, 지금 갈게."

벤자민은 일어섰다. 비가 줄곧 내리고 있었다.

○

여기저기 곳곳을 덮은 마술식이 파르께하게 빛을 발하고 있다. 지긋지긋하다는 표정으로 바닥에 책상다리를 하고 앉은 카심의 앞에서 어린 소녀 모습의 살라자르가 왔다가 갔다가 하고 있었다.

"그래, 그래, 요컨대 그런 뜻이라네. 우리는 참으로 짧은 관점에서 세상을 보고 있지. 예컨대 큰 강에 떠오른 나뭇잎 한 장의 행방을 마른침 꿀꺽 삼키며 지켜보는 셈이군. 다만 현상의 흐름은 더욱 거대하다네. 큰 강의 전체와 비등할 만큼! 그러나 큰 흐름일지라도 안에 거대한 바위가 있다면 다소나마 흐름은 영향을 받지. 큰 줄기는 변하지 않을지라도 주위에는 다른 환경이 생성된다. 흐름마저 바꿔 놓는 경우가 있을 터! 이리도 생명이 짧아 아쉽구나! 그만큼 관점의 변화가 정말이지 짧고도 비좁다네!"

카심이 지긋지긋하다는 표정으로 말했다.

"저기 말이야. 알겠어, 알겠는데. 지금 우리가 하려는 일과 관계가 있는 거야?"

"무슨 소리인가, 『천개 파괴자』! 서로 관계가 없는 일 따위 이 세상에 존재할 리 있겠는가. 모든 사안은 상호 간에 서로 영향을 주며 예상치 못한 형태로 표출되는 사례도 드물지 않잖은가!"

"그런 소리를 하는 게 아니야, 나는. 언젠가 우연히 마주칠 수 있는 관계가 아니라 더 직접적인 관계라고. 강물에 돌을 던지는 것처럼……."

젊은 남자의 모습으로 바뀐 살라자르가 껄껄 웃음을 터뜨렸다.

"아주 적절한 표현이군! 다만 의외로 훨씬 이전의 시기였을 가능성도 있다네. 상류에 굴러떨어졌던 바위에 의하여 지금 이곳의 흐름이 바뀌게 되는 경우도 일어날 수 있지. 현상의 흐름은 복잡하기에. 더욱 높은 곳에서 내려다보는 시점으로 관찰해야겠지."

"그건 알겠다니까. 아무튼 사티의 공간에 연결은 가능한 거야? 네 이론에 따르자면 지금 현상의 흐름은 명백하게 우리 쪽 주변에서 발생한다는 말이잖아."

"과거에 대마도사 솔로몬은 거대한 현상의 흐름 속 중심이었지. 그자의 강대한 힘은 더욱 강한 흐름의 물결을 만들어 내며 소용돌이쳤다네. 결과적으로 시공마저 뚫고 나갔지. 이번에는 과연……."

"이보세요, 말 좀 들어줘……."

역시나 또 자신의 사고에 푹 잠겨버린 살라자르를 보고 카심은 한숨 쉬었다. 이래서는 대화가 안 된다.

다른 일행들과 헤어져서 아침부터 살라자르의 거처에 찾아왔다. 어젯밤 통신 마법을 쓴 피로로 쿨쿨 잠들었던 살라자르가 완전히 부활했다는 것은 좋은 일이지만, 또 줄곧 이러한 상태였다. 역시 이 인물은 자신의 지식욕과 호기심이 행동 원리일 뿐 선악의 판단이든 양심의 가책이든 아무것도 없는 듯하다. 카심의 사정을 고려해줄 뜻은 티끌만큼도 없는 것 같았다.

그럼에도 지금 상황에서 사티가 있다는 공간으로 개입 가능한 인물은 기껏해야 살라자르뿐이다. 카심도 대마도사지만 공간 조작의 마법은 전문이 아니었다. 공간 전이 마법은 특히 전문성이 높다. 사람에 따라 적성을 필요로 하는 데다가 난해하다. 대마도사여도 행사 가능한 마법사는 손꼽을 수밖에 없다. 적성도 없는 인물이 무리하게 사용하고자 들면 몸 일부만 전이해버리거나 의식만 전이해버리거나 벽 속에 전이해버리는 등 사고가 난다. 그런 사태가 벌어지면 제아무리 대마도사인 카심이라도 손쓸 도리가 없어진다.

살라자르는 혼자 중얼중얼 떠들고 있다. 이제는 뭐라 말을 걸어도 반응이 없다.

카심은 포기하고 중절모자를 벗어서 거기에 달린 조그만 보풀을 손가락으로 잡아 뜯었다.

"다만 시공에 구멍을 뚫을 만한 현상의 흐름은 큰 물결로는 만들어 낼 수 없나……? 돌발적으로, 순간적으로 발생하는 큰 힘점이 현상의 소용돌이를 만들어서 소용돌이가 공간에 구멍을 낸다? 결과적으로 그 소용돌이가 주위 흐름에 영향을 줄지언정 소용돌이 자체는 주위 흐름에 의한 영향이 아니다……. 어쨌든 간에 이번 소용돌이의 중심은 그 흑발의 소녀인가."

"뭐야, 안제를 말하는 거냐? 이 녀석아, 너한테 보인다는 흐름이 도대체 뭔데?"

불현듯 살라자르가 얼굴을 들어 올렸다. 꾸물럭 모습이 바뀌어서 중년의 남자가 됐다.

"흠? 시공 감옥이 열렸군. 황태자인가."

"엉? 황태자가 뭐 어쨌다고?"

"누군가를 떨어뜨렸군. 흐음, 그 흑발의 소녀렷다."

"안제가? 시공 감옥……?"

카심은 턱수염을 비비 꼬았다. 그다지 귀에 익은 명칭은 아니었지만, 아마도 시공 마법이라는 사실은 이야기의 흐름으로 추측할 수 있었다. 그리고 감옥이라는 말. 카심은 퍼뜩 놀라며 눈을 부릅떴다.

"그러니까 벤자민 자식이 안제를 붙잡았다는 소리냐?!"

"그랬을 가능성이 높군. 음, 다만 현상의 흐름에 큰 변화는."

살라자르가 말을 마치기 전에 카심은 중절모자를 냅다 눌러쓰고 방에서 뛰쳐나갔다.

116 물속에서 흔들거리고 있는

물속에서 흔들거리고 있는 기분이다. 주위는 온통 어둠에 감싸였으나 눈에 힘주면 이상하게 생긴 조그만 문양이 끊임없이 명멸하는 것을 알아볼 수 있었다.

두 손을 내려다보면 또렷하게 보인다. 다만 윤곽이 살짝 흐릿하고 애매한 것 같다. 의식을 단단히 집중하지 않으면 불쑥 몸이 녹아서 안개처럼 흩어져버릴 것 같다는 불길한 예감이 줄곧 머리에 있었다.

안젤린은 두 다리에 꽉 힘을 주었다 그러나 그 자세에서 변함없이 조금씩 아래 방향으로 가라앉고 있었다.

분명히 아래를 향해 내려간다는 것은 감각으로 알 수 있었다.

들이마시는 숨이 묘하게 끈적이는 느낌인지라 코로 조금 마시고 입으로 조금 마시며 심호흡은 피했다. 독성이 있다면 위험하다. 패닉 상태에 빠져도 이상할 게 없는 상황이지만, 과연 S랭크의 모험가답게 쓸데없이 이성을 잃거나 당황하지 않았다.

시간 감각마저 애매해지는 듯했으나 이윽고 주위가 조금씩 밝아지는가 싶더니 물 위로 떠오르는 듯한 감각이 느껴졌다.

"으읏, 와!"

분명 아래로 잠겨 들어갔는데도 갑자기 머리부터 떨어지는 모양새가 되어 안젤린은 기겁했다. 그럼에도 반사적으로 손을 짚어서 낙법을 치며 구른다.

상황을 파악하는 데 잠깐 애먹었지만, 아마 자신은 지면에서 거꾸로 떠올랐음을 짐작할 수 있었다. 지면 위로 내동댕이쳐지는 순간 중력이 작용했기에 지면을 향해 굴렀을 테지.

아직 애매하게 아지랑이가 낀 듯한 머리를 휙휙 흔들어서 각성시켰다.

묘한 공간이었다.

아마도 직사각형으로 된 하나의 방 같다. 벽도 천장도 바닥도 흰색과 흑색의 체크무늬 문양으로 덮여 있었다. 재질은 나무도 돌도 아니다. 신발로 차면 둔탁한 소리가 나는데 제법 널찍한 방인데도 전혀 소리의 반향이 없었다.

방 한가운데의 천장과 가까운 곳에는 붉은 구체가 떠올라 있다. 약간의 비틀림도 없이 완벽한 구체이다. 백색과 흑색의 무기질적인 방 안에서 저 구체의 붉은색은 몹시도 선명하게 보였다.

안젤린은 주의 깊게 주위를 둘러봤다. 딱히 적의가 느껴지지는 않으나 시선은 느껴졌다. 벤자민의 동료가 감시라도 하고 있는 것일까.

살짝 허리에 찬 검의 자루를 쥐며 안젤린은 벽면까지 걸어갔다. 체크무늬의 정방형은 하나가 안젤린의 머리와 비슷한 크기였다.

벽에 손바닥을 가져다 댄다. 뜨겁지도 않고 차갑지도 않다. 눌러봐도 아주 약간의 부드러움과 단단함을 느꼈다.

퍽, 걷어차봤다. 꿈쩍도 하지 않는다.

검을 뽑아서 끝부분으로 살짝 찔러봤다. 박히기는커녕 흠집조차 나지 않았다. 상당히 튼튼한 벽 같았다.

주위의 여러 시선에서 모멸이 섞여 드는 것 같았다. 어딘지 가늠할 수는 없지만 비웃는 듯이 킥킥거리는 웃음이 작게 들려온다.

"……좋아."

잠시 묵묵히 서 있던 안젤린이 불현듯 검을 움켜쥐고 마력을 칼날에 둘러서 벽을 향해 비스듬히 베어버렸다. 검은 벽을 대각선으로 쓱 베어 갈랐다.

귀청을 찢을 듯한 비명이 방 안에 울려 퍼졌다.

고개 돌리자 붉은 구체가 발작하듯이 형태를 구물구물 바꾸고 있었다. 고통에 몸부림 치는 듯 보이기도 했다. 안젤린은 흥, 코웃음 쳤다.

"빨리 안 내보내주면 더 많이 베어줄 테다……."

안젤린은 검을 치켜들었다. 그러자 당황한 듯이 눈앞의 벽에 문이 나타났다. 녹투성이의 철제 문이다. 안젤린은 검을 칼집에 집어넣고 붉은 구체를 노려보며 으름장 놓았다.

"감히 나를 가두려고 하니까 이렇게 된 거야……. 두 번은 안 봐준다."

붉은 구체는 겁먹은 듯 줄어들어버렸다.

철제 문은 삐걱이는 소리를 내며 열렸다가 안젤린이 지나가자 뒤에서 사라졌다. 신발 바닥으로 밟는 지면의 감촉이 또 달라졌음을 느꼈다.

"……흐음."

우유색의 안개가 곳곳에 가득 떠다니고 있었다. 지면이 제대로 있기는 있나? 아무튼 간에 바닥을 밟는 느낌이 묘하게 둥실둥실하다.

안젤린을 얼굴을 들어 빙 둘러봤다.

안개에도 농담이 있다. 엷은 곳 너머에 묘한 기하학 문양이 명멸하며 떠올라 있었다. 문양은 생물처럼 구물구물 꿈틀거리며 한시도 같은 형태를 취하려고 들지 않는다. 입체 마법진과 비슷해 보이기도 한다.

우선 걸음을 뗐다. 발밑의 감촉이 석연치 않다. 그냥 내려다보면 정말 지면이 붙어 있는지도 애매하지만, 다리는 분명하게 지면을 밟아 디디고 있다. 이 탓에 걸음을 떼고도 잠시 애먹었다.

문득 저쪽에서 인영이 보였다. 위아래가 거꾸로 된 터라 공중을 밟아 걸어가는 모양새였다. 안젤린은 다리를 빨리하여 가까이 다가갔다. 다만 그것은 안개가 모여 인간의 형태를 취했을 뿐이었다. 그럼에도 인간과 같은 걸음걸이로 걷고 있다.

"거기!"

안젤린은 큰 목소리로 외쳤다.

안개 인간은 아무 반응도 않고 안젤린의 머리 위쪽에서 쭉 거꾸로 걸어 지나갔다. 저것은 단순한 인영이다. 안젤린은 가만히 지켜봤다.

어쩐지 답답한 마음이 들어 안젤린은 잠시 걸어서 돌아다녔다. 도중에 아마 지면이 명확하게 자리를 잡아 존재하는 게 아닌지라 걷고자 마음먹으면 아래든 위든 걸어서 갈 수 있다는 것을 알았다.

"……이래서는 끝이 없겠어."

옛날, 벨그리프에게 배웠던 가르침을 떠올린다.

무작정 걸어 돌아다니면 안 된다. 던전에서도 마찬가지. 눈에 안 보이는 감각을 더욱 예민하게 하여 알아낼 수 있는 정보도 분명 존재한다.

안젤린은 살며시 눈을 내리깔았다. 한껏 숨을 들이마셔서 마음을 안정시킨다. 감각을 예민하게 가다듬어 자신의 마력으로 안테나를 세운다. 일단 주위를 의식하니 마력은 주위에서 난기류처럼 거칠게 불어닥치고 있었다. 어째서 깨닫지 못했던가 의문이 들 만큼 강력하다.

다만 마력은 일정한 곳이 아니라 오른쪽에서 오나 싶다가 왼쪽에서 오고, 더구나 빙글빙글 소용돌이를 치며 위로 아래로 왔다가 갔다가 또 다른 방향에서 온 마력과 서로 부딪치기도 했다.

침착하게 생각해보면 이런 이상한 장소는 벤자민에 의하 만들어진 특수한 공간이리라 짐작할 수 있다.

마법으로 만든 공간이라면 마력이 떠다니는 게 당연하다. 강제 전이로 다른 시공에 가두어 놓겠다는 속셈이었겠지. 어림없어. 안젤린은 코웃음 치고 눈을 떴다.

“조금 복잡한 속임수네……. 하지만 날 너무 우습게 봤어.”

안젤린은 검을 뽑았다. 마구 불어오는 마력의 안쪽에서 몹시 미세하게 지향성을 갖고 흘러가는 마력을 감지해 냈다. 그것을 쫓아 망설이지 않고 다리를 움직인다.

이윽고 멈춰 섰다. 주위와 아무것도 다를 바 없는 장소지만, 마력의 흐름이 희미하게나마 이 공간에서 분명 단절되어 사라지고 있었다.

안젤린은 검을 겨누었다가 쓱 휘둘렀다.

우유색의 안개가 찢어지는가 싶더기 갑자기 소용돌이치며 구멍 뚫리고 순식간에 넓어졌다. 그 새카만 구멍에 안젤린은 망설이지 않고 재빨리 뛰어들었다.

신발 밑창이 부드러운 것을 사이에 두고 단단한 바닥을 밟았다. 아주 살짝이나마 몸의 주위에 들러붙어 있었던 안개가 녹아내리듯 사라졌다.

안젤린은 눈에 힘주며 주위를 확인했다.

가늘고 긴 복도였다. 왼쪽을 봐도 오른쪽을 봐도 끝없이 저 너머까지 이어져 있다.

벽과 천장은 석조였다. 바닥에는 보라색 융단을 쭉 깔아 놓았다. 등간격으로 벽에 매달아 둔 램프가 주위를 희미하게나마 비춰주고 있었다.

“자꾸 귀찮게…….”

가두어 놓겠다는 목적이라면 확실히 기가 꺾이는 구조다.

그러나, 이딴 수작에 내가 주저앉을 줄 알았던 거야? 안젤린은 짜증스럽게 발뒤꿈치로 융단을 거듭 찬 다음, 우선 복도의 한 방향을 정해 걸음을 뗐다.

으슬으슬한 공기가 아래쪽 방향으로 내려앉는 것 같았다. 마력과 마찬가지로 방금 전 안개가 가득 차 있었던 장소와는 달리 극적인 흐름은 느껴지지 않는다. 돌벽이나 천장과 같이 무기질적인 싸늘함인지라 별로 움직여질 것 같지가 않다.

융단이 깔려 있기에 발소리는 나지 않는다. 성큼성큼 다리를 쭉쭉 뻗어서 걷다가 문득 걸음을 멈췄다. 안젤린은 얼굴을 찌푸리며 발밑을 본다. 융단에 보풀이 일어 발자국 비슷한 모양이 남아 있다. 아까 자신이 발뒤꿈치로 걷어찼던 자국이 틀림없었다.

"……대충 알겠어."

이 복도의 저편과 이쪽은 서로 연결되어 있구나. 안젤린은 납득했다. 그렇다면 차라리 대응하기가 편해진다. 무한히 펼쳐지는 공간이 아닌 폐쇄된 공간이면 손쓸 방법이 더욱 많아지니까.

안젤린은 살며시 벽에 손대고 천천히 걷기 시작했다.

걸어가면서 벽을 만져보고 이상한 부분이 없나 확인한다. 석조벽면은 돌의 크기 및 형태가 제각각인데도 돌과 돌의 사이에 종이 한 장 넣을 틈도 없도록 꽉 맞물려서 쌓여 있다. 유리 램프는 벽에 파묻어 둔 모양새이며 안쪽에는 빛의 구슬이 들어 있었다.

천천히 처음 장소로 돌아올 때까지 조사했다. 다음은 반대편 벽의 차례다. 지겨울 법한데도 안젤린은 끈기 있게 페이스를 무너뜨리지 않고 작업을 수행했다.

"……벽이 아닌가?"

어느 쪽 벽도 이상한 곳은 없었다. 그러면 바닥이거나 천장이다. 안젤린은 천장을 올려다봤다. 그대로 눈에 힘주며 걸어간다.

"……아닌데."

바닥의 융단도 떼어 살펴봤지만, 싸늘한 돌바닥이 있을 뿐 수상한 곳은 발견할 수 없었다. 조금이라도 빈틈이 있다거나 바람이 새어 나온다거나 뭔가 단서가 존재하면 금방 감지했겠지. S랭크 모험가로서 길러온 통찰력은 장식품이 아니다. 다만 이상한 데가 안 나타나면 딱히 활용을 할 방법도 없다.

시험 삼아서 맨 처음 방처럼 벽을 베어봤지만, 흠집만 살짝 났을 뿐 아무런 변화도 발생하지 않았다.

안젤린은 팔짱 끼고서 잠시 생각에 잠겼다. 밀리엄에게 들었던 마법 이야기를 떠올린다.

이곳과 같이 다른 공간을 만들어 내는 마법은 완전한 밀실 상태를 갖춰버리면 바깥에서의 간섭마저 불가능해지기에 술사가 제어하지 못하게 된다. 따라서 모종의 장치로 바깥과 연결될 수 있도록 설정하는 것이 보통이다.

술사 본인이 들어와서 이용한다면 얘기가 간단해지겠지만, 이렇듯 다른 사람을 가두어 놓기 위한 공간이라면 그 열쇠는 되도록 알아보기 어려워야 하며 아울러 들통나도 쉽사리 돌파하지 못하게 만들어야 할 터이다.

그렇다면 쉽게 떠올릴 수 있는 곳에 열쇠를 놓아두지는 않을 것이고, 또한 생각을 떠올려도 겁나서 실행하지 못할 구조를 갖추어야 한다.

아빠라면 어떻게 했을까. 안젤린은 고민했다.

"……혹시, 램프?"

얇은 유리를 본다. 내부에는 아마 마법으로 만들었을 빛의 구슬이 들어 있었다. 이 복도의 광원은 등간격으로 배치해 놓은 저 램프뿐이다. 만약 사라지면 새카만 암흑에 둘러싸이겠지.

"보통은 무서워서 하기 싫겠지……. 그러니까."

안젤린은 검을 치켜들었다가 휘둘러서 램프를 깨부쉈다. 안쪽에서 빛의 구슬이 튀어나와 스륵스륵 나선형으로 허공에서 춤추며 오므라지듯 사라져 갔다.

안젤린은 복도를 달리며 하나하나 양측 벽면에 달린 램프를 깨부쉈다. 빛의 구슬이 튀어나와서 사라져 갈 때마다 복도는 점점 더 암흑에 감싸인다. 마치 안젤린의 뒤편에서 어둠이 쫓아오는 것 같았다.

마지막 램프를 깨부수자 빛의 구슬이 잠시 허공에서 춤추다가 곧 완전한 어둠이 주위에 가득 들어찼다. 아무리 눈에 힘줘도 아무것도 안 보인다.

안젤린은 검을 쥐고서 우두커니 서 있었다. 실수였나? 불안감도 없지는 않다. 하지만 옳은 판단이었다는 확신에 가까운 예감도 느껴졌다.

어둠 속에서는 시간 감각이 어긋나게 된다. 묘하게 긴 시간이 흐른 것 같다고 느껴지던 무렵, 불현듯 발밑이 꾸물럭 흔들렸다. 벽과 천장의 벽 이음매에서 푸른 빛이 새어 나왔다. 그 빛들이 조금씩 퍼져 나간다. 돌이 허물어지는 것 같았다.

그러다가 결국 지면까지 허물어져서 안젤린은 크고 작은 돌멩이와 함께 낙하했다.

안젤린은 함께 떨어지는 돌을 박차며 허물어져서 떨어지는 돌들의 가장 위쪽까지 올랐다. 이러면 일단 머리를 부딪치지는 않는다.

주위가 푸른 빛으로 가득 차올랐다. 마력이 아지랑이 같은 형태로 이곳저곳을 떠다니고 있었다.

얼마나 떨어졌는지는 알 수 없었지만, 불현듯 깨달았을 때는 분명히 함께 떨어졌던 돌들이 사라져서 안 보였다. 그렇게 점점 더 떨어지는 속도가 완만해지다가 아무 마음의 준비도 못한 일순간에 풀썩, 이불의 위로 떨어지는 듯한 감촉이 느껴지며 안젤린은 지면을 굴렀다.

"히야앗."

허둥지둥 낙법을 친다. 지면이 몹시 부드러워서 균형을 잡기 어려웠다.

간신히 일어섰다. 다리가 지면에 푹신푹신 파묻힌다. 대충 복사뼈까지 파묻혀버렸다.

에스트갈 대공의 저택에 묵었을 때 침대 감촉과 비슷하구나, 안젤린은 떨떠름한 표정으로 주위를 둘러봤다. 곧 눈살을 찌푸렸다.

안젤린이 서 있는 곳은 침대의 위쪽이었다. 게다가 거인이 잘 만한 커다란 침대였다.

옆에는 다수의 큼지막한 베개가 아무렇게나 쌓여 있었다.

"……바다?"

저 너머에 수평선이 보인다. 잔잔한 해수면에 얼굴이 달린 태양의 빛이 반사되어 반짝반짝 빛나고 있다.

침대는 모래사장에 아무렇게나 놓여 있었다. 모래사장에서 육지 쪽으로 눈을 돌리면 녹색의 방풍림이 정연하게 늘어서 있다. 하지만 눈에 힘주어 다시 봤더니 나무가 아닌 파슬리였다.

바다에 곶이 튀어나와 있다. 다만 유심히 잘 봤더니 곶이 아니다. 토마토 소스와 함께 익힌 쌀 위에 달걀을 부쳐서 익힌 요리—오므라이스가 곶처럼 바다를 밀어내고 있고, 그 끝부분에 기울어진 등대처럼 거대한 숟가락이 꽂혀 있다.

어안이 벙벙하여 쳐다보는데 불쑥 해수면에 거품이 일어나더니 큰 물고기가 얼굴을 내밀었다.

물고기에게는 인간의 팔이 달려 있었고, 그 팔이 오므라이스에 꽂힌 숟가락을 쥐더니 오므라이스를 퍼서 우걱우걱 먹기 시작했다. 태양이 그 광경을 히죽히죽 웃으며 보고 있다.

이런 황당무계한 풍경은 말이 안 된다. 마치 어린아이가 꾸는 악몽과 같다.

지나왔던 곳과 완전히 분위기가 다른 양상인지라 안젤린은 살짝 당황했지만, 침착함을 잃어선 위험하기에 심호흡했다. 바닷물의 냄새가 가슴 가득히 들어찼다.

우선 침대에서 베개를 밟고 모래사장에 내려섰다. 신발에 모래 알갱이가 묻는다. 해변을 걷는 경험은 엘브렌에 갔던 게 마지막이었지. 불쑥 태평한 생각도 떠올려본다.

기후가 따뜻하고 평온한 까닭일까, 묘하게 자꾸 편안한 기분이 든다. 이러면 안 된다고 생각하면서 모래사장을 가로질러 거대한 파슬리 숲 안에 진입했다. 코가 후련해지는 상쾌한 냄새가 났다.

이곳을 나가려면 어떻게 해야 될까. 고민하며 걸어가던 중 숲을 빠져나가자 곧장 지면의 상태가 달라졌다. 적색과 백색의 체크무늬로 덮인 평탄한 지면이 이어지고 있었다. 길을 따라서 저편에 하얀 벽돌을 쌓아 올린 벽이 보였다.

안젤린이 고개를 갸웃거리며 걸어가봤더니 벽에는 쇠창살이 달렸음을 알 수 있었다. 마치 감옥처럼 일정한 간격으로 쇠창살 달린 조그만 방이 늘어서 있었지만, 안쪽에는 아무도 들어가 있지 않았다. 쇠사슬이나 침상, 변소 따위가 사용된 흔적도 특별히 없다. 싸늘하게 아무 움직임 없이 침묵을 지키고 있다.

이 안에 무엇인가 열쇠가 있을지도 모른다. 안젤린이 벽을 따라서 걸어가는데 불쑥 누군가의 목소리가 들렸다.

"이봐! 누구 있냐!"

안젤린은 놀라 주위를 둘러봤다.

"누구야……?"

"여, 여자냐? 누구든 좋아, 도와다오!"

목소리가 난 곳에 가봤더니 감옥 중 하나에 누군가가 갇혀 있었다.

남자다. 노란색에 가까운 금발은 아무렇게나 막 자랐고 얼굴도 수염에 덮여 있다. 본래 꽤 고급이었을 의복은 색이 바래서 찢어졌고 다리는 쇠사슬에 묶여 있었다.

남자는 쇠사슬을 쩔렁쩔렁 끌며 감옥의 창살에 매달렸다. 뚝뚝 눈물을 흘렸다.

"으아! 으아! 그 자식들이 아닌 사람의 목소리를 듣는 게 도대체 얼마 만이지……. 부탁한다, 나를 여기에서 꺼내다오!"

안젤린은 수상쩍다는 표정을 지은 채 남자를 빤히 쳐다봤다.

"뭐야, 꺼내달라니……. 네가 누군데?"

감옥 안 남자는 거친 호흡을 가다듬으며 허덕허덕 말했다.

"나는, 나는 벤자민. 로데시아 제국 제1왕자 벤자민 로데시아다."

"……에엥?!"

안젤린은 얼이 빠져서 무심코 소리 질러버렸다.

○

완전히 장대비였다. 빨리 대공가로 가고 싶었던 벨그리프와 퍼시벌은 이 빗발 때문에 발이 묶여버렸다. 너무나 심한 비라서 도시 안 마차도 다니지를 못하는지라 왕성 방면을 향하던 마차에서 내린 뒤 문 닫은 가게의 처마에 서서 비를 피하고 있는 와중이다.

퍼시벌이 짜증스레 발부리로 지면을 찼다.

“제기랄, 이런 때에…….”

벨그리프는 눈에 힘주며 빗발 너머를 내다보고자 시도했다. 그러나 굵은 빗줄기가 끊임없이 떨어지는지라 먼 곳까지 내다볼 수 없었다. 안 그래도 익숙지 않은 제도에서 시야가 이렇게 나빠지면 섣불리 움직이다가 길을 헤매는 게 걱정된다.

“여기가 어디쯤일까.”

“아직 번화가 부근일 테지.”

바람까지 불어와서 처마 아래에도 자잘한 빗방울이 불어닥쳤다. 아까부터 마이트레야가 우왕좌왕하다가 지금은 퍼시벌의 뒤에 숨어서 비를 피하고 있었다.

“으으, 비참해……. 내가, 『흑색의 태피스트리』 마이트레야가 이런 신세라니…….”

“싫다면 전이 마법이든 뭐든 써봐라.”

퍼시벌이 말하자 마이트레야는 웬 망발이냐고 받아치는 듯이 고개를 옆으로 흔들었다.

“슈바이츠 일당한테 들키면 어쩌려고. 그런 위험한 짓은 못 해.”

“벌써 옛날에 다 들켰을 거다. 허, 겁쟁이군…….”

이런 곳에서 빈둥빈둥 묶여 있고 싶지는 않았지만, 장대비가 내리는지라 어쩔 도리가 없다. 이대로 잠시 제자리걸음인가 생각하던 때 문득 빗발이 약해졌다. 벨그리프는 망토의 후드를 뒤집어썼다.

“가지. 지금 조금이라도 움직이세나.”

“그래.”

재발리 걸음을 떼는 두 사람의 조금 뒤쪽에서 마이트레야가 안절부절못하며 쫓아왔다.

잠시 걷던 중 다시 빗발이 강해졌다. 조금 젖는다고 못 움직이지는 않지만, 길을 알아보기 어려워진다는 게 힘들다. 도시는 본래 비슷비슷한 풍경이 쭉 이어진다. 처음 온 도시라면 더더욱 어디든 다 똑같아 보이기 마련이다. 빗속인지라 지도를 펼칠 수도 없잖은가.

또 가게의 처마 아래로 피신했다. 찻집 앞이다. 두꺼운 유리 너머에 주홍색 불빛이 반짝이니 손님이 꽤 많은 듯했다.

비슷하게 비를 피하러 온 사람들과 섞여서 지면을 때리는 비를 바라보던 중 다시 빗발이 약해졌다. 구름이 두꺼운 곳과 엷은 곳이 제각각 다른 까닭에 휘휘 흘러가면서 빗발에 강약이 생기는 것 같다.

"약해졌군. 가지."

"그래. 이쪽 방향이 맞나……."

그렇게 벨그리프가 막 걸음을 뗐을 때 찻집의 문이 열리며 누군가가 나왔다.

"어라, 벨 아저씨? 퍼시 아저씨도."

갑자기 뒤쪽에서 이름 부르기에 벨그리프는 놀라며 고개 돌렸다. 아넷사가 서 있었다. 열린 문에서 토야와 모린도 뒤따라 나온다. 퍼시벌은 눈을 꿈뻑거렸다.

"아네? 토야에 모린까지 같이 있었냐. 뭐하는 거야, 이런 곳에서."

"길드에 들러서 정보 수집을 좀……."

"그랬었나. 안제랑 다른 아이들은 따로 행동이고?"

벨그리프가 묻자 아넷사는 고개를 끄덕였다.

"네, 대공가에서 벨 아저씨를 기다리고 있어요. 저희가 먼저 합류할 줄은 몰랐네요……. 아, 이분은 부지부장을 맡은 아이린 씨예요."

아넷사가 몸을 빼내며 뒤쪽에 있던 부스스 머리카락의 여성을 소개했다. 벨그리프와 퍼시벌도 머리를 숙여 자기소개한다. 아이린은「우와~」놀라며 눈이 동그래졌다.

"반가워요, 아이린이랍니다~. 척 봐도 실력이 상당하신 분들이네요……. 제법 명성이 있는 모험가분들이시겠죠."

"제법 있는 정도가 아닌데. 그렇지, 모린?"

토야가 말했다.

"그러게요. 퍼시 씨는『패왕검』이라는 명칭이 더 많이 알려지지 않았나요?"

모린이 이어 말했다. 퍼시벌은 난처해하며 뺨을 긁적였다.

"별로 떠들고 다닐 이름도 아니잖냐."

"어? 어라,『패왕검』? ……어, 진짜요? 이름만 같은 게 아니라요?"

"뭐, 일단 진짜다."

퍼시벌이 S랭크 모험가의 표찰을 보여주자 아이린은 살짝 흥분하며 뺨을 붉혔다.

"흐아앙, 진짜?! 마, 마, 만나 뵈어 영광이에요오, 팬이에요, 저!"

아이린은 퍼시벌의 손을 붙잡아서 휙휙 흔들었다. 토야가 눈을 동그랗게 뜨고 쳐다본다.

"……이런 아이린 씨는 처음으로 봤어."

"의외로 깨발랄한 분이네요~."

모린이 깔깔 웃었다.

문 앞에 서 있었더니 누가 드나들질 못하겠다며 화내고 갔다. 또 빗발이 강해지는 듯했기에 벨그리프는 난처해서 고개를 가로저었다만, 모린이 콧노래를 흥얼거리며 손가락을 쏙쏙 움직였다.

"자, 가죠~. 안제 씨가 이제나저제나 기다리고 있어요."

그렇게 말한 뒤 모린은 처마 아래에서 휙 나왔다. 잘 봤더니 비가 모린의 머리 조금 위쪽에서 안 보이는 막에 튕겨 나간다. 마법으로 비막이를 만들었나 보다.

뒤따라 일행도 처마 아래에서 나온다. 머리 위에서 튕겨 나가는 빗방울을 보고 퍼시벌이 감탄하며 말했다.

"제법인데. 저런 재주는 세밀한 마력 제어가 필요하다지?"

"네에, 뭐. 이런 정도는 별거 아니지만요."

"그렇다는군. 이봐, 꼬맹이. 너는 못 하냐?"

퍼시벌이 쿡쿡 찌르자 마이트레야는 입을 삐죽거렸다.

"난 저런 저속한 마법은 쓰지 않아."

"그 아이는 누구예요……?"

아넷사가 의아하다는 표정으로 마이트레야를 바라봤다. 아이린이 「어라」 말하더니 몸을 구부려서 마이트레야의 얼굴을 들여다봤다.

"마이가 같이 있었구나. 요즘에 안 보이더니 뭘 했던 거야?"

마이트레야는 움찔 몸을 떨고는 후드를 깊숙이 눌러쓰며 입가에 손가락을 가져다 댔다.

"비밀."

"엥~? 뭐, 상관없지만."

아이린은 코트 옷깃을 여미서 목을 쭉 덮었다. 벨그리프가 쿡쿡 웃었다.

"이 아이는 마이트레야, 핀데일에서 우연히 만났지. 우리를 도와주기로 했단다."

토야가 놀라서 말했다.

"마이트레야라니……. 소문으로 들은『흑색의 태피스트리』예요?"

"어, 겨우 며칠 사이에요? 역시 벨 아저씨는 대단하달까, 뭐랄까……."

아넷사는 감탄하며 마이트레야를 바라봤다. 마이트레야는 몸을 움츠리며 시선을 피했다. 퍼시벌이 재미있다는 표정을 짓고 있었다.

토야와 모린은 제도의 길을 잘 알기에 이제는 길을 헤맬 우려가 없다. 빗발도 신경 쓸 필요가 없기에 벨그리프는 후유, 가슴을 쓸어내렸다. 공연히 시간만 낭비하는 상태가 가장 정신적 부담이 크다.

걷기에는 땅이 좀 젖었지만, 약간의 불편함이야 아무것도 아니다. 이런 번화가에도 돌바닥을 깔았다는 게 과연 제도답다고 말할 수 있겠다. 진창이 없는 만큼 미끄러지지만 않게 조심하면 걷기도 썩 괜찮다.

걸어가며 아이린이 말했다.

"사정은 전해 들었어요. 뭔가 굉장한 사건이 벌어진 것 같던데요."

"네, 곤란하게도……. 아네와 어떤 말씀을 나누셨습니까?"

"황태자의 주변에 수상쩍은 동향은 없는가, 또는 제도에서 기묘한 일이 벌어지지는 않았냐고요. 그치? 아네."

"네, 맞아요."

"실제 어떤데? 꼬리가 좀 잡히면 좋을 텐데."

아이린은 어깨를 으쓱거렸다.

"뻔하게 수상쩍은 곳은 특별히 없네요. 가짜여도 지금까지는 겉에 보이는 게 좋은 방향으로 바뀌었으니까 굳이 하나하나 따지고 드는 사람은 없어요. 다만 옛날에 방탕했던 때와 비교해서 별로 주위에 사람이 다가오게 두지 않는다는 말은 들었네요."

"저희가 대공가 저택에 갔을 때 나타났어요. 그런데 분명 황태자인데도 호위 한 명도 데리고 오질 않았더라고요."

물론 안 보이는 데 있었을지도 모르겠지만요. 아넷사가 말을 보탰다. 벨그리프는 얼굴을 찌푸렸다.

"그런가……. 으음, 이 사실을 어떻게 해석해야 하나……."

"벨그리프 씨, 어떤 의도로 제국 내부의 정보를 부탁하신 겁니까?"

토야가 말했다. 벨그리프는 팔짱을 꼈다.

"황태자가 가짜라는 사실은 알았지. 그곳을 찔러 무너뜨리자면 가짜라는 사실로 탄핵을 해줄 수 있는 사람이 필요하지 않겠니. 리젤로테 님과 이야기하고 싶었던 이유도 정치 상황에 해박한 사람을 소개받을 수 있지 않을까 생각해서였지."

"흠, 혹시 다른 계승권이 있는 녀석을 부추겨서 계승권 싸움이라도 일으킬 작정이었냐? 벨, 너 의외로 모질구나."

"결과적으로 그런 상황이 벌어지겠지만……. 어쨌든 간에 선정을 펼치는 뒤편에서 뭔가 비인도적인 계획을 꾸민다는 것은 분명하니까 말이지, 그 부분을 어떻게든 폭로하고 싶은데. 뭔가 근거를 확보하면 황태자를 탄핵할 만한 위치의 사람이 협력해줄지도 모르지. 어쨌든 간에 이것저것 정보부터 확보해야 움직일 수 있겠지만……."

"그런데 과연 잘되려나요, 상대도 꽤나 조심성이 많은 것 같던데요."

모린이 말했다. 아이린이 고개를 끄덕거린다.

"물밑 교섭도 그렇고 빈틈이 없어. 게다가 국민들의 인기도 높고 말이야~."

"그렇지. 적어도 나쁜 소문은 안 들리는 데다가 험담도 너무 완벽하니까 질투로 뭔가 말이 나오는 정도려나."

토야가 말했다.

"그럼~. 뭐, 옛날보다 조금은 늙어 보이지만, 역시 미남자라는 건 변함없으니까 아가씨들의 지지는 절대적이고. 오히려 어른스러워져서 매력이 불어난 것 같아."

"어휴~ 아이린은 맨날 똑같은 얘기만 해요."

"아냐~ 얼굴 잘생긴 게 중요하거든~. 외모만큼은 가짜여도 다를 게 없어."

아이린과 모린이 꺅꺅 떠들어 댄다.

벨그리프는 뭔가 상념에 빠져 눈살을 찌푸렸다.

"……음? 늙었다? 아직은 젊은 나이가 아닌가?"

"네? 맞아요, 물론 젊지만요. 나이는 당연히 먹죠. 얼굴 생김새도 조금 더 어른스러워졌다고 생각하는데요."

"……지금 성격으로 바뀐 이후에 몇 년은 지났던 게 맞지요?"

"그렇죠. 4년? 5년쯤 지났을걸요. 막 바뀐 무렵에는 미소년이라는 느낌이었는데요, 지금은 완전히 청년이니까요."

"……맹점이었군."

"뭔가 이상한 점이라도 있나요?"

아넷사가 의아하다는 얼굴로 물었다. 벨그리프는 고개를 끄덕거린 뒤 모린을 돌아봤다.

"황태자는 외모로도 명백하게 나이를 먹었다는 뜻이지. 의태 마법이라기에는……. 부자연스럽지 않나? 모린 씨."

"…………아~ 확실히 이상하네요. 왜 깨닫질 못했을까요……."

모린은 어느 틈인가 꺼내 들었던 말린 사과를 베어 물면서 대답했다. 아넷사가 고개를 갸웃거린다.

"부자연스럽다? 무슨 뜻인가요?"

"나도 대강 훑었던 내용이라 잘 알지는 못하는데, 의태 마법은 장기간의 사용에는 적합하지 않다더구나. 과거에도 완전히 가짜가 역할을 빼앗았다는 사례는 거의 없다는군. 아니, 나이를 먹는 부분까지 재현 가능한 새로운 술식이라면 두 손을 들어야겠지만…….”

벨그리프는 그렇게 말하며 모린을 바라봤다. 모린은 깔깔 웃었다.

“잘 알고 계시네요. 저는 거의 까먹었었거든요. 그거.”

“……아! 그런가, 확실히.”

토야도 납득하며 고개를 끄덕거리고 있다. 마이트레야도 눈을 꿈뻑거리고 있었다. 퍼시벌이 의아해하며 물었다.

“마법사 녀석들만 알아들었나. 그래서 무슨 뜻이야?”

“그게 말이에요, 의태 마법에도 몇몇 종류가 있는데요. 하나는 대상의 시체에 들어가는 것. 다만 이 방법은 시간 경과에 따라 육체가 부패하기 때문에 별로 쓰는 사람이 없어요. 오히려 사령술로 언데드를 만들어 움직이는 경우가 많죠.”

모린이 손가락을 세우고 말을 이었다.

“그리고 살아 있는 상대의 육체에 강제로 들어가는 방법도 있는데요, 이건 대상의 의식과 부딪치는 탓에 안정성이 없어요. 움직임도 어색해지니까 쓰는 사람은 드물죠. 마법약을 써서 육체를 변화시키는 방법은 약의 효과가 떨어지면 원래대로 돌아와버려요. 재료도 필요하고 약을 쓰는 방법상 몸에 부담이 크기도 해요. 가장 일반적인 게 대상의 육체 정보를 복사해서 자신의 모습을 바꾸는 방법인데요, 이건 복사했을 때 모습밖에 유지가 안 되거든요.”

“그게 뭔 문제가 있는 건가?”

“즉 변화가 없단 뜻이야. 머리카락도 수염도 손톱도 안 자라. 성장도 안 하고 나이를 안 먹어. 이 쉬운 게 상상이 안 돼?”

"아앙?"

"흐앗."

퍼시벌이 노려보자 마이트레야는 몸을 움츠리며 벨그리프의 뒤편으로 숨었다. 아이린이 쿡쿡 웃는다.

"마이, 뭔가 둥글어졌네……. 그럼 어쩌면 진짜 황태자가 살아 있는 게 아니냐는 말씀이군요?"

벨그리프는 고개를 끄덕였다. 퍼시벌은 더욱 알쏭달쏭하다는 듯이 고개를 갸웃거렸다.

"무슨 소리야? 왜 진짜가 살아 있다는 말이 나오나?"

"마법은 모종의 위험을 감수함으로써 효과가 높아지는 경우도 있거든요. 게다가 대상이 살아 있다면 항상 신체의 정보를 복사할 수 있죠. 의태의 질이 비약적으로 높아져요."

모린이 설명했다. 퍼시벌은 눈살을 찌푸렸다.

"……오호라, 즉 진짜를 대충 살려서 가둬 놓는다면 일종의 계약 마법이 작용해서 마법의 질이 올라가고, 아울러 육체 정보를 매번 복사하면 의태도 자연스러워진단 뜻인가."

"그래. 그런 이유라면 진짜 황태자를 죽일 순 없겠지. ……퍼시, 쓸 만한 길을 발견한 것 같군."

벨그리프는 그렇게 말하며 턱수염을 비비 꼬았다. 퍼시벌이 감탄하며 어깨를 두드려준다.

"그나저나 놀라운데. 너는 참 별걸 다 아는군?"

"아니, 옛날에 읽은 책의 내용에 쓰여 있던 게 인상적이라 머리에 남았을 뿐이라네."

"그래도 용케 다 기억하고 계셨네요……."

아넷사가 힘이 쭉 빠진 모습으로 웃었다. 벨그리프는 쓴웃음을 지었다.

"……어쨌든 간에 아직은 가설 단계에 불과하지. 그래도 뭐, 조금은 방향성이 보이는군. 계승 다툼을 부추기지 않아도 될 것 같구나."

아이린이 살짝 감동했다는 표정으로 말했다.

"늙었다는 말 하나로 이렇게가지……. 벨그리프 씨, 굉장한 분이시네요~."

"아뇨, 두 분의 잡담이 아니었다면 아마 깨닫지 못했겠지요. 여러분 덕에……."

"좋아, 재미있어졌네요. 저도 그쪽 방면으로 살짝 소식을 알아볼게요."

"아니요, 그렇게까지 폐를 끼칠 순."

"괜찮아요, 괜찮아요. 좋아서 하는 일이니까요. 게다가 동경했던『패왕검』님의 힘이 될 수 있다면 기쁘기도 하고요……."

아이린은 그렇게 말하며 퍼시벌에게 윙크했다. 퍼시벌이 어깨를 으쓱거린다. 벨그리프는 쿡쿡 웃었다.

"미남은 득을 보는군."

"뭔 소리를 하나. 뭐, 도움은 되겠군. 고맙다, 아이린."

"꺄앙~♡"

아이린은 주홍빛으로 물든 뺨에 손을 가져다 대며 몰라몰라 머리를 흔들었다.

길드에 돌아간다는 아이린과 헤어져서 벨그리프 일행은 대공가의 제도 저택으로 향했다. 잠시 발이 묶였던 이유도 있어 어느덧 저녁에 가까운 시각이다.

두꺼운 구름으로 뒤덮인 만큼 아직껏 해가 떨어지지 않았는데도 주변에는 꽤 짙은 어둠이 내려앉았다.

현관에서 안내를 요청하자 아주 잠깐의 사이를 두고 수티가 달려왔다.

"기다렸습니다."

"아, 수티 씨. 죄송합니다, 이런 차림으로……."

"괜찮습니다. 빨리 들어가시죠."

뭔가 심각한 표정이었다. 일행은 서로 얼굴을 마주 보다가 빠른 걸음으로 수티의 뒤를 따라서 저택 안에 들어갔다.

안내해준 방에 들어갔더니 밀리엄이 소파에 앉아 안절부절못하며 손을 맞잡아 문지르고 있었고, 그 맞은편에는 카심이 앉아 있었다. 두 손으로 얼굴을 덮어 가리고 있었다. 마르그리트는 조바심에 찬 모습으로 벽면을 왔다가 갔다가 했다.

카심이 얼굴을 들어 올렸다.

"아, 벨……."

아넷사가 의아해하는 표정을 짓고 방 안을 둘러봤다.

"안제는? 리제도 없나 본데……."

"으으, 그게……."

밀리엄이 풀 죽은 모습으로 사정을 설명했다. 중간중간에 마르그리트와 카심도 끼어들어서 말을 보탠다.

그렇게 프랑수아가 나타나서 안젤린을 황태자의 거처로 데리고 갔고, 거기에 카심이 살라자르에게 들은 이야기를 더하니 아무래도 안젤린은 적에게 붙잡혀버린 것 같다는 사실이 판명됐다.

퍼시벌이 눈썹을 끌어 올리며 카심에게 소리쳤다.

"잘 돌봐주라고 말했을 텐데! 넌 같이 안 다니고 뭘 한 거냐!"

"미안해, 나도 방심해버린 탓에……."

카심은 몸을 움츠린 채 고개 숙였다. 마르그리트가 혀를 찬다.

"거참, 안제 녀석도 좀 한심하네. 역시 나까지 따라가는 게 좋았을 텐데."

"지나간 일을 탓해도 달라지는 게 없지. 자, 카심, 언제까지 침울하게 굴 텐가."

벨그리프가 담담한 분위기로 젖은 망토를 세심하게 말아서 두고, 가방에서 수건을 꺼내 머리를 닦았다. 그러곤 퍼시벌에게 내민다.

"퍼시, 어서 닦게나. 감기 걸릴라."

"……묘하게 침착하군. 안제가 걱정되지 않나?"

"물론 걱정이 되기야 되지. 하지만 아무 대책도 없이 당해주지는 않을걸. 그 아이는 강해."

퍼시벌은 큰 목소리로 웃고는 소파에 털썩 걸터앉았다.

"그래, 맞는 말이다! 그럼 우리도 할 일을 제대로 해내야지! 어차피 이제 벤자민 패거리와 충돌하는 건 확실해졌다."

"그래, 간단하잖아. 팍팍 해치우자고. 헤헤, 좀이 쑤시네."

마르그리트가 손바닥과 주먹을 척 부딪쳤다. 벨그리프는 팔짱을 꼈다.

"다만 정면에서 충돌할 순 없는 입장이야. 자칫하면 우리가 다 범죄자가 될 테니."

"상대가 어떻게 나오냐에 달렸군요. 계략을 쓰거나, 혹은 시간을 들이지 않고 단번에 몰아치거나."

토야가 말했다. 벨그리프는 고개를 끄덕였다.

"안제에게 직접 손까지 썼지. 상대도 아마 진지하게 나올 거다……. 길드에서 달리 무언가 신경 쓰이는 정보는 없었니? 황태자 관련이 아니더라도 제도에서 일어난 수상쩍은 사건이라면 뭐든 상관없다만……."

아넷사가 생각에 잠기며 팔짱을 꼈다.

"……황태자와 관련이 있는지는 잘 모르겠는데요. 최근 들어 제도에서 마수의 발생이 확인되었다나 봐요."

"제도에서? 도시 안에서 말이냐?"

퍼시벌이 물었다. 토야가 고개를 끄덕인다.

"그렇게 높은 빈도는 아니지만 말이죠. 저희가 받은 의뢰는 아니고, 나타난 것도 하위 랭크의 마수가 전부라더군요. 피해는 거의 없었다고 합니다."

제도는 다른 도시와 마찬가지로 마수의 접근을 막기 위해서 결계를 설치해 둔다. 제국의 중추쯤 되는 지역이라면 결계의 힘은 더욱 강력할 것이다. 그럼에도 불구하고 하위 랭크의 마수가 불쑥 도시 안쪽에 발생했다는 것은 이상하다.

줄곧 묵묵히 듣기만 하던 카심이 입을 열었다.

"수상하네. 벤자민과 슈바이츠가 손을 댄 분야가 마왕 관련의 연구잖아? 마왕은 마수의 발생원이고."

"앗, 어쩌면 제도에 연구 시설이 있겠네요?"

밀리엄이 눈을 동그랗게 뜬다. 퍼시벌의 눈매가 가늘어졌다.

"나무를 숨기려면 숲속이란 말인가. 흐음……. 좋아, 나는 그 쪽을 뒤져봐야겠군."

"길드에 가려는가?"

"그래. 아이린도 도와줄 거다. 토야, 모린, 잠깐 얼굴이나 좀 빌려줘라. 나만 갔다간 상황이 꼬일 테니까."

퍼시벌은 그렇게 말한 뒤 일어섰다. 토야와 모린은 얼굴을 마주 바라봤다.

"괜찮은가요? 전원이 모인 다음에 상의하는 게……."

"안제가 붙잡혔는데 느긋하게 상의나 할 수 있겠냐. 자잘한 일은 벨에게 맡긴다. 가만히 앉아 수세를 지키는 것은 내 성격에 안 맞는다. 괜찮겠나? 벨."

"그렇군. 상대가 선수를 친 이상 우리도 느긋하게 시간을 낭비할 수는 없겠지. 부탁하겠네, 퍼시."

카심도 일어섰다.

"나도 한 번 더 살라자르를 만나러 갈게. 그 녀석은 안제가 붙잡혔을 때 곧장 인식했었지. 아마 뭔가 더 알고 있을 거야."

"말은 통하겠냐? 너 제도로 온 다음부터 계속 쭈구리잖아. 살라자르한테 아무 정보도 못 얻어 냈고 말이야."

마르그리트가 그렇게 말한 뒤 깔깔 웃는다. 카심은 삐쳐서 얼굴을 찌푸렸다.

"시끄럽다. 나도 가끔은 꼬이는 날이 있다고."

"……카심, 이 아이를 같이 데려가주게."

"으엉?"

벨그리프가 밀어준 마이트레야를 보고 카심은 의아하다는 표정을 지었다.

"뭐야, 되게 쪼끄맣네."

"아, 재 통신할 때 봤는데. 누구야?"

마르그리트도 눈을 꿈뻑거린다. 마이트레야는 안절부절못하며 몸을 움직거렸다.

"이 아이는 마이트레야. 핀데일에서 알게 된 사이인데 우리를 도와주겠다며 같이 다니기로 했단다. 무척 우수한 마법사이지."

마이트레야가 움찔 놀라며 벨그리프를 올려다본다. 그러고는 기뻐하며 입가에 미소 지었다. 벨그리프는 계속 말했다.

"게다가 전이 마법도 쓸 수 있어. 살라자르 님의 협력을 얻어 낸다면 뭔가 타개책을 찾아낼 수 있을 듯한데……."

"이 사람은 누구야?"

마이트레야가 불안해하며 카심을 보고 벨그리프의 옷자락을 잡아당겼다.

"이 친구는 카심. 나와 퍼시의 친구이고……. 으음, 『천개 파괴자』라는 이름이면 좀 알려나?"

"『천개 파괴자』……? 진짜야? 거짓말 아냐?"

"거짓말 아니다. 가짜 같아? 시험해봐도 좋다."

카심은 능청 부리며 두 손을 머리의 옆에 가져가 팔랑팔랑 흔들었다. 마이트레야는 우물쭈물하며 카심을 올려다봤다.

"일류는 일류를 불러오는 법……. 나는 『흑색의 태피스트리』 마이트레야. 잘 부탁해."

"……오호, 『흑색의 태피스트리』라고? 흠, 소문은 들은 기억이 나는데, 이렇게 쪼끄마한 줄은 몰랐네."

"……마법은 초일류야. 안심해."

칭찬에 더불어서 명성이 퍼져 나갔음을 확인한 마이트레야는 살짝 자랑스레 가슴을 폈다. 퍼시벌이 쿡쿡 웃고는 마이트레야의 머리를 살짝 쥐어박았다.

"명예 회복의 기회군. 열심히 해라."

마이트레야는 뺨을 볼록거리며 카심의 곁에 달려갔다.

"야만인은 무시야. 빨리 가자."

카심은 웃음을 뺑 터뜨리며 껄껄 웃었다.

"옳소, 옳소. 야만인은 무시하고 가자, 헤헤헷. 그럼 후닥닥 갔다 온다."

완전히 기운을 차린 카심은 마이트레야를 데리고 떠나갔다. 밀리엄이 불쑥 중얼거렸다.

"『천개 파괴자』에 『뱀의 눈』……. 거기에 『흑색의 태피스트리』까지……. 드림 팀이야."

"우리도 가지. 벤자민 일당에게 한 방 먹여줘야겠다."

퍼시벌도 망토를 펄럭이며 방에서 떠나간다. 토야와 모린이 허둥지둥 뒤를 쫓아갔다.

방에 남은 벨그리프는 후유, 숨을 내쉬고 느릿느릿 소파에 걸터앉았다. 아넷사와 밀리엄은 까닭도 없이 머뭇머뭇하는 모습이다. 파티 멤버인 안젤린이 걱정되어서겠지.

말없이 상황을 지켜보던 수티가 한숨 쉬었다.

"굉장한 사건이 벌어져버렸군요……."

"죄송합니다, 수티 씨……."

"아뇨, 괜찮습니다. 저 또한 말단이나마 모험가이고요. 저희 아가씨가 무슨 짓을 저지를지 걱정됩니다만……. 뭐, 차라도 준비시키겠습니다."

그렇게 말한 뒤 방을 나갔다. 마르그리트가 의자에 걸터앉아 다리를 꼰다.

"그래서, 벨은 어떡할 거야?"

"나는 잠시 리젤로테 님과 대화를 하고 싶구나. 잘만 풀리면……. 황태자 전하와 직접 대면할 기회를 마련해주실지도 모르니까."

아가씨 셋은 놀라서 벨그리프를 쳐다봤다.

"지, 직접요? 위험해요, 분명."

"맞아요, 안제까지 붙잡혀버렸다는데……. 아무리 벨 아저씨여도."

"그렇다니까, 너 검은 안제라든가 나한테 못 당하잖냐. 자살행위라고."

"알고 있어. 하지만, 난 안제의 아버지니까……. 딸아이가 불쑥 유괴당했는데 가만히 웃고 있을 만큼 선량하지는 않아."

잘 보면 주먹이 꽉 쥐여져 있다. 얼굴 표정도 살짝 험악하단 걸 알 수 있었다. 아까는 애써 침착하게 행동했을 뿐 내심은 분노가 부글부글 끓어오르는지도 모른다. 가능한 한 밖에 드러내지 않고 꾹 눌러 참았던 만큼 날카롭게 연마한 칼날과 같은 분위기가 감돌고 있었다.

언제나 온화한 태도를 무너뜨리지 않고 친절한 표정을 짓던 벨그리프가 명백하게 분노한 형상을 나타냈기에 세 소녀는 저절로 숨을 죽이고 말았다.

117 빗소리가 더욱 강하게 위쪽에서

빗소리가 더욱 강하게 위쪽에서 내려오는 것 같았다.

얼마 전까지 안젤린이 앉아 있었던 의자에 성당 기사 도노반이 자리를 잡고 있다. 텅 빈 눈빛의 메이드가 담담한 손놀림으로 탁자에 차와 과자를 가져다 놓았다. 프랑수아는 무표정으로 벤자민의 뒤에서 대기 중이고, 파르카는 변함없이 멍한 표정으로 가만히 서 있었다. 가끔씩 토끼 귀가 쫑긋쫑긋 움직였다.

도노반의 맞은편에 앉은 벤자민이 담대하게 미소를 띠며 입을 열었다.

"성당 기사라는 직업도 경기가 안 좋은가 보네."

"하하하, 전하와 비교하면 제국의 대귀족일지라도 불경기임을 인정할 겁니다."

도노반 역시 미소를 머금은 채 탁자의 잔에 손을 뻗었다. 벤자민은 탁자에 팔꿈치를 짚고 손가락을 마주 걸쳤다. 그 위쪽에 턱을 얹는다.

"그래, 어떠한 용건이 있어 왔을까?"

"민망한 이야기입니다만 저희 쪽에도 이래저래 비용이 많이 들어서 말입니다. 지원금을 혹시 받을 수 있을까 하여 부끄럽게도 머리를 수그리고 찾아뵈었습니다."

벤자민은 껄껄 웃었다.

"그런 요청이야 전혀 어렵지 않아. 너희에게는 이래저래 신세를 지고 있으니까 말이지……. 그나저나 도노반 군, 이대로 마냥 부림당하는 신분에서 만족할 셈인가?"

"저는 주신의 충실한 종복이온지라……. 하오나 전하와는 좋은 관계를 쭉 유지하고 싶은 마음입니다그려."

도노반은 어쩐지 의미심장하게 웃음 짓더니 차를 홀짝였다. 파르카는 멍멍한 표정이지만 얼굴만은 정원의 구석 어두운 곳을 향하고 있었다. 손은 허리의 칼자루에 놓여 있다. 아주 약간의 동작으로 뽑아 휘두를 수 있는 자연체다. 그 모습을 보고 벤자민이 말했다.

"도움이 좀 되나? 저 친구는."

"예. 참으로 좋은『검』입니다."

도노반은 파르카를 곁눈질로 보고 비웃음을 지었다.

"그래, 만족스럽군. 뭐, 내 호위에게 덤벼들지는 않으면 좋겠어."

"다소의 실수는 관대하게 봐주십사 부탁드리고 싶군요. 저희도 정죄 기관을 억제한다고 온갖 고생을 겪는지라."

"응, 그 점은 당연히 감사하지. 덕분에 지난 1년은 무척 쾌적했어. 이대로 네가 제도 교회의 1인자 자리에 앉아준다면 나로서는 더할 나위가 없을 텐데 말이야."

"하하, 주신께서 뜻하신 대로 되지 않겠습니까."

"그렇다고 치고 넘어갈까. 뭐, 우리도 도움을 꺼리지는 않을 거야. 서로 간에 열심히 해보자고, 도노반 군."

벤자민은 과하게 성심껏 대답하며 어깨를 으쓱거렸다. 도노반도 웃음으로 답한다. 평온한 회합의 자리인 듯 보였지만, 양쪽 다 뱃속에는 상대를 물어뜯어주겠다는 속셈이 소용돌이치고 있는 분위기였다.

잠시 두 인물은 묵묵히 과자를 집어 먹는다. 그러다가 얼마 뒤 도노반이 입을 열었다.

"……본국 쪽은 융통성이 없어서 말입니다. 제가 보고를 올렸는데도 굳이 기관을 파견하겠다는 녀석들이 아직 있습니다. 그런 녀석들을 납득시켜야 할 겁니다."

"흐음……. 산 제물이 필요하다는 말인가?"

"그렇습니다."

도노반은 목소리를 낮추며 벤자민에게 가까이 얼굴을 가져갔다.

"정죄 기관은 애당초 『재액의 창염』과는 적대 관계입니다……. 거듭 패배를 겪어왔던 터라 그자와 화합하기는 불가능할 테지요."

벤자민은 살짝 입꼬리를 끌어 올렸다.

"슈바이츠를 내놓으라?"

"지금 당장이라는 말은 아닙니다. 다만 그자와 협력 관계에 있는 한 전하의 신변에 안식은 찾아오지 않을 테지요."

"……뭐, 생각해볼게."

"좋은 대답을 기대하겠습니다, 전하……. 모쪼록 아군으로 들일 인간을 잘못 선택하지 마시길."

도노반은 일어섰다. 그러곤 벤자민의 뒤에 선 프랑수아를 보며 흥, 코웃음 쳤다.

"……그다지 좋은 취미라 말할 순 없겠군요."

그렇게 파르카를 데리고 성큼성큼 떠나갔다.

벤자민은 의자에 기댄 채 손바닥을 점검하듯 앞으로 뒤로 살펴봤다.

"글쎄……. 어떻게 되려나."

"전하……."

"응? 아, 괜찮아. 너도 돌아가서 쉬도록 해."

프랑수아는 인사를 올린 뒤 떠나갔다. 그 뒷모습을 곁눈질로 바라보다가 벤자민은 누구에게 하는 말인지 혼자 중얼거렸다.

"……으음, 역시나 오래 유지되지는 않는구나. 나도 아직은 모자란가……."

그때 방금 전까지 파르카가 줄곧 쳐다봤던 어두운 곳에서 인영이 나타났다. 장신에 검은 코트를 걸쳤고, 백발이 섞인 머리카락을 머리 뒤쪽으로 묶어 내렸다. 『처형인』 헥터다. 헥터는 섬뜩한 미소를 머금은 채 벤자민의 옆쪽에 섰다.

"그 애송이, 내게 칼을 휘두르고 싶어 하더군. 토끼 주제에 광견 같은 눈빛이었다."

"응? 아하, 도노반의 『검』 말이지? 그냥 그렇게 된 녀석이야."

"기아(飢餓)의 검이었던가. 덤벼들었다면 좋았을 텐데 꽤 얌전하더군. 뭔가 다른 사냥감을 점찍어 두었는가…….”

“유감인가 봐.”

“허약한 상대뿐이라 맥이 빠진다. 검이 녹슬겠어. 『패왕검』과 만나고 싶은 심정이다만.”

“조만간에 기회가 있을 거야. 그나저나 그 엘프도 이런저런 인연을 갖고 있구나……. 슈바이츠는?”

“네 녀석이 모르는데 내가 어찌 알겠나.”

“……거참, 아주 제멋대로라니까. 대체 뭔 생각이려나.”

“임프 계집은 어쨌나.”

“마이트레야도 어떻게 됐나 파악이 안 돼. 슈바이츠라면 아마도 알고 있을 것 같은데…….”

조직이라기에는 너무 체계가 없어서 난처하다니까. 벤자민은 어깨를 으쓱거렸다. 헥터는 시시하다는 듯이 눈에 힘주며 별 까닭도 없이 주위를 쭉 살펴봤다.

“……언제까지 내게 시시한 역할만 떠넘길 작정이지.”

“조만간에 실컷 날뛰게 될 거야. 조금만 더 참아줘.”

헥터는 대답하지 않고 다시 어둠 속으로 사라졌다. 벤자민은 의자에 기댄 채 머리 위쪽을 올려다봤다. 사각형으로 잘라 낸 하늘이 어둠에 감싸여 가고 있었다.

○

머리 위에서 내리는 비는 모린의 마법에 막혔지만, 걸을 때마다 발밑에서 물방울이 흩날렸다.

돌바닥이어도 요철은 있고 우묵한 곳에는 물이 고인다. 급한 걸음이라서 일일이 피할 여유도 없었던 터라 이따금 물웅덩이를 밟으면 주위에 세차게 물이 튀어올랐다.

대공가의 제도 저택에서 나온 퍼시벌 일행은 일직선으로 길드의 제4지부에 향했다. 딱히 멀리 떨어진 곳은 아니지만, 아주 가깝지도 않다.

길드 입구를 지나갈 무렵에는 해가 푹 가라앉았기에 주위는 온통 어두워졌다.

이렇게 비가 내려도 길드는 활기차다. 그러나 비가 멎지 않는 까닭에 모두가 젖은 신발로 들어오는지라 바닥이 푹 젖어서 미끄럽다. 자루걸레를 손에 든 직원이 왔다 갔다 하고 있었다.

"흐앙~ 물이 다 스며들었어."

모린이 젖어서 색이 달라진 부츠를 보고 난처해하며 웃었다.

"많이 서둘렀잖냐. 뭐, 죽진 않는다. 쿨럭, 쿨럭쿨럭."

퍼시벌이 향주머니를 꺼내 들면서 토야를 돌아봤다.

"토야, 아이린은 어디에 있지."

"부지부장실에 있을 겁니다. 이쪽이에요."

접수원과 두세 마디를 나눈 뒤 안쪽으로 걸음을 옮겼다. 복도를 나아가서 부지부장실 명패가 걸린 방문을 두드려서 열었다.

안쪽 책상에 앉아 서류를 들여다보던 아이린이 놀란 모습으로 얼굴을 들어 올렸다.

"어라라? 무슨 일이야?"

"아니, 조금 협력을 받고 싶은 문제가 있어서……."

"실례하지."

"앗, 퍼시벌 씨까지……. 흐잉, 지저분해서 죄송해요."

아이린은 당황하며 탁자 위에 흩어져 있는 서류를 마구 끌어모았다. 퍼시벌이 껄껄 웃는다.

"됐다, 부끄러워하지 마라. 일에 열심이니 보기도 좋군."

"흐아앙, 창피하네요……. 일단 앉으세요."

아이린은 뺨을 붉히며 내빈용 소파를 권해줬다. 토야가 방 안을 둘러보다가 말했다.

"저기, 여기서 괜찮을까?"

"응응? 또 비밀 이야기야?"

"제도 내 마수 출몰 사건 때문에 왔는데요~. 어떨까요, 이 화제는."

모린이 말했다. 아이린은 살짝 눈살을 찌푸리며 생각에 잠긴다.

"그 문제였나……. 음, 아마 괜찮을 거야. 일단 길드에 정식으로 들어왔었던 제대로 된 의뢰니까. 뭐, 목소리는 조금 낮춰서 이야기하자."

네 사람이서 무릎을 맞대 앉았다. 왠지 방 안이 적막에 감싸인 듯한 분위기였다.

제도에 나타났던 마수는 기껏해야 D랭크이고, 도시 안쪽이라는 특수한 상황을 제외하면 딱히 까다로운 대상도 아니었다. 따라서 고위 랭크의 모험가가 나설 사안은 못 된다고 치부되었다. 그 때문에 토야와 모린도 이 문제에는 관련했던 바가 거의 없었다.

퍼시벌이 의아하다는 표정을 짓고 팔짱을 꼈다.

"그래도 원인 규명은 당연히 진행했을 텐데? 아무리 생각해도 부자연스러운데 마수를 해치우고 끝낼 문제는 아니잖나."

"그게 문제인데요. 분명 처음에 사건이 일어났을 땐 원인 규명을 요청하는 의뢰가 몇몇 있었거든요. 그런데 얼마 지나서 자동 종료가 되어버렸어요. 마수의 발생 빈도가 아주 높지는 않았다는 이유도 있는 것 같기는 한데 말이죠."

"상층부가 묵살시킨 게 아니라?"

"그 부분은 잘 모르겠네, 내 담당이 아니었으니까……."

"어쨌든 간에 길드가 이 문제에 제대로 힘을 들이지 않은 건 확실하군. 수상한데. 아이린, 마수가 나온 장소는 알 수 있나?"

"네, 관련 자료를 살펴보면……. 잠깐만 기다리고 계세요!"

아이린은 자리에서 일어나 자료를 가지러 가려는지 방을 나섰다. 토야가 퍼시벌에게 얼굴을 가까이 대며 속삭였다.

"만약에 가짜 황태자가 길드 상층부와 이미 유착했다면……. 묵살시켰을 가능성은 꽤 높을 겁니다."

"그래. 들쑤시면 곤란한 부분이 있다 생각하는 게 자연스럽지. 고위 랭크의 마수가 튀어나왔다면 더욱 큰 소란이 벌어졌겠지만,

하위 랭크뿐이면 곧 잊혔을 테고."

"뭔가 음모가 잔뜩 뒤섞였네요. 진부한 소설 같아요."

"이딴 시답잖은 소재는 소설로도 못 쓸 거다."

얼마 뒤 아이린이 돌아왔다.

"오래 기다리셨습니다~."

탁자에 제도의 지도가 펼쳐진다. 이곳저곳에 동그라미 표시가 있고, 그 옆에는 숫자가 써 놓았다. 아마도 마수가 퇴치되었던 장소 같았다.

"숫자는 여기 상세한 자료의 번호예요."

"흠……. 대강 이 주변에 집중되었군."

제도 동편의 한 구역이다. 대부분 동그라미는 해당 지점의 주변에 많다. 다른 곳에도 아주 없지는 않다만, 상세 자료를 살펴보면 도망친 마수를 쫓아 최종적으로 토벌한 지점에 불과했다. 결국 발생원은 한곳에 집중되어 있는 셈이다.

자료를 훑어보며 토야가 중얼거렸다.

"그레이 하운드도 나왔구나……. E랭크라지만 용케 일반인 피해가 없었네."

"이 주변은 조금 치안이 안 좋은 장소거든~. 불한당도 많고 조금 질 나쁜 모험가가 근거지로 쓰는 곳이기도 해."

"오호라, 마수가 튀어나와도 주민 녀석들이 해치웠단 말인가."

"맞아, 맞아요. 경우에 따라서는 사후 보고였거든요. 진짜인지 거짓말인지 시비가 붙은 사례도 있었어요."

"아무튼 간에 이 주변에 수상쩍다는 건 알았다. 게다가 이렇게 정황이 분명한데도 원인 조사가 애매하게 종료됐다는 것도 우습지. 틀림없이 뭔가가 있다. 가보자고."

퍼시벌은 지도를 접어서 품에 넣더니 쓱 일어섰다. 아이린이 눈을 꿈뻑거린다.

"앗, 벌써 가버리세요? 차를 내어달라고 말하고 왔는데요."

"미안한데 별로 느긋하게 굴 입장이 아니라서 말이지. 정리가 다 끝나면 다과회든 술잔치든 뭐든 같이 있어줄 테니가 오늘은 이만 보내줘."

"지, 진짜로요? 흐앙~ 어쩐담."

빨개져서 우물쭈물하는 아이린을 흘깃 쳐다봤다가 퍼시벌은 빠른 걸음으로 방을 나섰다. 토야와 모린이 급히 뒤를 쫓아간다. 퍼시벌은 고개 돌리지 않고 토야에게 말을 건넸다.

"토야, 이 주변에 가본 적 있나?"

"아뇨, 하지만 길은 대강 짐작됩니다."

"잘됐군. 얼마나 걸리겠냐?"

"걸어서 가면……. 꽤 오래요. 어두워서 시간을 더 잡아먹을지도 모르겠네요."

"쳇, 귀찮게."

길드에서 나왔을 때 아직 비가 내리고 있었다. 그뿐 아니라 해가 떨어져서 어두운 터라 시야가 더욱 안 좋아졌다. 처마에 달린 조명 아래에서 퍼시벌은 지도를 펼쳤다.

"북쪽은 저 방향인가……. 확실히 조금 시간을 잡아먹겠군, 이래서야."

지도를 넣은 뒤 걸음을 떼려고 한 퍼시벌에게 모린이 손을 뻗었다.

"조금 젖을 텐데요, 날아갈까요?"

"뭐?"

"비행 마법 쓸 수 있어요. 비막이가 얇아지니까 몸은 푹 젖겠지만요."

"……너, 재주가 꽤 많구나."

퍼시벌과 토야는 모린과 가까이 서서 어깨에 손을 얹었다. 모린은 중얼중얼 뭔가 혼잣말하듯 영창했다. 그러자 불쑥 몸이 휙 가벼워지더니 세 사람은 순식간에 공중으로 날아올랐다. 그 대신이라고 할까, 이제껏 튕겨 나갔던 빗방울이 몸에 내리쏟아졌다.

퍼시벌은 얼굴을 찌푸리며 망토의 후드를 덮어썼다.

"이거 꽤 쏟아지는군."

"흐잉~ 차가워라. 토야, 방향 알려줘요."

"알았어, 저쪽이야."

세 사람은 비 내리는 제도의 하늘을 동편으로 날아갔다. 빗방울을 피하기 위해 살짝만 뜬 눈의 너머로 도시의 불빛이 비에 뿌예져서 번진 듯 빛나고 있었다.

차가운 비에 손가락이 욱신욱신 저리기 시작했을 무렵 조금씩 고도가 낮아지며 착지했다.

주위에는 낡은 만듦새의 건물이 쭉 늘어서 있었다. 도로를 돌로

포장하지도 않아서 이곳저곳에 물웅덩이가 만들어졌다. 거기에 창문에서 새어 나오는 불빛이 반사되고 있다.

모린이 작게 재채기를 했다.

"으으, 추워요……."

"수고 많았다. 일단 비나 피하지."

비가 쏟아지지 않는 처마 아래로 들어간다. 이 주변은 빈민가라고 말할 정도는 아니지만, 큰길처럼 밝고 활기찬 장소는 아닌 듯했다. 이 처마의 가게도 문을 닫은 채 묵묵히 침묵을 지키고 있다.

퍼시벌은 망토를 벗어서 훌훌 흔들었다. 방수 처리가 되어 있는지 겉면에 붙어 있었던 물방울이 튕겨 나가는데 안쪽까지 스며든 것 같지는 않다.

모린이 로브의 자락을 여미면서 말했다.

"좋은 망토네요, 그거. 전혀 안 젖어 보이는데요?"

"용의 위장을 무두질해서 만들었지. 물도 불도 어지간한 세기면 뚫질 못하는 데다가 갑옷 이상으로 튼튼하다. 너는, 꽤 젖어버렸군……. 어떠냐, 뭔가 수상쩍은 마력은 느껴지나?"

"배가 고파서 아무것도 못 느껴요. 비행 마법은 금방 지치거든요."

"……아직 영업하는 가게가 있을 거다. 가자고. 토야, 너는."

"멀쩡합니다, 가시죠."

토야는 등을 보이며 움찍움찍 옷을 짜내고 있었다.

세 사람은 처마 아래에서 나왔다. 아직 영업하는 가게가 몇 군데 있을 것이다.

물웅덩이를 밟아 디디며 거리를 나아가서 엷은 불빛이 새어 나오는 아마도 주점일 곳에 걸음을 들였다. 썩 사람이 많을 것 같지는 않았는데 세 사람이 들어서자 손님들이 일제히 입구를 쳐다봤다. 이방인을 환영하는 분위기는 아니다.

푹 젖은 로브가 몸의 선을 고스란히 드러내는 모린에게 헤벌쭉 입을 벌리는 불한당들의 눈길이 쏠렸지만, 퍼시벌이 매섭게 주위를 노려보자 다들 슬금슬금 또 컵이나 접시를 들여다봤다.

퍼시벌은 카운터에 가서 주인장인 듯한 남자에게 말을 붙였다.

"뭔가 먹을거리를 다오. 그리고 수건이든 뭐든 빌려주면 고맙겠다만."

"선불로 부탁드리죠."

지갑에서 은화를 잡아 카운터에 내던진다.

"거스름돈은 필요 없다."

"어이쿠, 감사합니다."

무뚝뚝했던 주인장의 태도가 갑자기 쾌활하게 바뀌었다. 여자 점원에게 뭔가 말하자 안쪽에 들어갔다가 수건을 건네준다. 퍼시벌은 우선 토야에게 수건을 내밀었다.

"갈아입을 옷까진 없다만."

"충분합니다, 고맙습니다."

"오물오물."

모린은 이미 치즈를 얹은 빵을 입 가득히 넣고 있었다. 토야가 어이없어하며 말했다.

"물기 안 닦으면 감기 걸린다, 모린."

"배고프면 더 감기 걸려요, 오물오물."

"어휴."

토야는 수건을 모린의 머리에 씌워 덥석덥석 닦았다.

난로에서 불이 새빨갛게 타오르는지라 따뜻하다. 옷도 바깥보다는 잘 마를 테지. 작은 유리잔에 든 증류주를 쭉 들이켜자 몸이 따뜻해지는 기분이다. 퍼시벌은 빈 유리잔을 밀어냈다.

"한 잔 더 다오."

"예이."

"이 주변에 마수가 나온 사건이 있었다던데."

술을 다르던 주인장의 눈썹이 꿈틀 움직였다.

"……손님, 길드에서 파견을 나온 분이신지?"

"뭐, 대충 비슷하다."

점주는 의아하다는 표정을 짓고 퍼시벌을 빤히 쳐다보다가 이윽고 납득했다는 듯이 고개를 끄덕였다.

"아, 드디어 길드도 조사를 시작해주려나 보군."

"그동안은?"

"의뢰를 맡기러 가도 받아주질 않더만. 돈이 안 되는 일이니까 맡아줄 녀석이 없는 줄 알았지. 병사가 군대는 일찌감치 조사를 중단했고. 우린 불안한데 말이야."

"흠……. 마수는 요즘 들어선 언제 나타났나?"

"반년쯤 전이었던가. 뭐, 이 주변에 어슬렁거리는 녀석들도 해치울 수 있는 마수였지만, 여자나 아이를 덮쳤다고 생각하면 좀."

"그런가. 뭐, 내가 왔으니까 안심해라. 자세한 사정을 알려주겠나."

퍼시벌은 그렇게 말한 뒤 증류주로 채운 유리잔을 손에 들었다.

가게 주인의 이야기에 따르면 마수는 이 지역에 몇 번인가 나타났다고 한다. 구체적으로 어디에서 솟아 튀어나왔는지는 분명하지 않은 데다가 본래 치안이 안 좋은 지역인지라 적극 조사를 진행하고자 하는 사람도 나타나지 않았다. 게다가 출현하는 마수도 하위 랭크의 부류뿐이었기에 대부분의 주민은 별로 위협이라 생각하지도 않는 분위기다. 오히려 불량배나 강도가 더 위험하다는 인식이라던가. 그럼에도 이 가게의 주인장처럼 싸울 힘이 없는 사람은 역시 불안을 품고 사는 듯했다.

퍼시벌은 지도를 꺼내 카운터 위에 펼쳤다.

"이 주점은 어디쯤이지."

"으음……. 여기군요."

주인장이 손가락을 가져다 댄다. 마수가 나타났다는 동그라미 표시는 그 주변에도 있었다. 다만 이곳에서 조금 동쪽으로 간 주변에 집중되었다.

"여기 주변인 게 틀림없네요."

토야가 말했다.

"그렇군. 뭔가 마법의 요소가 있다는 건 확실할 텐데……. 이봐, 모린. 배는 좀 채웠나?"

"따뜻한 수프를 한 그릇만 더 먹고 싶어요."

모린의 앞에는 빈 접시가 대여섯 개나 쌓여 있었다.

"그 홀쭉한 몸 어디에 들어간 거냐……. 이봐, 수프를 다오."

퍼시벌은 어이없어하면서도 주화를 잡아 꺼내서 카운터에 올려놓았다. 토야가 지도를 살펴보다가 의문이 드는 듯 고개를 갸웃했다.

"이 주변은 분명 폐허가 된 건물이 많았던 것 같은데……."

"그래그래, 잘 알고 있군. 옛날에는 번성했던 곳인데 큰길에서 멀어지니까 점점 쇠퇴되어서 말이야. 지금은 사람도 없는 집이나 폐허가 많아. 그러니까 무뢰한들이 자꾸 모여들더라."

"제대로 된 인간들은 접근을 안 한단 소리군. 이것저것 숨기기에는 딱 알맞은 장소겠어."

수프를 다 먹은 모린이 일어서서 손바닥으로 배를 톡톡 두드렸다.

"기운이 꽉 찼어요. 가죠."

"오, 만족했냐?"

"조금 덜 차긴 했는데요, 이제 움직여야 하니까 딱 괜찮네요."

"너, 저걸 다 먹고서……."

"항상 이래요……. 신경 쓰지 마세요."

토야가 쓴웃음 지으며 일어섰다. 퍼시벌도 어깨를 으쓱거리며 일어났다.

비는 여전히 내리고 있었다. 조금 진눈깨비의 비율이 높아졌는지 뚝뚝 무게감이 불어난 느낌이다. 어깨를 적시는 물방울도 손으로 쓸어 내면 자잘한 얼음이 묻어났다.

세 사람은 질척질척한 길을 빠른 걸음으로 나아가다가 이윽고 창문에서 불빛이 새어 나오지 않는 부근까지 왔다.

2층 구조나 3층 구조의 건물이 늘어서 있기는 하다. 다만 과거에나 훌륭했을 흔적이 살짝 느껴질 뿐이다. 벽은 벗겨졌고 창문은 깨져서 판자를 박아 놓았기에 섬뜩한 분위기마저 감도는 곳이었다.

퍼시벌은 주위를 둘러보다가 눈살을 찌푸렸다.

"오호라, 묘한 느낌이군……. 너희들, 마법으로 그물인가 뭔가 펼칠 수 있나?"

"네, 잠깐만 기다려주세요."

토야는 허리에 찬 검을 뽑아서 주문을 외듯 눈 감았다. 모린도 가슴 앞에서 두 손의 손바닥을 맞대며 뭔가 조그맣게 읊조렸다. 이윽고 두 사람의 몸에서 마력의 파도가 쏟아져 나와 건물의 사이를 누비고 주위 일대에 쭉 퍼져 나갔다. 탐색 마법이다. 퍼져 나가는 마력의 파도에 뭔가 걸린다면 즉각 감지할 수 있다.

퍼시벌은 잠시 팔짱을 끼고 서 있다가 문득 기묘한 기척을 감지하며 눈살을 찌푸렸다. 토야가 눈을 뜬다.

"뭔가 옵니다."

"……흥."

퍼시벌은 재빨리 토야와 모린의 앞에 나선 뒤 어둠 속을 미끄러지며 다가온 무엇인가를 향해 검을 뽑아 들었다. 별 대단한 저항감도 없이 그림자가 쭉 갈라지더니 곧장 기세를 잃고 지면을 굴러갔다. 토야가 눈을 가늘게 떴다.

"마수……? 좀 다른데."

"신경 쓰지 말고 계속해라."

퍼시벌은 예리한 시선으로 주위를 노려보다가 소리도 없이 다가든 제2, 제3의 그림자를 눈 깜짝할 사이에 베어 넘겼다. 그러고는 시시하다는 듯이 한숨을 쉰다.

"나도 참 얕보였군."

모린이 눈 뜨고 눈살을 찌푸렸다.

"……뭔가 공간의 비틀림 같은 게 있네요. 어떻게 할까요, 퍼시 씨."

"앞장서라. 주위는 신경 쓰지 말고."

두 사람은 같이 고개를 끄덕이더니 달려 나갔다. 그림자는 주위 건물에 들러붙어서 기어 쫓아온다. 그러나 덤벼드는 것들은 죄다 퍼시벌의 검이 두 동강을 냈다. 토야가 피식 웃음을 흘리는지라 모린은 눈을 끔뻑거렸다.

"왜요?"

"아니……. 그냥, 진짜 굉장하네. 웃음이 나올 만큼."

몇 차례 모퉁이를 돌아서 이윽고 건물 하나가 눈앞에 나타났다. 문이 꽉 닫혀 있었는데 심지어 판자를 다수 박아 넣어서 견고하게 막아 놓았다. 토야가 뒤를 돌아봤다.

"어떻게 할까요!"

"쓸데없이 묻지 마라. 쳐부숴!"

토야는 곧바로 검을 치켜들었다. 칼날에 푸르게 빛나는 마력이 소용돌이쳤다. 그대로 문을 향하여 내리 휘두른다. 참격은 충격의 덩어리가 되어 가격한 판자와 함께 문을 부숴버렸다.

막 뚫린 구멍에 세 사람이 뛰어들었다.

건물 내부는 창문도 다 가려져서 새카맣다. 그 탓에 빗소리마저 막히는 터라 쭉 쏟아졌던 싸늘한 비가 먼 세계로 떠나가는 것 같았다.

끝내 쫓아와서 날아든 마지막 검은 그림자 하나를 베어 가른 퍼시벌은 검을 휘둘러 허리의 칼집에 집어넣었다.

"후미를……. 내가 이런 역할을 맡는 날이 올 줄이야."

"엄청 안심되는 느낌이었어요. 역시 대단하네요."

"하핫."

자신도 나이를 먹었구나 싶어 퍼시벌은 웃었다.

"……윽, 설마."

마법으로 빛 구슬을 만들어 낸 모린이 갈라진 그림자를 보고 숨을 멈췄다.

그것은 거뭇한 천이었다. 사이에서 사람의 뼈가 보였다. 또한 천 아래에 검은 안개 같은 것이 살짝 허공으로 녹아내리는 듯이 떠다니고 있었다. 언데드인가 보다.

"사령 마술인가? 어쩐지 묘한 감촉이 들더라니……. 뭐냐?"

노려보다시피 언데드를 보고 있었던 토야는 말을 건네자 퍼뜩 놀라며 얼굴을 들어 올렸다.

"아, 아뇨, 아무것도……."

"……토야, 너, 악연으로 얽힌 상대가 적측에 있다 말했었지. 누구냐?"

토야는 차마 말을 못 하겠다는 듯이 입을 우물거렸지만, 퍼시벌의 예리한 시선에 꿰뚫리자 곧 포기하고 눈을 내리깔았다.

"죄송합니다. 이제 와서 숨길 게 아니었죠……."

"나는 벨처럼 친절하진 않아서 말이다. 네 악연 때문에 일이 꼬이면 곤란하지."

"그렇겠죠. 맞는 말씀입니다."

토야는 잠시간 고개 숙인 채 말이 없다가 이윽고 얼굴을 들어 올렸다.

"제게는 형이 있었습니다. 훌륭하고 다정하고 검도 마법도 뛰어난 실력이었죠……. 그랬던 형을 죽인 게 『처형인』 헥터입니다."

"형님의 원수라는 건가."

"네. 정말로 많이 좋아했던 형이었거든요……. 어쩔 수 없이 감정적으로 반응하게 되네요."

"마음은 이해가 된다. 나도 정말로 꼭 죽이고 싶은 상대가 있으니까……. 다만 머리에 피가 솟구친 상태로는 이길 상대도 못 이긴다."

"머리로는 알긴 아는데 말이죠. 하지만……."

"젊군……. 내가 할 말도 아닌가."

퍼시벌은 쓴웃음과 함께 말을 이었다.

"뭐, 결판을 내고 싶다면 못 도와줄 이유도 없다만, 난 지는 싸움을 하는 녀석과 협력하고 싶지는 않다. 알겠나? 말뜻을."

"……네."

토야는 입술을 꽉 깨물다시피 입을 다물었다. 모린이 조마조마한 표정으로 두 사람을 번갈아 바라봤다.

"저기, 저기요……."

"그런 표정 짓지 마라, 딱히 외면하겠다는 말이 아니니까. 정신 차리라고 당부한 거다."

퍼시벌은 훗 웃고는 건물 안쪽을 내다봤다. 너덜너덜한 벽면 일각에 어둠을 머금은 구멍이 뚫려 있었다.

"저 안쪽일 테지. 가자고."

퍼시벌은 성큼성큼 걸음을 뗐다.

118 건물 벽면이라고 생각하면 바깥에

건물 벽면이라고 생각하면 바깥에 연결되어 있는 통로일 것 같았는데, 구멍 안쪽은 언제까지나 어둠이 쭉 이어졌다. 모린이 만들어 낸 광구가 비춰주는 바닥은 돌처럼 거뭇한 빛을 반사하면서도 묘하게 반들반들한 재질이었다.

퍼시벌을 선두로 모린이 뒤를 따르고 가장 뒤쪽에 토야가 있었다. 적의 낌새는 없으나 뭔가 섬뜩하고 마음이 들썩이는 것 같았다.

이윽고 지면이 완만한 내리막길로 바뀌었다.

여전히 적의 기척은 느껴지지 않는다. 공기가 싸늘하게 침잠하는지라 바람도 안 부는데 밖에 노출된 얼굴이 살짝 따끔거렸다. 모린이 부르르 몸을 떨었다.

"으으, 춥네요오."

"몸이 젖어서 더하겠지. 괜찮나?"

"곧 익숙해지겠죠. 아마 조금만 더 지나면 괜찮아질 거예요……. 매운 걸 먹고 싶어라."

"전부 끝나면 원하는 대로 다 먹여주마."

"정말요! 와아~."

긴장감이 없다고 할까, 어깨에 힘이 안 들어가서 좋다고 할까.

퍼시벌은 기막혀하며 웃었다.

한편 토야는 아직껏 딱딱하게 굳은 표정으로 묵묵히 걷고 있다. 뭔가 상념에 잠긴 것 같아 보이기도 했다. 퍼시벌은 잠시 아무런 말을 하지 않다가 불현듯 고개 돌리며 입을 열었다.

"이봐, 토야."

"어, 앗, 넷!"

"고민은 적당히 좀 해라. 넘어질라."

"죄, 죄송합니다……."

민망해하며 머리를 긁적이는 토야를 보고 퍼시벌은 큭큭 웃었다.

"뭐, 마음이야 이해가 된다. 그런데 네 적은 사고가 둔한 상태로도 이길 수 있는 상대인가?"

"……아뇨, 아마 절대로 이기지 못할 겁니다."

정신 차려야지. 토야는 자신의 뺨을 두 손으로 찰싹 때렸다.

지상에서 맞닥뜨렸던 언데드와 그 사역에 사용된 마력의 기척으로 짐작하건대 이 앞에 기다리고 있을 상대는『처형인』헥터가 분명 틀림없으리라 생각됐다. 그자는 이제껏 살해한 도적과 현상수배범을 언데드로 만들어 부리고 있을 것이다.

헥터는 벤자민에게 기습 공격을 가한 사티를 슈바이츠와 함께 격퇴했다고 한다. S랭크 모험가이기도 하니 상당한 강적임은 틀림없었다.

어찌하든 간에 이곳에서 벤자민과 연결된 실을 붙잡아 추적할 수 있게 된 것은 행운이다. 자신의 감도 아직은 제법 쓸 만하다고 퍼시벌은 생각했다.

세 사람은 발밑을 확인하듯이 천천히, 다만 되도록 빠른 걸음으로 전진했다. 딱딱한 바닥을 두꺼운 신발 밑창으로 밟는 소리가 뚜벅뚜벅 울려 퍼졌다.

좌우에는 벽면이 바짝 다가서 있다. 사람이 두 사람 나란히 걸어갈 만큼은 널찍하지만, 이곳에서 전투가 벌어지면 별로 좋은 상황은 아닐 것이기에 퍼시벌은 더욱 감각을 곤두세웠다.

불현듯 광구가 흔들거렸다. 빛이 불안정하게 명멸한다.

"무슨 일이냐."

"아마 이 주변은 마력이 난기류처럼 요동치는 것 같아요. 공간 자체가 마법으로 만들어졌을 가능성도 있겠네요……."

모린이 광구를 안정시키고자 작게 영창을 하는 동안에 뭔가 저벅저벅 발소리가 들려왔다. 토야가 뒤를 향하며 허리의 검에 손을 가져갔다.

"퍼시벌 씨."

"나타나셨군……. 당황하지 마라. 졸기는 적도 마찬가지다."

어둠 저편에서 무엇인가가 흔들리는가 싶더니 검은 망토를 두른 그림자가 잔뜩 들이닥쳤다. 바닥뿐 아니라 옆을 향한 채 벽면까지 달려서 온다. 뼈 손에 쥐인 검이 어스름히 빛났다.

"뒤쪽은 맡기겠다! 돌파한다!"

퍼시벌은 망토를 펄럭이며 앞에서 밀려드는 해골을 향해 달렸다. 상대가 검을 치켜들었을 때는 퍼시벌의 검이 이미 두 번 세

번 휘둘러졌다. 뼈는 망토와 함께 산산조각이 나서 바닥에 흩어졌다가 신발이 밟혀 부서졌다.

"와라!"

아직 안쪽에서 해골이 밀려들고 있다. 그러나 퍼시벌은 전혀 위축되지 않고 한 손에 검을 들고서 달린다. 그 뒤를 모린이 따르고, 가장 뒤쪽을 토야, 다시 뒤에서는 적 해골이 쫓아오는 형세다. 기어이 따라붙는 적은 토야가 베어 넘겼다.

완만하긴 하지만 경사면을 내려가는 형편인지라 점점 속도가 불어나며 기세가 올랐다. 적 해골은 숫자가 많지만 오히려 그 탓에 비좁은 통로에서는 제대로 못 움직여서 불리해졌다. 이렇다 할 저항도 못한 채 퍼시벌에게 잇따라 쓰러졌다.

그렇게 한동안 달려 나가니 점점 경사가 사라지며 바닥이 평평해졌다. 또한 저편에서 불빛이 보였다. 퍼시벌은 더욱 기세가 올려서 다리를 빨리하며 해골을 셋 한꺼번에 베어 넘긴 뒤 빛이 보이는 방향으로 뛰어들었다.

불현듯 공간이 넓어졌다.

그렇다 해도 놀랄 정도는 아니다. 작은 방이라고 표현할 만한 넓이의 사각형 공간이다. 벽에 희미한 빛을 발하는 램프가 매달려 있고, 다리가 부러진 작은 탁자와 의자 따위가 아무렇게나 나뒹굴고 있다.

마지막 해골 하나를 베어 넘기고 퍼시벌은 주위를 둘러보며 눈을 가늘게 떴다.

“묘한 기척이군……. 모린, 뭔가 느껴지나?”

“으음~.”

광구를 없앤 모린은 눈을 감으며 집중하다가 이윽고 눈 떴다.

“마수의 기척이네요, 이건. 게다가 재해급의……. 되게 많아요.”

“하하.”

퍼시벌은 재미있다는 표정을 지은 채 검을 거뒀다.

“마수 사육이라도 한단 소린가?”

작은 방에는 활짝 열어 둔 문이 있고, 그 너머에는 길이 이어졌다. 퍼시벌은 척척 걸어서 가까이 다가갔다. 토야와 모린도 뒤를 따랐다.

방 바깥은 복도의 형태였는데 폭도 넓었다.

또한 좌우에는 쇠창살 달린 감옥이 다수 늘어서 있었다. 아무것도 없는 방이나 뼈와 옷의 잔해가 굴러다니는 방이 많았고, 마수 따위가 웅크리고 있는 방도 보였다. 그런 방에는 바닥에도 벽에도 천장에도 마술식의 문양이 빼곡하게 그려져 있다. 아마 저것이 마수를 감옥에 묶어 두는 역할을 맡았을 테지.

퍼시벌은 재미있다는 표정을 짓고 가만히 바라보다가 마수를 도발하듯 쇠창살을 탁탁 두드렸다.

“이거 재미있군. 마수를 굳이 붙잡아둬서 뭘 하려는 속셈이려나.”

“퍼시 씨, 대담하시네요……. 전부 다 고위 랭크의 마수인데요~?”

“겨우 이따위 마수에게 난 지지 않는다. 뭐, 어차피 못 움직이는 것 같다만……. 여기는 슈바이츠나 가짜 벤자민의 연구 시설이라고 생각하나?"

"뭐라 확언은 못 하겠습니다만……. 헥터가 있다면 아마 가능성은 높을 겁니다."

토야는 방심하지 않는 눈빛으로 복도의 안쪽 저편까지 내다보고 있었다. 퍼시벌은 팔짱을 꼈다.

"여기도 마법으로 만든 공간인가?"

"네, 아마도. 시공 마법의 일종으로 짐작되는데요……. 굉장하네요. 이런 공간은 구축하는 건 물론 유지하는 것도 어떤 술식을 조합해야 가능한지……."

"획기적인 마법이군. 뭐, 개발한 게 악당이니 세간에 널리 퍼지지는 않을 테지만."

전이 마법은 난이도부터 격이 다르다. 게다가 소양을 필요로 하는 터라 아무나 사용 가능한 마법도 아니었다. 한데 소양은커녕 마법사조차 아닌 퍼시벌도 이 공간을 지나올 수 있었다.

마법에 의해 공간과 공간을 연결하여 자유롭게 왕래할 수 있는 마법의 부류는 아직 개발되지 않았다는 게 상식이다. 더구나 시공을 조작하여 독립 공간을 만들어 낸다는 것은 격이 다른 난이도임이 틀림없다. 그런데 적은 이렇듯 실현시켰고, 게다가 실제 활용의 단계까지 이루어 냈다.

"……시공 마법이라."

퍼시벌은 눈살을 찌푸리며 잠시 생각에 잠겨 있다가 곧 무엇인가 포기했는지 얼굴을 들어 올렸다.

가끔 감옥들 사이에 문이 있었는데 그곳은 작은 방이었다. 어느 방도 무인이었고 침상이나 책상, 의자 따위가 잠깐 사용된 흔적도 없이 방치되어 있었다. 안을 쓱 들여다보다가 아무 단서가 없기에 어깨를 으쓱거리며 복도로 나왔다.

"흐음……. 사용을 한 흔적이 거의 없군. 이동시킨 건가, 시설을?"

"으음, 글쎄요?"

"하지만 방치했다기에는 마수나 전이 공간을 가만 놔두는 게 이상하고……. 애당초 이 공간을 남겨 둘 필요가 있나."

"방치한 게 아니다."

불현듯 제삼자의 목소리가 들렸다. 눈을 돌리자 검은 코트를 입은 진갈색 머리카락을 바짝 당겨서 묶었고 오른쪽 눈에 칼자국이 난 남자가 서 있었다. 토야가 얼어붙은 것처럼 몸을 긴장시켰다.

"헥터……!"

퍼시벌이 히죽 웃고는 앞에 나선다.

"하하, 드디어 납시었군. 손님 대접은 빨리하라고."

"여기까지 다다르는 인간은 거의 없으니 말이지……. 저 실패작이 왔다는 게 놀랍다만……."

"헥터……."

"오랜만이군, 모린. 그러나 네 녀석에게 볼일은 없다."

헥터는 번뜩 퍼시벌을 노려봤다.

"흔한 실력자는 아니군. 이름을 대라."

"퍼시벌이다. 『패왕검』이라고 말하면 알아듣겠나?"

헥터가 살짝 놀라며 눈을 부릅떴다가 곧 유쾌하게 웃음을 쏟아냈다.

"그런가, 네가 『패왕검』인가. 좋군, 극상의 사냥감이 예고도 없이 나타나주셨어."

"나를 사냥감이라 불러주다니 황송하군. 넌 『처형인』 맞나?"

"오호, 나를 알아주다니 영광이군. 거기 실패작이 뭔가 떠들어댔나?"

턱짓이 가리키는 방향에서 토야는 입술을 꽉 깨물며 칼자루에 손을 가져갔다. 당장에라도 몸을 날리려는 기세가 가득 넘쳐흐른다. 다만 퍼시벌이 먼저 손을 올려서 제지했다.

"침착하라 말했을 텐데. 심호흡해라."

"큭……. 죄송합니다."

토야는 한껏 숨을 들이마셨다가 내뱉었다. 퍼시벌은 히죽 웃더니 토야의 등을 툭 두드리며 앞으로 밀어냈다.

"결판을 짓고 와라."

"네!"

"어어…… 저기요, 퍼시 씨? 혼자 싸우게 하실 거예요?"

모린이 걱정하는 표정을 짓고 토야를 쳐다보다가 다시 퍼시벌을 쳐다봤다. 퍼시벌은 팔장을 끼고 한쪽 다리에 체중을 실었다.

"뭘, 위험할 것 같으면 바로 도와줄 거다. 남자한텐 말이야, 괴로울 줄 뻔히 알더라도 기어코 덤벼야 할 때가 있는 법이다, 모린."

"남자……. 어으……."

모린은 뭔가 말하고 싶었는지 입을 우물우물하다가 포기하고 다시 다물었다. 헥터는 언짢아하며 얼굴을 찌푸리고 있다.

"무슨 짓인가, 『패왕검』. 나는 송사리에게 볼일이 없다만."

"별일이군. 나도 마찬가지다."

그렇게 말한 뒤 퍼시벌은 하품을 했다. 헥터의 미간에 주름이 깊어졌다.

"기어오르지 마라."

곧바로 검이 뽑혀 나왔다. 형태는 커틀러스이지만 칼날이 길다. 아울러 끝부분이 조금 부러졌다. 헥터는 제 무기를 역수로 쥐고 지면에 박아 세웠다. 꽤 단단한 지면인데도 부러진 검 끝이 쑥 박혀 들어갔다.

동시에 헥터의 그림자가 수면처럼 물결쳤다. 토야가 검을 뽑으며 고함지른다.

"퍼시벌 씨, 옵니다!"

헥터의 그림자에서 해골 몇몇이 튀어나왔다. 손에는 검과 창, 도끼 등 무기를 쥐고 있다.

퍼시벌을 조금 감탄하며 턱에 손을 가져다 댔다.

"부럽군. 마법도 쓸 줄 알고."

"흐아앙, 아까 해골보다 훨씬 강해요, 저거! 마력량에서 격이 달라요."

"그래, 그러냐."

토야의 옆을 지나쳐서 온 몇몇 해골은 각각 무기를 치켜들며 퍼시벌에게 덤벼들었다. 하지만 퍼시벌은 허리를 낮춘 뒤 검을 뽑아 들더니 적을 한꺼번에 베어 넘겨버렸다.

“내게는 다 똑같다. 토야, 정신 차려라! 형님의 원수를 갚아줘야지 않나!”

해골 몇 마리에 둘러싸여서 애먹고 있는 토야에게 퍼시벌이 고함질렀다.

토야는 이를 꽉 깨물었다가 신속한 몸놀림으로 무리져서 오는 해골을 날려버린 뒤 곧장 헥터에게 달려들었다. 기세를 실어 세차게 검을 찔렀다.

하지만 헥터는 살짝만 몸을 젖혀서 회피하더니 토야를 뒤로 흘려버렸다. 지면에 박았던 검을 뽑는다. 토야는 재빨리 몸을 돌려서 헥터를 등 뒤에서 베고자 했다.

“시시하군.”

헥터는 고개 돌리지도 않고 커틀러스로 토야의 일격을 가볍게 막아 되밀어냈다.

“누가 가르쳤던 검인데 장난질이냐.”

“……크! 이 자식!”

거리를 벌린 토야는 검을 뒤로 빼내며 왼손을 앞에 내밀었다. 마력이 모여들어서 마탄을 형성하여 발사된다.

헥터는 귀찮아하며 몸을 돌리곤 검을 휘둘러 쳐낸다. 아울러 검끝을 토야에게 향하여 역시 마탄으로 반격했다. 토야는 허둥지둥 수세로 돌아서며 마탄을 회피했다.

헥터는 마탄을 쏘아 날리며 토야에게 한 걸음씩 다가간다.
"귀찮군……. 우선은 너를 정리한 뒤 느긋하게 『패왕검』과 대결하도록 하지."
"큭……."
결코 약하지는 않은 토야가 일방적인 방어전에 몰린다.
그러나 뭔가 이상했다. 너무 과하게 움직임이 거칠다. 토야의 움직임은 분명 더 세련되었을 텐데. 퍼시벌이 의아하다는 표정을 짓고 전투를 지켜본다.
모린이 안절부절못하며 발을 굴렀다.
"퍼시 씨……. 토야를 어서 도와주죠."
"원수와 대결하는 중에 끼어들면 싫어할 텐데?"
"그야 그럴지도 모르지만요……. 이대로 두면 토야가 죽어버려요."
"……토야 자식, 뭔가 움직임이 둔하지 않나? 『처형인』이 뭔 저주 마법이라도 쓰는 건가?"
"으읏……. 제, 제가 말해도 되는 건지……. 아!"
결국 토야가 궁지에 몰렸다. 마탄 때문에 자세가 무너졌을 때 헥터가 검을 내리찍었다. 토야는 간신히 방어했지만, 헥터는 손을 뻗어서 토야의 멱살을 거머쥐었다. 그대로 당겨 잡아서 넘어뜨리려 했다. 하지만 토야도 다리에 힘줘 버티며 저항했다. 윗도리가 소리를 내며 찢어지면서 서로 균형을 잃고 거리가 조금 벌어졌다.
모린은 더 이상 못 참겠다는 듯이 발끝에 마력을 쭉 집약시켰다. 그리고 지면을 박차 바닥과 아슬아슬하게 몸을 낮춰서 미끄러지듯 날아갔다. 헥터의 옆을 살짝 지나쳐서 토야를 안은 채 거리를 띄운다.

헥터는 재미있다는 표정을 짓고 검을 어깨에 툭 얹었다.

"그런가, 너도 있었지. 둘이서 같이 덤벼도 좋다, 모린. 그나마 재미있을 테지."

"……이제 그만하죠. 토야가 아직 마음속 어딘가는 당신을 그리워한다는 걸 몰라요?"

"그렇지 않아. 모린, 물러나……."

"진짜! 이 고집쟁이! 부모 자식끼리 왜 죽이려 들어!"

언제나 온화했던 모린이 화내며 고함질렀다. 퍼시벌은 눈살을 찌푸렸다.

"뭐라고? 무슨 소리냐?"

"어, 앗."

모린은 허둥거리며 입을 다물었다.

"뭐냐, 네 녀석들. 아무 이야기도 안 했던 건가."

헥터가 말했다.

토야는 입술을 꽉 깨물었다. 찢어진 옷 안쪽의 가슴 부위에 세게 감아 놓은 무명천이 보였다. 어둑어둑한 와중에도 묘하게 눈에 띄는 하얀색은 어딘가 살짝 둥글다는 인상이 있다. 퍼시벌은 이마에 손을 가져다 대며 탄식했다.

"……이봐, 잠깐 이야기나 좀 하자고, 『처형인』. 너와 토야는 무슨 관계냐?"

"아버지와 딸, 스승과 제자쯤 될 테지."

"딸이라……. 토야, 인마. 너 연기를 제법 잘하는군?"

"……죄송해요."

토야는 고개 숙였다. 소년— 소녀는 남자가 아니었다.

그러고 보니 제도로 오는 여정 중에도 옷 갈아입는 모습은 한 번도 못 봤던 데다가 도중에 온천에 들렀을 때도 온탕에 들어오려 하질 않았지. 퍼시벌은 지난 기억을 떠올렸다. 뭐, 용케 끝까지 숨겨왔구나 싶어 감탄마저 하게 된다.

"뭐, 됐다. 한데 이 녀석의 오라비를 죽였단 말을 들었다만. 너, 자기 아이를 죽였던 거냐?"

"픽 죽어 나가는 연약한 놈은 내 아이가 아니다."

"거 대단한 전투광이군. 눈물이 나오겠어. 덕분에 딸과 원수 사이까지 됐단 말인가."

"못난 씨앗을 뿌려버린 나의 실수였지……. 히나노, 네 녀석도 같이 죽였어야 했구나. 그 편이 너도 차라리 행복했을 테니까."

헥터는 토야를 쳐다보면서 말했다. 퍼시벌은 무슨 소리냐고 고개를 갸웃거렸다.

"히나노? 또 누구냐."

"정말 아무런 말도 못 들었나 보군. 토야는 오라비의 이름, 이 녀석은 히나노다."

"아하, 알겠다. 분명 여자아이 이름은 아니지."

이름도 외모도 오빠처럼 바꾼 뒤 남자로서 경력을 쌓아온 소녀의 심정을 퍼시벌은 차마 짐작할 수 없었다. 다만 어쩐지 먹먹한 기분을 느꼈다. 퍼시벌은 거칠게 머리를 긁적거렸다.

"대충 짐작하면 엄하게 수행을 시키다가 죽어버렸을 거다. 맞냐? 가르치는 재주가 엉망이었군?"

"못 따라온 놈의 잘못이다. 너라면 알 텐데, 『패왕검』. 진정한 힘은 죽음의 구렁텅이에 처박혀야 솟아난다는 것을……. 살아남기 위해서는 힘이 필요한 법이다. 버텨서 힘을 가지지 못한다면 살아 있을 가치가 없다."

"그렇군. 나도 비슷한 생각이었다……. 얼마 전까지는."

"……뭐라?"

퍼시벌은 피식 웃고는 뚜벅뚜벅 걸어 나아갔다. 방어 자세를 취한 헥터의 옆을 슥 지나치더니 바닥에 무릎을 짚은 토야― 히나노와 모린에게 다가간다.

"그래도 뭐, 나는 선량함과 사랑을 품고 엄청나게 강해진 여자애를 알고 있거든. 아버지에게 검을 배워서 말이다. 물론 엄한 훈련은 필요하지. 단 먼저 사랑이 있기 때문에 엄하게 대하는 거다. 단지 증오에 의지해서 힘을 길러온 내가 너무나 작아지더군……. 너, 자식을 가혹하게 대한 이유는 무엇 때문이지? 내가 보기에는 자기만족에 불과한데 말이다."

퍼시벌은 망토를 벗어 히나노의 어깨에 걸쳐줬다.

"입어라. 여자아이가 찢어진 옷 입고 다니는 거 아니다. 모린, 이 녀석을 부탁하마."

"네, 네엣."

"……저기."

"잠깐 네 아버지를 따끔하게 혼내줘야겠군. 괜찮겠나?"

히나노는 눈을 내리뜨며 고개 숙였다.

퍼시벌을 씩 웃고는 다시 헥터와 마주 바라봤다. 가볍게 어깨를 돌렸다가 허리의 검을 뽑아 들자 기세가 달라졌다. 온몸에서 흘러넘치는 투기와 위압감이 차가운 공기를 쩌릿쩌릿 뒤흔드는 것 같았다.

"오래 기다렸다. 잡설이 길어졌군. 죽이고 죽여보자고."

"……드디어 좀 즐길 수 있겠군."

한편 헥터도 전혀 압도되지 않고 당당하게 받아친다. 커틀러스를 다시 들어 올리며 예리한 시선으로 퍼시벌을 꿰뚫어 본다.

잠시 서로가 서로를 노려보고 있기만 하던 중 퍼시벌이 먼저 행동에 나섰다. 바닥을 밟아서 부수다시피 하는 엄청난 돌진이다. 한계까지 잡아당겨서 날리는 화살과 같은 기세로 간격을 좁혔다. 온몸에서 발산되는 위압감은 그의 모습을 곱절 이상으로 커 보이게 했다.

다만 헥터도 예사롭지 않은 강자이다. 괴물 같은 위압감에도 눌리지 않고 퍼시벌이 쭉 뻗는 검날을 정면에서 곧장 막아 냈다. 마력을 두른 강철이 서로 맞부딪치며 날카로운 소리가 울려 퍼진다. 서로의 손이 충격을 받아 떨렸다.

헥터의 얼굴에 유열이 가득 차올랐다.

“훌륭하다…… 이래서 전투를 그만둘 수 없어.”

헥터는 장신에 어울리지 않는 곡예사 같은 몸놀림으로 뛰어오르더니 퍼시벌의 뒤에 착지해서 옆으로 검을 휘둘렀다. 퍼시벌은 재빨리 지면을 차서 회피했지만, 아주 살짝은 스쳤던 터라 팔에 상처가 그어지며 피가 맺혔다.

“……그렇군, 망토가 없었어.”

평소 갑옷을 대신해준 망토를 히나노에게 입혔다. 저런 편리한 도구를 갖고 있으면 전법이 엉성해지는 터라 퍼시벌은 쓴웃음 짓고 다시금 검을 들어 올렸다.

“허울뿐인 칭호는 아니군, 『처형인』 선생. 그런데 날 죽일 수 있겠나?”

“큭큭, 실망시키지 마라, 『패왕검』……!”

헥터는 검을 바닥에 박았다. 순간 헥터의 그림자가 지면을 뻗어 달려들더니 퍼시벌의 발밑에 뒤얽혔다. 다리를 움직이고 싶어도 꽉 붙들려서 움직여지지 않는다.

“소문 자자한 암흑 마법인가.”

헥터가 검을 겨누며 거리를 좁혀 왔다. 퍼시벌은 동요하는 기색도 보이지 않고 맞받아친다. 헥터는 팔을 채찍처럼 휘두르며 강렬한 참격을 날려 댔지만, 퍼시벌은 상반신의 움직임만으로 공격을 피하고 막아 내거나 밀어냈다.

두 강자의 기세가 굉장한 까닭에 히나노도 모린도 차마 개입하지 못하는 듯하다. 둘 다 뒤쪽에서 말없이 지켜보고 있다.

"너, 슈바이츠에 가짜 황태자와 한패라면서."
"그게 어쨌다는 거냐."
헥터는 강력한 일격을 휘둘렀다. 퍼시벌은 위태롭지 않게 검으로 방어했지만, 커틀러스 자체에 뭔가 마력이 서려 있는 듯했다. 분명 일격을 허용하지 않았는데도 뺨이나 팔 등에 이따금 살짝 통증이 치달렸다.
"너희는 무슨 계획을 꾸미는 거냐?"
"나를 상대로 잡담을 할 여유가 있다니 과연 대단하다."
퍼시벌의 일격을 막아 낸 헥터는 일단 거리를 벌렸다. 조금 저릿했는지 손을 쥐었다가 펴더니 곧 검의 칼끝을 퍼시벌에게 겨눈다.
"슈바이츠와 벤자민이 무엇을 계획하든 관계없다. 나는 고용주의 의뢰를 충실하게 수행할 뿐이다."
"하하, 그래서 이 시답잖은 시설을 지키는 거냐? 『처형인』의 이름도 바닥에 떨어졌군그래."
"하나 이렇듯 네 녀석이 찾아와주지 않았나, 『패왕검』."
헥터가 마력을 주입하자 커틀러스에서 마탄이 발사됐다. 퍼시벌은 검으로 때려 쳐낸다. 헥터는 마탄의 뒤를 따라서 퍼시벌에게 육박하더니 재차 맹공을 퍼부었다.
"……이 시설, 본거지와 연결되어 있나?"
"그게 어쨌다는 말인가. 잡담은 끝이다."
헥터의 검이 더더욱 거세지며 퍼시벌에게 덮쳐들었다.
여전히 다리가 안 움직이는 퍼시벌이 일방적인 수세에 몰린 듯했지만, 이윽고 헥터의 검을 받아 흘리는 동시에 바닥의 그림자를 베어 냈다. 그러자 다리가 구속에서 풀려났고 퍼시벌은 힘껏 도약했다.

"잔재주에 의지해서 나를 이길 수 있겠냐."

낙하의 기세까지 더한 강렬한 일격이 헥터에게 내리 휘둘러진다. 방금 전 공격이 엇나가며 자세가 무너졌던 헥터는 즉각 검을 내밀어 방어했지만, 무시무시한 충격으로 무릎이 저절로 땅에 닿았다. 퍼시벌은 그대로 밀어붙인다. 무시무시한 완력으로 발휘하는 압력에 헥터의 팔이 부들거리고 이마에서 비지땀이 새어 나왔다.

"뭐냐. 끝인가?"

"……과연 대단하군. 다만 자만하기는 아직 이르다."

헥터가 작게 무언가 읊조렸다. 퍼시벌은 살에 소름이 돋음을 감지한 뒤 즉각 뒤로 뛰어서 물러났다. 헥터의 그림자에서 몇 자루 검이며 창이 함정처럼 위로 튀어나왔다. 가만히 코등이싸움을 고집했다면 몸이 꿰뚫렸을 테지. 퍼시벌을 다시금 검을 들어 올렸다.

"흐음, 재주가 참 많군……."

"이 긴장감……. 이것이야말로 사냥의 진수지."

무기 뒤쪽에서 또 해골이 튀어나왔다. 턱뼈를 딸깍딸깍 부딪치며 잇따라 나타나더니 퍼시벌을 차츰 포위한다. 퍼시벌은 재미있다는 표정을 짓고 검을 어깨에 얹었다.

"이 해골들, 네가 죽인 녀석들이라며? 꽤 많이 죽이고 다녔구나, 네놈."

"칭찬의 말이로군."

어딘가 감옥 안쪽에서 마수가 신음 소리를 냈다. 퍼시벌은 검봉으로 어깨를 툭툭 두드렸다.

"마수를 기르다니 아주 우아한 취미로군. 여기 주인은 외출 중이신가?"

"지금은 본거지가 다르다. 이곳은 더 이상 찾아오지 않는다."

"아하, 알겠군. 너, 벤자민이 가짜인 줄 뻔히 알았던 거냐?"

"사소한 문제다……. 어차피 네 녀석은 이곳에서 죽는다."

헥터는 검을 겨눴다. 마력이 소용돌이쳤다.

『이지러짐 없는 달, 어두운 태양 한 줌, 악몽의 끝에 환상과 그림자와 빛이 한 토막.』

대마법이다.

퍼시벌은 눈살을 찌푸리며 검을 들었다.

헥터의 뒤쪽에서 뭔가 거대한 그림자가 부풀어 오르는가 싶더니 머리 위부터 떨어지며 덮쳐들었다. 순간 퍼시벌은 몸에 무게감을 느꼈다. 손의 일부인 양 다룰 수 있었던 검이 몹시 무겁다.

주위를 포위한 해골 병사들이 일제히 전진하며 밀려들어 퍼시벌에게 무기를 박아 넣고자 했다. 무기가 서로 부딪치며 짤가닥짤가닥 소리가 울려 퍼졌다.

해치웠다고 잠시 자신했던 헥터는 곧 의아해하며 얼굴을 찌푸렸다.

"……음? 묘하군. 손에 반응이."

"토야!"

퍼시벌의 고함 소리가 들려왔다. 헥터는 퍼뜩 놀라며 뒤를 돌아본다. 망토를 펄럭거리며 히나노가 검을 찔렀다. 어느 틈인가 퍼시벌을 앞에, 히나노와 모린을 등 뒤에 둔 위치로 움직이고도 미처 주의를 기울이지 못한 헥터의 실책이다.

"크흑!"

검은 헥터의 왼팔을 꿰뚫었다. 다만 헥터도 즉각 히나노를 절단하려는 듯이 검을 들어 올렸다. 하지만 치켜 올라간 커틀러스에 모린의 마탄이 직격하자 손은 충격을 받아 경련했다.

"이것들이!"

헥터는 분노하여 불타오르는 눈으로 다음 공격을 펼치고자 한 히나노를 걷어찼다. 다만 히나노는 그 다리에 매달리더니 결코 놓아주지 않겠노라 저항했다. 헥터는 또다시 검을 치켜들고자 했지만, 팔에 힘이 들어가지 않는다. 눈을 돌리자 오른팔이 어깻죽지부터 절단되어 있었다. 경지에 오른 참격인지라 통증이 뒤늦게 따라온다.

"네놈……!"

"말했을 텐데. 잔재주에 의지해 봤자 나를 못 이긴다고."

어느 틈인가 해골 병사의 포위에서 빠져나온 퍼시벌은 검을 비스듬하게 내리 휘둘렀다. 헥터는 등을 베이자 더는 못 견디고 바닥에 푹 엎어졌다. 겨우 얼굴만 움직여서 퍼시벌을 쳐다봤다. 물론 멀쩡한 모습은 아니었다. 뺨과 이마에서 피가 흐르고, 옷과 갑옷도 흠집 투성이다. 상대의 발 저편으로 다리를 베여 지면에 나뒹구는 해골 병사들이 보였다.

“크큭, 대마법을 맞고도 검을 휘두를 줄이야……. 몸이 무거워지니 그대로 바닥에 수그렸던 건가.”

“그래. 그렇게 해골 놈들의 다리를 베고 빠져나왔다. 비겁한 수법인가?”

“멍청한 소리. 이것은 기사의 결투가 아니다. 대마법을 과신하여 쥐새끼에게 주의가 쏠린 내 실수이지……. 죽여라.”

“죽이든 살리든 내가 결정할 건 아니지.”

퍼시벌은 검을 거둔 뒤 빙그르 등을 돌렸다.

히나노가 거친 호흡을 가다듬으며 헥터를 내려다보고 있었다. 헥터는 힘을 쥐어짜서 몸이 똑바로 향하도록 굴렀다. 바닥에 퍼져나가는 피 웅덩이가 옷과 머리카락에 스며든다.

“……걸작이군. 실패작이 이렇게 나를 내려다보는 날이 올 줄이야.”

“나도 오빠도 실패하지 않았어.”

히나노는 당장 울음을 터뜨리려는 듯이 뺨을 발갛게 물들인 채 헥터를 노려봤다.

“나는…… 네가 진심으로 미워. 지금 당장 심장에 검을 박아주고 싶어. 그런데…… 그런데…….”

뚝뚝 눈물을 흘리며 히나노는 무릎 꿇었다. 헥터는 싸늘하게 웃었다.

“이래서 네가 실패작이거늘…….”

"아니야! 나도 오빠도 인간이야……. 너도, 분명히 인간이었을 텐데……. 어째서……."

"약해 빠진 소리를……. 이래서 네 녀석의 오라비가 죽었다. 내가 죽였다. 나를 죽일 정도의 각오가 있었다면 녀석도 죽지는 않았을 테지. 다른 이유는 없다."

히나노는 입술을 꽉 깨물더니 단검을 뽑아 치켜들었다. 그러나 결국 내리찍지 못하고 팔을 축 늘어뜨렸다. 손에서 단검이 떨어지더니 소리를 내며 바닥에 굴러갔다.

"큭큭, 너의 약한 마음이 언젠가 목숨을 빼앗아 가지 않는다면…… 다행, 일…… 테지……."

오른팔 상처에서 끊임없이 피가 흘러넘치다가 이윽고 헥터는 섬뜩한 미소를 지은 채 움직임이 멎었다. 눈에서는 빛이 사라졌다. 코를 물씬 지르는 피 냄새가 주위에 가득 차오른다. 싸늘한 죽음의 기척이 꽉 들어찼다.

무릎을 꿇은 채 눈물 흘리는 히나노에게 모린이 달려가서 어깨를 끌어안았다.

"괜찮아요……?"

"미안……! 결국, 난, 마지막까지……."

히나노는 두 손으로 얼굴을 덮어 가렸다.

"나는…… 마음 어딘가에서 벨그리프 씨와 안젤린 씨를 동경했던 거야. 나도, 저렇게……. 어째서 우린 이렇게 되지 못했냐고……. 꼭 죽이겠다고 다짐했는데도 눈앞에 마주하면 몸이 뜻하는 대로 움직이질 않아서…….”

퍼시벌은 후유, 숨을 내쉬곤 헥터의 시체 옆쪽에 쭈그려 앉았다. 손을 뻗어서 시체의 눈을 감겨준다.

“네 마음은 약한 게 아니다. 그냥 착했을 뿐이지. 부끄러워할 게 아니야.”

“……읏.”

히나노는 흘러넘치는 눈물을 막으려는 듯이 눈가에 손가락을 가져갔다.

“……뭐, 물론 간단히 결론을 낼 문제도 아닐 테지만. 마음은 이해가 되는데 너무 여기에 오래 붙박여 있을 순 없다. 힘들겠지만 움직이자.”

“네……. 죄송합니다…….”

히나노는 꾹꾹 눈을 비비며 일어섰다. 그리고 망토를 벗으려고 했다.

“망토, 잘 썼습니다.”

“됐다, 계속 걸쳐라. 찢어진 옷은 그대로잖냐.”

퍼시벌은 서슴없이 히나노의 머리를 덥석덥석 쓸어 만졌다. 히나노는 망토를 다시 꾸물꾸물 걸치더니 입가까지 끌어 올리고 고개 숙였다.

퍼시벌은 주위를 둘러봤다.

“……모린, 뭔가 마력의 흐름은 느껴지나?”

“……네, 대강은. 저쪽에 뭔가 있는 것 같아요.”

"가시죠."

히나노가 자기 심정을 숨기려는 듯이 과감한 걸음걸이로 걸음을 뗀다. 흡흡, 코 훌쩍거리는 소리가 들려왔다.

모린이 살며시 퍼시벌에게 속삭였다.

"퍼시 씨……. 죄송해요, 이래저래."

"쌀쌀맞아서 미안하게 됐다. 도무지 성미에 안 맞아서 말이지."

"아뇨……. 줄곧 말씀을 못 드려서 죄송했어요. 저 아이도 이래저래 사정이 있어서요."

"난 아무것도 신경 안 쓴다. 너도 꽤 힘들었겠군, 모린. 줄곧 저 녀석을 곁에서 지켜줬던 건가."

"성격에 안 맞기는 했지만요……. 아앗, 벌써 저렇게 멀리 갔어. 여기요, 토~ 앗, 아니지. 히나~. 기다려줘요~."

모린은 일부러 밝게 행동하며 히나노를 쫓아갔다.

"……멋있는 말 한마디는 해주면 좋았을 텐데. 거참, 나잇값이라는 게 힘들어."

자기 자신에게 불평을 늘어놓은 뒤 퍼시벌은 두 사람을 쫓아 걸음을 내디뎠다.

119 젖은 돌바닥의 낮은 위치를 물이 줄기를 이루어

젖은 돌바닥의 낮은 위치를 물이 줄기를 이루어 흘러가고 있었다.

길가의 도랑에 고인 물웅덩에서 빗방울이 떨어지며 소리가 난다. 두꺼운 신발 밑창이 지면을 밟을 때마다 비에 섞여 든 진눈깨비의 질벅질벅한 감촉이 느껴졌다.

"과연 쉽게 갈 수는 없는가."

성당 기사 도노반이 중얼거렸다.

도노반은 제국의 하급 귀족 출신이나 부모의 의향에 따라 어렸던 시절부터 루크레시아 교황청에 적을 두면서 성당 기사의 시종으로 오래 근무했다. 아울러 본인도 성당 기사가 되어 출세했다.

뷔에나 교도로서 평범한 수준의 신앙심은 가졌다. 하지만 벼락출세자인 까닭도 있어 신앙심 이상의 큰 야심을 품은 인물이었다. 그런 기질이 결과적으로 교황청 제도 지부의 수장이라는 지위를 얻도록 이끌어주기는 했다. 다른 한편으론 도노반을 더한 권력 다툼으로 몰아넣게도 했다.

하지만 본래 야심가였으며 자기 야심을 실현 가능한 재능도 갖고 있었던 도노반에게는 딱히 고통스러울 건 없었다. 오히려 루크레시아 본국에서 교황청의 은밀한 조직과 연줄까지 만들고 온 터라 제도의 권력 다툼에서도 다른 경쟁자보다 한 발짝 앞서 나가는 입장이다. 그뿐 아니라 황태자와의 연줄까지 만들어 두지 않았는가. 이러니저러니 해도 권력자의 후원은 강력한 힘이 된다.

그럼에도 불안은 있다. 교황청도 드러나지 않는 곳에서는 청렴하다고 말할 수 없는 권력자 사이의 분쟁이 소용돌이치고 있지만, 드러난 곳에서는 교도들의 좋은 지도자이며 이단자나 악인을 벌해야 할 의무가 있다.

『재액의 창염』 슈바이츠는 교황청의 입장에서 최악의 적이었다.

그자의 주된 연구 분야, 솔로몬의 마왕들은 과거에 주신 뷔에나의 용사가 봉인했던 적이다. 물론 현재의 뷔에나 교 또한 마왕은 배제해야 할 대상으로 각인되어 있다. 교도는 말할 것도 없이 민중들에게도 마왕은 두려운 존재였다.

연구 내용은 물론이거니와 과거에 일으켰던 사건 등을 봐도 교황청과 어우러질 수 없는 사내임은 분명하다. 실제로 거듭거듭 정죄 기관과 충돌한 바 있다.

그런 슈바이츠가 황태자와 손을 잡았다니.

처음 황태자 벤자민에게 협력 제안을 받았을 때는 담대한 도노반도 꽤 놀랐다. 그러나 타고난 야심은 위험을 수반하는 선택도 망설이게 두지 않았다. 벤자민도 분명 도노반의 야심을 꿰뚫어 본 터라 제안했을 테지.

정죄 기관과 다져 둔 연줄이 있는 도노반은 벤자민이 원했던 대로 요원들의 활동을 억제했다. 본인이 제도에 나와 있었던 만큼 요원들의 활동을 제한하는 것이 썩 어렵지는 않았다. 이렇듯 손쓸 수 있는 지위에 올라선 것도 벤자민의 후원 덕분임은 틀림없다.

다만 이러한 상황이 언제까지 유지될지는 알 수 없다.

권력 다툼을 아는 사람에게는 상식이지만 권력에는 결코 안녕이 없기 때문이다. 항상 제 지위를 호시탐탐 노리는 누군가가 있다. 그 때문에 더욱더 많은 수단을 확보해야 하고, 언제나 다른 사람을 차서 밀어내야만 한다.

그러자면 전투력도 정당성도 두루 필요했다.

이단 반역자의 목. 또한 적발 사내가 갖고 있었던 성검. 설마 변두리의 숙소 주점에서 그러한 귀물을 목격하게 될 줄은 예상치 못했다. 그 청정한 마력이 깃든 검은 교황청 관계자들이 봐도 성검이라 숭앙할 것이 틀림없다.

도노반은 힐끔 좀 뒤쪽에서 걷는 파르카를 쳐다봤다. 여전히 멍한 표정으로 뒤를 따라오고 있다.

이 토끼 수인 소년은 본래 도노반이 노예로 손에 넣었던 녀석이다. 지금은 이미 비합법이 된 노예 제도도 아직껏 어두운 세계에서는 몰래 거래가 이루어지고 있다. 물론 표면상은 종자로 이름을 올려 두었다만.

파르카는 수인다운 탄력적인 몸놀림과 놀라운 수준에 달한 검의 기량을 갖고 있었다. 그러나 말은 못 하는지 안 하는지 아무튼 한 마디도 입을 안 열었다. 의사소통은 가능했지만 싸울 때 이외는 항상 멍하게 굴었다. 이런 꼬락서니였기에 노예상에게도 저항하지 않고 붙잡혔을 테지. 고분고분하면서도 실력은 일류이고 쓸데없는 짓은 전혀 안 한다. 호위로 쓰기에는 최상급의 인재다.

그리고 지금은 황태자가 내려준 마검을 휘두르고 있다. 수많은 마수를 처단하여 마력을 흡수함으로써 칼날에 점차 어두운 광채가 강해졌고, 파르카 또한 더 강력한 힘을 획득하기는 했다. 그러나 점점 더 눈의 광채가 정상이 아니게 되어 가는 듯 보이기도 했다. 멍하게 구는 주제에 항상 누군가와 싸우고 싶어 한다는 느낌이었다.

"……그 성검을 손에 넣는다면."

더한 안녕이 확보되리라. 도노반은 혼자 중얼거렸다.

명색이 성당 기사인데 이렇게 쭉 마검을 휘두르면 보기 안 좋다. 마수 퇴치에 나서 민중의 지지를 얻었으니 괜찮았지만, 작은 흠집을 파고들어서 무너뜨리는 것이 권력 다툼이다. 이대로 마냥 약점을 방치하는 건 미련한 행동이다.

성검이라면 휘두르는 데 정당성이 더해질 뿐 아니라 더욱 폭넓은 지지를 얻을 수 있을 것이다. 만약에 검이 사용자를 가리는 탓에 사용할 수 없게 된다면 마검으로 힘을 흡수하면 된다.

황휘석 가로등이 젖은 지면에 반사되어 돌바닥이 반짝반짝 빛나고 있다.

도노반은 귀찮아하며 어깨에 묻는 진눈깨비를 털어 내다가 문득 파르카가 따라오고 있지 않음을 깨닫고 고개 돌렸다.

"거기서 뭘 하나, 빨리 오도록."

그런데 파르카는 가만히 멈춰 서서 한 방향을 보고 꼼짝하지 않는다. 영영 움직이지 않을 듯한 분위기였지만, 불쑥 시선의 저편을 향하여 빠른 걸음으로 나아가기 시작했다. 도노반은 눈살을 찌푸렸다.

“이봐, 어디에 가나. 파르카!”

파르카는 대답이 없다. 도노반을 돌아보지도 않는다.

도노반이 짜증을 내며 고함질러도 효과는 없었다. 어쩔 수 없이 도노반은 파르카의 뒤를 쫓았다.

○

퍼시벌과 카심이 제각각 나간 뒤 대략 한 시간쯤 지났지만, 리젤로테는 돌아오지 않았다.

마르그리트가 안절부절못하며 벽 앞을 왔다가 갔다가 했다.

아넷사가 어이없어하며 말을 건넸다.

“진정 좀 해라, 마리.”

“너 같음 진정할 수 있겠냐. 제기랄, 기다리는 건 성미에 맞질 않는다고……. 그냥 퍼시나 따라갈걸…….”

“발 동동 구르면 뭐가 달라지나~. 자, 차나 마시자~?”

“벌써 몇 잔을 마셨는데! 이봐, 벨. 리제를 기다릴 바에야 우리가 먼저 가짜 황태자가 있는 곳으로 쳐들어가는 게 낫지 않겠냐?”

벨그리프는 고개를 옆으로 흔들었다.

"무리군. 일단 성에도 못 들어갈 테니."

"그럼 고분고분 머리 숙여서 들어가겠다고? 어차피 가짠데 목을 쳐 날려버리면 정체도 드러낼 거다. 우리가 힘 좀 쓰면 성의 위병쯤이야 어떻게든 될 테고."

아넷사가 한숨 쉬었다.

"어떻게도 안 된다, 바보야. 왕실 근위 기사단은 고위 랭크 모험가에 버금가는 실력자가 잔뜩 있다는 말 못 들었어? 한두 명이면 또 몰라도 몇십 명이나 되는 상대를 대체 어떻게 감당할 거야."

"……나름 재밌겠는데, 싸워보고 싶어."

"어휴~ 마리는 잠깐 단것 좀 먹고 진정하자냥~."

밀리엄이 쏙 일어나 마르그리트에게 달려가서 손에 든 설탕 과자를 입에 욱여넣었다. 마르그리트는「으갸」소리 내더니 입안 가득히 찬 설탕 과자 때문에 어쩔 줄을 몰라 했다.

벨그리프는 깍지 낀 손가락을 바라봤다.

황태자와 만나면 무얼 어떻게 할까. 스스로도 놀랄 만큼 거센 분노가 있기는 한데 막무가내로 감정을 쏟아 낸들 무엇이 해결되지는 않는다. 지난 동향이나 애당초 가짜라는 사실도 감안하면 대화로 합의할 수 있는 상대는 도저히 못 되겠다.

진짜 황태자가 살아 있을 가능성이 제기된 만큼 새로운 방향으로 뭔가 작전을 짜는 게 좋지 않을까. 뒤늦게 머릿속 생각이 좀 정리된다.

딸아이의 걱정이 앞섰다지만 시야가 많이 좁아졌었군. 벨그리프는 눈을 내리깔았다.

앉은 채 줄곧 상념에 잠겨 있는 벨그리프를 보고 아넷사가 걱정스럽게 입을 열었다.

“벨 아저씨, 괜찮으세요?”

“음, 괜찮단다. 고맙구나.”

벨그리프는 얼굴을 들어 올리며 미소 지었다. 밀리엄이 소파에 걸터앉았다.

“안제라면 괜찮아요~ 상대가 누구든 안 지는걸요.”

“그렇지……. 나도 같은 생각이란다.”

안젤린이 아무 대책도 없이 적의 본거지에 뛰어들었다는 생각은 하지 않았다. 거부함으로써 상황이 악화되는 것을 예상하고 마지못해서 끌려갔을 가능성도 있지만, 그렇다고 적의 뻔한 수법에 가만히 당해주러 갔을 리 없다.

어쨌든 간에 무사하리라는 자신감이 분명히 있기 때문에 따라가지 않았겠는가. 상황에 따라서는 적의 본거지에 뛰어듦으로서 무엇인가 얻고자 했을 가능성도 있다. 아무튼 S랭크의 모험가이다. 자신 따위가 걱정한들 주제넘은 짓이다. 벨그리프는 그렇게 믿고 싶었다.

그러나, 아버지로서 하는 걱정은 논리와 별개로 마음을 괴롭힌다. 상대의 정체를 알지 못한다는 것도 불안감을 더욱 들쑤셨다.

아넷사가 찻잔을 또 채워 넣으며 말했다.

“……리제한테 어디까지 말씀하실 거예요?”

"되도록 끌어들이고 싶지 않구나. 리젤로테 님은 무척이나 순수하고 착한 분이시니까……."

프랑수아와 안젤린의 사이에 반목이 있다는 것은 일행들 전원이 잘 안다. 그러나 프랑수아는 지금 벤자민 휘하의 부대장이다. 안젤린의 동료들과 아버지 벨그리프의 부탁을 곧이곧대로 들어주리라는 생각은 하기 힘들겠지만, 리젤로테를 중간에 두면 어떻게든 방법이 생길지도 모른다.

거기에 일단 기대를 품고 있지만, 리젤로테 본인을 끌어들이기는 싫었다. 벤자민이 가짜라는 사실조차 알려주는 것이 망설여졌다. 오빠가 섬기는 남자가 악행을 일삼는 가짜였다는 걸 알게 된들 절대로 기뻐하지는 않을 것이다. 소녀는 순수하게 프랑수아를 친애하고 있다. 이렇듯 순진무구한 리젤로테를 슬프게 만들고 싶진 않았다.

애당초 프랑수아는 벤자민이 가짜임을 알고 있을까. 발탁이 이루어졌던 때는 꽤 최근이니까 가짜로 바뀐 이후의 일이다. 만약에 아무것도 모른 채 섬기고 있는 입장이라면 가짜임을 알게 되면 협력해줄지도 모른다. 프랑수아 또한 제국의 황태자에게 충성을 맹세할지언정 정체불명의 가짜에게 충성을 맹세할 의무는 전혀 없잖은가.

다만 대놓고 이것이 진실이라며 설득을 시도해 봤자 비웃음이나 지을 게 뻔하다.

그럼 어떻게 대화의 물꼬를 터야 하는가……. 고민이 이어지던 중 문이 열렸다. 수티를 동반하여 리젤로테가 방에 들어왔다.
벨그리프를 본 소녀는 얼굴에 활짝 웃음을 띠었다.
“와줬구나, 벨!”
“먼저 실례하고 있었습니다, 리젤로테 님.”
벨그리프는 미소 지으며 머리 숙였다. 리젤로테의 뒤에서 들어온 오즈왈드는 다수의 모험가들을 보고 제자리에 굳어 있었다.
“와, 와아…….”
“어머나, 오지? 왜 가만히 서 있어? 다들 좋은 사람들이니까 괜찮아.”
“무, 무섭지는 않아, 리제……. 으음, 좀 놀랐을 뿐……. 에, 엘프……. 처음으로 봤어.”
“그래? 그럼 괜찮겠네. 여러분, 내 혼약자인 오즈왈드야.”
벨그리프는 일어서서 공손하게 머리 숙였다.
“처음 뵙겠습니다, 벨그리프라고 합니다. 누추한 차림이라 죄송합니다.”
“뭐 이리 정중하게…… 으, 으흠. 편하게 있어주게나.”
“송구합니다, 오즈왈드 님. 에스트갈에서 딸아이가 신세를 졌다지요. 감사의 인사를 올립니다.”
“으음? 딸이면…….”
“오지, 벨은 안제의 아버님이셔!”
“응? 서, 설마, 『흑발의 여검사』를 키웠다는?”
“하하, 안 믿기실지도 모르겠습니다만……. 자, 이 아이들은 딸아이의 친구입니다."

벨그리프는 다른 소녀들을 소개했다. 오즈왈드는 입을 딱 벌리며 이 신기한 손님들을 말똥말똥 쳐다봤다. 그 모습을 보고 쿡쿡 웃고 있었던 리젤로테는 문득 안젤린이 안 보임을 깨달아서 이상하다는 표정을 짓고 방 안을 둘러봤다.

"어머? 안제는?"

"그게, 황태자…… 전하에게 불려 갔어."

밀리엄이 입을 우물우물하며 답하자 리젤로테는 깜짝 놀라며 눈이 동그래졌다가 곧 기뻐하며 웃더니 빠른 걸음으로 소파까지 와서 폭 걸터앉았다.

"전하는 안제한테 관심이 참 많으시구나! 그래도 미인이니까 이해도 되네. 혹시 안제가 태자비님 되면 어떡하지?"

리젤로테는 천진난만하게 떠들며 쿡쿡 웃었다. 그러곤 벨그리프를 돌아본다.

"그렇게 되면 굉장하겠네, 벨!"

"예, 영광이겠지요……. 그렇게 되면, 말입니다만."

벨그리프는 웃으며 어깨를 으쓱였다. 오즈왈드도 살짝 당황하며 다가와 리젤로테의 옆에 자리를 잡고 앉는다.

"베, 벤자민 황태자 전하께 부름을 받아서 갔나? 괴, 굉장하군……. 하긴 그때도 무도회에서 함께 춤을 추셨고……."

"미남 미녀니까 잘 어울리는걸……. 후후, 안제와 전하가 어떤 이야기를 하고 있을까. 저기, 다들 과자만 먹었지? 배고프지 않아? 수티, 식사를 준비시켜줘. 거실은 말고 여기로 가져다주면 좋겠네."

"요리장이 난처해할 텐데요."

"간단한 음식으로 충분하다고 말해줘. 너무 격식이나 차리는 요리면 다들 피곤할 테니까."

리젤로테는 그렇게 말한 뒤 윙크했다. 수티는 꾸벅 고개를 숙였다가 방을 나선다. 아넷사가 말했다.

"있잖아, 리제. 황태자 전하는 역시 보통은 만나기가 힘든 사람이겠지?"

"응, 맞아, 고귀한 분이시니까……. 그래도 본인께선 무척 싹싹하거든. 파티에 불쑥 나타나서 사람들을 깜짝 놀래주기도 해. 어제도 깜짝 놀랐었지."

리젤로테는 그렇게 말한 뒤 쿡쿡 웃었다. 그러고 보니 어제는 벤자민이 갑자기 나타났었다. 밀리엄이 기억을 되새기며 허공에 이리저리 시선을 옮겼다.

"그랬었지~ 확실히 미남자였다냥~."

"그런데 염문은 별로 들리지가 않더라, 오지."

"그러게나 말이야. 옛날에는 굉장했다던데 지금은 전혀 소식이 없지……. 그래서 더욱, 안젤린에게 관심을 보인 게 놀라웠어."

"왜냐면 안제는 엄청 아름답잖아. 전하와 나란히 서도 전혀 손색이 없다고 봐! 그렇지? 벨!"

리젤로테는 그렇게 말한 뒤 벨그리프를 보고 웃었다. 벨그리프는 마주 웃어주면서도 눈을 내리떴다. 이런 상황만 아니었다면 순수하게 기뻐할 만한 일이다만. 혼자 마음속으로 한숨 지었다.

겨우 입속의 설탕 과자를 다 해치웠는지 마르그리트가 허둥지둥 다가와서 컵 안에 든 찻물을 난폭하게 쭉 들이켰다.

"푸핫…… 미리, 두고 봐, 이 자식!"

"엥~ 맛있었잖아~?"

"너무 달다고, 바보야! 으~ 입속이 이상한 느낌이야……. 야, 한 잔 더 줘!"

"어, 앗, 네."

눈앞에 컵을 척 들이대자 오즈왈드는 당황하며 주전자를 들어서 차를 따랐다. 그러고는 「왜 내가」라며 고개를 갸웃거렸다. 리젤로테가 쿡쿡 웃었다.

"후훗, 마리 앞에선 우리 서방님도 어쩔 수 없구나."

이윽고 수티가 돌아왔고 아울러 뒤를 따라서 요리가 들어왔다. 고기와 야채를 사이에 끼운 빵이며 작은 파이들, 한입 크기로 토막 낸 고기와 야채, 어패류를 꼬치에 꽂아 구워 낸 요리 등등 대화하면서 짬짬이 먹기에 딱 알맞은 요리가 가지런하게 놓여졌다.

그것들을 집어 먹으며 대화를 이어 나간다.

"있지, 있잖아, 리제 오빠분은 황태자의 친위대랬지~?"

"어머나, 미리, 실례야. 전하를 붙여야지. 프랑수아 오라버니 말이구나! 요즘은 특히 바빠져서 별로 저택에도 들러주질 않으시거든. 나, 일단은 오라버니를 만나러 왔는데 말야. 느긋하게 대화를 나눌 겨를도 없어."

"그렇구나. 음."

밀리엄은 눈살을 찌푸리며 찻잔을 입에 가져갔다. 가족도 이런 상황이면 우리가 이야기를 나누기는 조금 어렵겠군. 벨그리프는 눈살을 살짝 찌푸린다. 오즈왈드가 웃으며 어깨를 으쓱거렸다.

"제법 화제가 된 발탁이었지. 당연히 바쁠 수밖에. 우리도 제도에 도착했던 첫날, 잠시 식사를 했을 뿐 더는 거의 뵙지도 못했잖아."

"그야 오지가 여기저기 돌아다녀서지. 무슨 다과회에 교류회까지 참 열심이야."

"내 경우는 일이나 마찬가지야. 너야말로 여기저기 놀러 다니느라 바쁘면서……. 그나저나 프랑수아 형님, 안색이 조금 나쁜 것 같더라. 몸이 상하면 어쩌나 걱정이야."

"건강이 별로 안 좋아지신 겁니까?"

벨그리프가 묻자 오즈왈드는 고개를 끄덕였다.

"응, 나도 염려가 돼서 여쭤봤는데 말이야, 본인은 그런 거 아니라고 말씀하시더군. 뭐, 딱히 휘청거리는 모습은 아니셨으니까 내가 군걱정을 하는 건지도 몰라."

"……일은 순조롭대?"

이번에는 아넷사가 물었다. 리젤로테는 생긋 웃었다.

"많이 어렵기는 한데 보람이 있다나 봐."

벨그리프는 생각을 좀 정리해보고자 눈을 내리떴다. 하지만 역시나 머릿속이 무척 복잡해진다.

마음을 가라앉히고자 애쓰고 있기는 한데 역시나 안젤린이 자꾸 걱정된다. 아까부터 요리에 손이 안 가는 까닭도 아마 이러한 마음이 원인이겠다.

그때 옆쪽에 세워 두었던 그라함의 대검이 불현듯 윙윙 소리를 내기 시작했다.

의아하게 여기던 중에 복도 방향이 묘하게 소란스러워졌다. 이러시면 곤란합니다, 물러나주십시오, 여러 목소리가 들려온다. 아울러 쿵쿵 사람들 달리는 듯한 발소리가 가까워졌다. 오즈왈드가 눈살을 지푸렸다.

"무슨 일이지? 시끄럽네."

불길한 예감이 들어 벨그리프는 휙 일어서서 검을 손에 잡았다.

"……이런! 아가씨, 물러나세요!"

수티가 휴대한 철봉을 들어 올리는 동시에 차 부수는 듯한 기세로 문이 열리더니 토끼 귀 성당 기사가 뛰어들었다. 파르카는 망설임 없이 벨그리프를 표적으로 질주했다. 무시무시한 속도로 허리에 찬 검이 뽑혀 나온다.

—빠르다!

벨그리프는 발검할 틈도 없어서 칼집째 대검을 앞에 내밀었다.

다만 파르카의 검은 대검을 가격하기 전 세검에 저지되었다. 뒤에서 끼어들어 온 마르그리트가 순수한 완력으로 파르카를 밀어냈다. 파르카는 탄력적인 몸놀림으로 문앞까지 뛰어 물러났다.

"뭐냐? 넌."

마르그리트가 입에 물고 있었던 꼬치를 퉤 바닥에 뱉더니 거리를 벌린 파르카를 노려봤다.

열린 문 너머에서는 고용인과 위병들이 불안한 표정을 지은 채 들여다보고 있다. 어안이 벙벙하여 가만히 있던 오즈왈드가 입을 뻐끔뻐끔했다.

“서, 성당 기사? 어째서……?”

“어떻게 된 거야? 아무리 성당 기사님이어도 이런 무례는 용서할 수 없어요!”

리젤로테가 화내며 일어서더니 파르카에게 소리친다. 하지만 파르카는 여전히 애매모호한 표정으로 우두커니 서 있다. 빈틈투성으로 보이는데도 전혀 빈틈이 없다. 게다가 무시무시한 살기였다.

마르그리트가 히죽 웃더니 검을 겨눴다.

“뭐하는 놈인지 모르겠는데……. 마침 심심했거든. 덤비겠다면 내가 상대해주마.”

잘못 봤을까. 파르카는 기뻐하며 검을 빙글빙글 돌리다가 가벼운 몸놀림으로 바닥을 찼다. 마르그리트도 앞에 나서서 검을 맞댄다.

철봉을 쥔 수티가 소리쳤다.

“마리 씨, 도움이 필요합니까!”

“전혀! 아무튼 빨리 리제를 방 밖에 데리고 나가라!”

“감사합니다! 아가씨, 이리 오세요!”

“뭐야……. 대체 어떻게 된 거야…….”

겁먹어 어쩔 줄 몰라 하는 리젤로테, 아울러 무척 당황한 오즈왈드를 데리고 수티는 벽을 따라서 문 쪽으로 향했다.

그 모습을 주시하며 벨그리프는 대검을 칼집에서 뽑았다. 검날은 번쩍번쩍 빛나고, 윙윙 소리는 기세를 더했다. 화내는 듯 들린다.

"아네, 미리, 너희도 리젤로테 님을 지켜드리거라."

"앗, 하지만……."

"미리, 방 안이라서 우린 제대로 못 싸워. 나가는 게 좋아."

사수와 마법사인지라 좁은 방 안에서는 전투가 어렵다. 마르그리트에게 가세하고자 지팡이를 들어 올리던 밀리엄은 아넷사가 재촉하자 어쩔 수 없다는 얼굴로 리젤로테의 뒤를 쫓았다.

파르카는 강인한 각력으로 진짜 산토끼처럼 뛰어다니고 있었다. 이따금 벽을 달리는 기술까지 보이며 사방팔방에서 마르그리트를 몰아쳤다.

다만 마르그리트도 대단한 실력인지라 종횡무진하는 파르카의 움직임에 멋지게 대응하여 마구 들이닥치는 검격을 방어, 회피하며 대등하게 맞서 싸웠다. 하지만 처음에는 미소마저 섞여 있었던 표정이 곧 딱딱해졌다.

탁자와 소파가 쓰러지고 요리가 바닥에 흩어진다.

쉬이 개입하지 못하여 지켜보던 벨그리프가 말을 건넸다.

"마리, 괜찮으냐!"

"벨, 조심해라! 이 자식의 검, 뭔가 이상해!"

마르그리트가 아주 잠시간 시선을 돌렸을 때 파르카는 불쑥 방향을 바꿔 벨그리프에게 뛰어올랐다. 벨그리프는 대검으로 방어한다. 청정한 마력과 비틀린 마력이 서로 반발하며 흩날렸다. 성검은 화내듯 윙윙거리고, 파르카의 검은 신음하듯 소름 끼치는 소리를 냈다.

"크……. 확실히, 마검, 이었던가……!"

파르카는 무표정 안에 유열을 살짝 드러내며 희희낙락 검격을 퍼부었다. 벨그리프는 겨우겨우 버텨 냈지만, 방어 때마다 묘하게 피로가 쌓이는 느낌이 든다.

그러고 보니 저 검은 벤 상대의 마력을 흡수한다고 퍼시벌이 말했었다. 실제 숙소에 나타났던 저주체가 저 검에 빨려 들어가던 광경을 목격했다. 그렇다면 몸이 베이지 않더라도 검에 주입한 마력을 빼앗아 가는 것일까.

몇 합 맞부딪쳤을 때 마르그리트가 뛰어들어서 파르카를 떼어 냈다.

"물러나라, 벨! 너한테는 위험해!"

"……미안하다!"

분하지만 마르그리트의 말이 옳았다. 기량의 문제도 물론 있겠지만, 가장 큰 이유는 좁은 실내인지라 대검을 휘두르는 동작이 바깥처럼 수월하지 않아서였다. 벨그리프는 경계를 늦추지 않고 두 사람의 간격 바깥으로 물러났다.

그때 불현듯 치직치직 잡음이 들려왔다. 빗소리는 아니다. 또 무슨 일인가 생각하던 때 누군가가 거친 발걸음으로 방에 들어왔다. 성당 기사 도노반이었다. 이마에 핏대가 솟았고 분노에 차서 얼굴이 달아올랐다.

"파르카! 무슨 짓이냐, 이 멍청한 놈이!"

도노반이 호통치자 파르카는 움찔 몸을 떨면서 공격을 멈춘다. 마치 장난치다가 들킨 어린아이처럼 주뼛주뼛하며 도노반을 쳐다봤다. 도노반은 성큼성큼 가까이 걸어가서 망설임 없이 파르카를 후려쳐 쓰러뜨렸다.

"피에 굶주렸더냐……! 대공 각하의 저택에서 이게 웬 수치인가!"

파르카는 토끼 귀를 축 늘어뜨리며 고개 숙였다.

도노반은 안달복달하는 모습으로 방 안을 둘러보다가 벨그리프를 발견한 뒤 눈이 휘둥그레졌다.

"……그런 이유였나."

"또 만나 뵙는군요. 이러한 형태가 될 줄이야. 조금 놀랐습니다만."

벨그리프는 어디까지나 정중하게, 다만 시선은 날카롭게 도노반을 주시하며 인사했다. 그럼에도 목소리에 야유의 기색이 살짝 묻어나는 것은 기분이 불편하기 때문이었을까.

그때 얼마 전부터 쭉 나지막하게 들려왔던 치직치직 잡음이 커다래지며 뚝뚝 끊어지는 사람 목소리가 뒤섞여 들려왔다. 공간 일부가 일그러지는가 싶더니 허공에 무엇인가가 비치기 시작했다. 통신 마법이다.

『오— 드디어 연결됐— 다—.』

"카심?"

지글지글 선명하지 않은 영상에서 카심의 얼굴이 보였다.

『벨, 잠깐 여기에 와줘라. 실마리를 찾아낸 것 같아. 아, 맞다.

일단 안제는 무사하다더라. 안심해도 된다.』
"정말인가? 그런가……."
가슴의 응어리가 쭉 사라지는 기분인지라 벨그리프는 어깨에서 힘을 빼냈다. 카심은 방 안을 보고 의아해하며 눈살을 찌푸렸다.
『뭐야? 무슨 소란이야, 이게.』
"아니, 괜찮아. 살라자르 님의 처소겠지? 금방 가겠네."
『응. 다만, 뭐, 조금 귀찮은 게—.』
카심의 말이 다 끝나기 전에 영상이 뚝 중단되며 다시 사라졌다. 마르그리트가 말했다.
"바로 갈 테냐?"
"그래야지. 이대로 우리를 보내준다면, 말이다만."
그렇게 말한 뒤 벨그리프는 성당기사들을 바라봤다. 도노반이 눈살을 찌푸렸다.
"잡아 둘 이유는 없지……. 볼썽사나운 꼴을 보였군. 이 멍청이가 실례를 저질렀다."
"제가 아니라 대공 각하의 영애께 사죄하시는 게 좋겠지요."
벨그리프는 쌀쌀맞게 말한 뒤 아직껏 윙윙거리고 있는 대검을 칼집에 꽂았다.
마르그리트가 의아하다는 표정을 짓고 두 사람을 번갈아 쳐다본다.
"뭐야, 이 자식들하고 아는 사이냐?"
"어제 스쳐 지나갔던 게 다란다."

벨그리프는 그렇게 말한 뒤 힐끔 복도 방향을 내다봤다. 부상을 당한 사람은 없는 듯하다. 상황을 살펴보고 있었는지 리젤로테가 씩씩거리며 들어왔다. 아넷사와 밀리엄도 벨그리프와 마르그리트에게 달려온다.

"아무리 성당 기사여도 이런 무례는 아니지! 도대체 무슨 생각이야?!"

리젤로테가 추궁하자 도노반은 재빨리 무릎을 꿇고 머리 숙였다.

"무례를 저질렀습니다……. 저는 도노반, 이쪽은 파르카라고 합니다……. 어서 무릎을 꿇지 못할까, 멍청한 놈아!"

도노반이 고함지르자 파르카는 허둥지둥 같은 자세를 취했다. 리젤로테는 뺨을 볼록거리며 팔짱을 끼고 있다.

"도노반 경, 제도의 성당 기사는 이렇게 행패를 부려도 되는 건가요? 이 사람들은 대공가의 손님이라고요!"

"뭐라 드릴 말씀도 없습니다……. 아무쪼록 용서를 빕니다."

"무슨 소란인가."

복도 방향에서 소리가 났다. 리젤로테가 고개 돌리더니 얼굴에 활짝 미소를 지어 보였다.

"앗, 오라버니!"

프랑수아가 눈살을 찌푸리며 서 있었다. 그 얼굴을 본 벨그리프는 무의식중에 눈매가 날카로워졌다. 한편 프랑수아도 조금 놀라며 벨그리프를 돌아봤다.

"네 녀석은……."

"당신은…… 분명, 핀데일에서?"

"어째서 이곳에 있나……! 계집은 어찌했지!"

프랑수아가 불쑥 조바심 내며 방에 들어오자 대검이 더욱 강하게 윙윙거렸다. 프랑수아는 허를 찔렸는지 멈춰 서더니 얼굴을 실룩거렸다.

"큭……."

"오라버니, 벨하고 아는 사이였어? 안제네 아버님이셔."

"……『흑발의 여검사』 말인가?"

프랑수아는 벨그리프를 노려봤다. 벨그리프는 묵묵히 고개를 살짝 끄덕거렸다.

"부녀가 하나같이 내 앞을 가로막는 것인가, 네 녀석들……."

"오라버니, 마침 잘 와줬어. 이 사람들, 불쑥 저택에 쳐들어와서 난동 부렸어. 성당 기사라던데."

리젤로테는 프랑수아에게 그렇게 말한 뒤 다시 화내며 도노반과 파르카를 가리켰다.

프랑수아는 성당 기사 두 사람을 빤히 쳐다보다가 후유, 한숨을 내쉬었다.

"저들은 나와 안면이 있군. 두 분 모두 훌륭한 기사임을 보장하겠다. 뭔가 수상한 기척을 감지하여 찾아와주셨을 테지."

"어, 그치만."

"리제, 너도 귀족의 영애라면 친구는 골라 사귀거라. 정체불명의 천한 모험가와 고귀한 성당 기사, 누가 더 믿을 만한지 고민할 필요조차 없을 터인데."

"이상한 말 하지 마! 재가 느닷없이 방을 엉망진창 망쳐 놨는걸."

"이 저택의 주인은 나다. 내가 개의치 말라 말하는 거다."

"오, 오라버니……."

"두 분은 이쪽으로 오시게……. 리제, 말괄량이 짓은 적당히 해라."

프랑수아는 그렇게 말한 뒤 발길을 돌렸다.

"프랑수아 님."

벨그리프가 한 발짝 내디뎠다. 프랑수아는 걸음을 멈춘 뒤 의아하다는 표정으로 돌아봤다.

"뭐지."

"……당신은 본인의 임무에 자긍심을 가질 수 있으십니까?"

프랑수아는 잠시 벨그리프를 매섭게 노려보다가 결국 아무런 말 없이 두 명의 성당 기사를 데리고 방 바깥에 나가버렸다.

마르그리트가 화내며 발뒤꿈치로 바닥을 찼다.

"뭐냐, 저 자식. 안제를 데려가질 않나, 이번에는 왜 적을 감싸 주는데!"

"……미안해, 마리. 오라버니가 실례를 했어."

"어, 아냐, 너한테 화낸 게……."

풀 죽어버린 리젤로테를 보고 마르그리트는 허둥지둥 말을 흐렸다.

밀리엄이 빠른 걸음으로 다가와서 리젤로테의 머리를 쓰다듬었다.

"괜찮아, 괜찮아. 고마워~ 리제."

"그래, 리제는 아무 잘못도 없어. 신경 안 써도 괜찮아."

아넷사도 리젤로테를 달래며 어깨에 손을 얹었다. 리젤로테는 고개 숙였다.

"……미안해, 다들. 벨, 카심을 만나러 갈 거야?"

"네. 소란만 잔뜩 일으킨지라 대단히 죄송합니다만……."

"아냐, 괜찮아. 너희는 아무 잘못도 안 한걸. 있잖아, 조금 컨디션이 안 좋아서 쉬어야겠어…………. 다들, 오라버니가 한 말은 신경 쓰지 마. 수티, 현관까지 바래다드려."

리젤로테는 완전히 기운을 잃은 모습으로 오즈왈드에게 부축받으며 터벅터벅 방을 나갔다. 수티는 난처해하며 뺨을 긁적거리다가 이윽고 입을 열었다.

"가실까요. 뭔가 오늘은 이런저런 사건이 많군요."

어질러진 방은 고용인들이 이미 정리를 시작했다. 일행은 수티를 따라 현관까지 걸어갔다. 아넷사가 슬쩍 벨그리프에게 속삭였다.

"벨 아저씨, 프랑수아와 먼저 만나셨어요?"

"그래. 핀데일에서 사티를 찾아다니더구나……. 난처한데. 저쪽은 우리를 이미 적대하고 있군. 이래서는 리젤로테 님을 중간에 둬도 차분하게 대화를 나눌 순 없겠어……."

"그래도 카심 아저씨가 뭔가 단서를 잡았다잖아요~? 퍼시 아저씨도 분명 무언가 찾아와줄 테고요."

"그러게나 말이다……. 아무튼 서두르자. 수티 씨, 혹시 퍼시가 돌아온다면."

"살라자르 씨의 처소였지요. 말씀 전해드리겠습니다."

"하나부터 열까지 죄송합니다……. 가자꾸나."

이것저것 신경 쓰이는 게 많으나 일단 지금은 안젤린이 염려되어서 못 견디겠다. 자신이 이러면 안 된다고 생각하는 한편, 아버지인데 당연하지 않냐는 변명 비슷한 생각도 머리 구석에 있는 것 같았다.

현관 너머에서 아직껏 빗소리가 울려 퍼지고 있다.

○

마냥 가만히 누워 있으면 어째서인지 등이 간지러워진다.

몸을 움직였을 때 피부가 이상하게 주름이 지는 자세였기 때문이었을까, 오른쪽 위팔 부근에서 앞쪽이 왠지 저릿하다. 손가락의 감각이 희박하다.

사티는 얇은 막 하나를 사이에 둔 것처럼 흐릿한 시야 너머로 목조 천장을 봤다. 먼지가 많아 묘하게 누추하다.

굼실굼실 상체를 일으킨다. 바깥에서 비쳐 드는 세피아색의 빛이 바래졌다.

그다지 긴 잠은 아니었나 보다. 짧은 데다가 깊지도 않았는지 오히려 몸이 지치는 느낌마저 받는다.

"아야……."

어깨를 감싸 잡았다. 피는 멎었지만 아직 아팠다. 마력도 별로 회복되지 않았다.

마음이 울적해지는 기분이었다. 시야가 흔들리는지라 무의식중에 눈을 감았다. 머리의 알맹이가 혼자 빙글빙글 소용돌이치는 것 같았다.

그럼에도 어찌어찌 침상에서 몸을 일으켰다.

비틀거리는 걸음으로 마당에 나가자 바랜 세피아색의 빛이 사티를 비췄다.

마당 너머의 밭에서 하루, 마루 쌍둥이의 모습이 보였다. 바닥을 기다시피 하며 시든 채소들 틈의 무엇인가를 찾아내고자 애쓰는 것 같았다.

사티의 마력 고갈이 이 공간의 환경에 나쁜 영향을 불러온다는 것은 확실하다. 주위의 나무들은 기운을 잃어 이파리를 떨어뜨리기 시작했고, 마당의 이름도 없는 풀들이나 밭의 채소도 푹 시들었다. 공기는 습도를 잃어 먼지가 흩날린다.

끼잇, 집 울림 소리가 났다. 집마저 단번에 나이를 먹었나 보다.

위험한데. 사티는 이를 갈았다. 여기에 틀어박혀서 버틴들 분명 나아지는 건 없다. 다만 지금 자신의 상태로 밖에 나가서 쌍둥이를 끝까지 지킬 수 있을까.

문틀에 기대서 지켜보던 사티를 발견하고 쌍둥이가 달려왔다.

"뭐하는 거야!"

"누워 있어야지!"

쌍둥이는 겨우겨우 모았을 약초가 들린 손을 흔들며 사티를 다시 침상으로 돌려보냈다. 사티는 난처하게 웃으면서도 다시 몸을 누였다. 이런 조그만 마음 씀씀이가 못 견디게 기뻤다.

얌전히 다시 누워서 천장을 바라본다. 딱히 졸리지는 않으나 가만히 누워 있으면 편안하다. 그러나 머리 안 알맹이는 이미 몹시도 선명하게 깨어난지라 자꾸 불안감이 솟는다. 눈을 감으면 눈꺼풀 안쪽에 이상한 빛의 문양이 어른거렸다.

갑작스럽게 마주쳤던 흑발 소녀의 얼굴을 떠올린다.

안젤린이라는 이름의 소녀는 벨그리프의 딸이라고 자기를 소개했었다. 확실히 그 친구의 슬하에서 자랐다면 그렇게 올곧은 성격으로 자라났겠다. 무척 귀여웠고 또한 굳건한 의지의 빛이 눈에 깃들어 있었다.

"……날 찾아다니지 않고 얌전히 돌아갈…… 리는 없겠구나, 분명히."

빛 문양이 기억에 남은 소녀들의 모습으로 바뀌어 간다.

안젤린에게는 잊어달라 말했었지만, 정말 순순히 돌아가리라는 생각은 안 든다. 퍼시벌은 물론이며 카심과 벨그리프도 마찬가지이리라.

그땐 젊었지. 사티는 입속으로 중얼거렸다.

싸움도 잔뜩 했고 반면에 더 많이 웃었다. 서로를 위해서라면 목숨도 내던질 수 있었다. 진심으로 서로를 아꼈다. 하지만 그와 같은 마음으로 다리를 잃은 친구와 어떻게 마주 대해야 할지 어린 애였던 자신들은 제대로 알지 못했다.

안젤린에게 사정을 전해 들었다면 몹시 위험함을 뻔히 알았을 것이다. 벨그리프가 과연 포기할까?

"……안 하겠지."

벨 군, 항상 다른 사람만 걱정하니까. 사티는 중얼거렸다. 위험에 대한 경계심은 남들의 곱절이었지만, 그것은 자신이 아닌 동료들의 안전에 중점을 두는 경계심이었다.

평소에는 얌전한 애가 일단 결정을 내리면 가장 완고했지. 사티는 살짝 웃었다.

신출내기였던 시절, 언제나 리더 퍼시벌과 호기심 왕성한 자신이 호기를 부렸다. 카심은 재미있어하며 언제나 은근슬쩍 끼어들었다. 재능은 있었다, 아마도. 퍼시벌과 카심은 물론 자신도 어느 누구에게든 뒤진다는 생각은 하지 않았다. 따라서 호기 부려도 괜찮다는 생각으로 꽤나 폭주를 저질렀던 터라 지금 와서는 웃음이 나와버린다.

그렇게 자신들이 냅다 달려 나가면 벨그리프는 난처하게 웃으면서도 대부분은 얌전히 따라와줬다. 다만 위험이 더욱 크다고 판단했을 때는 퍼시벌과 자신이 아무리 떠들어 대도 절대로 허락해주지 않았더랬다. 그런데도 동료가 위험할 때는 자신의 안위를 아랑곳하지 않으며 몸을 날린다. 그래서 퍼시벌은 무사했다.

살아 있었구나. 그냥 살아가주면 고마울 텐데 왜 굳이 여기까지 왔을까.

가슴이 먹먹했다. 아마 자신과 다른 곳에서 행복을 손에 쥐었을 벨그리프가 자신 때문에 위험을 무릅쓰고 와줬다는 것이 먹먹했다. 그런데도 은근히 기쁨을 느끼게 되는 스스로가 싫었다.

정말 상대를 염려한다면 진심으로 거절해야 했다. 그런데 마음 어딘가에서는 도와주러 오기를 기대하고 있다. 안젤린을 돌려보내며 전했던 말도 지금 와서는 비겁한 변명으로 느껴졌다. 그런 소리를 한다고 옛 친구들이 고분고분 돌아갈 리 없잖은가. 분명 마음속 어딘가에서는 알고 있었을 텐데.

"……제멋대로야."

뒹굴, 몸을 굴린다. 욱신욱신 어깨의 상처가 아팠다.

그때 불현듯 공간이 흔들거림을 감지했다. 사티는 눈이 휘둥그레지며 반사적으로 몸을 일으켰다.

마당 방향에서 쌍둥이의 비명이 들려온다. 순간 온몸에 힘이 솟아났다. 상처의 통증도 잊어버렸다. 침상에서 벌떡 일어나 집 바깥으로 뛰쳐나갔다.

"하루! 마루!"

마당에 나온 사티는 눈을 부릅떴다. 하얀 로브를 입은 남자가 서 있었다. 발밑에 까마귀가 두 마리 축 늘어져서 마치 시체처럼 나동그라졌다.

"슈바이츠……!"

"가족놀이는 즐거웠나."

슈바이츠는 두 마리의 까마귀를 보고 비웃으며 말했다.

사티는 눈을 확 부릅뜨고 미끄러지듯 지면을 달렸다. 부상을 당한 사람이라는 생각이 안 드는 움직임이다. 다만 슈바이츠는 전혀 당황하지 않고 오른손을 앞에 내밀었다. 두 사람의 앞에서 눈에 안 보이는 칼날이 교차했다. 로브 안쪽에서 슈바이츠의 예리한 시선이 사티를 꿰뚫었다.

"『열쇠』는 어디에 뒀지?"

사티는 말없이 잇따라 보이지 않는 칼날을 날려 공격한다. 그러나 단 하나의 칼날도 슈바이츠를 가격하지 못했다. 쏴아, 바람이 불어오며 마른 잎사귀가 흩날렸다.

"쓸데없는 짓을……."

슈바이츠는 귀찮다는 듯이 몸을 조금만 빼내더니 살짝 손가락을 움직였다. 순간 사티는 등에 강렬한 일격을 감지했다. 지면에 짓눌리는 모양새로 엎드려 쓰러진다. 마른 풀이 따끔따끔 피부를 간질인다. 몸을 움직이려고 해도 무엇인가가 덮쳐 누르는 것 같아서 전혀 움직일 수 없었다.

슈바이츠는 다시 싸늘하게 추궁했다.

"『열쇠』는 어디에 뒀지?"

"……벌써 옛날에 부쉈어. 너희에게 넘겨줄 바에야."

"그런가."

슈바이츠는 팔을 내리 휘둘렀다. 다시 강렬한 충격이 몸을 덮쳤다.

"끄앗!"

"어리석은 여자군."

사티는 시야가 검게 물들어 가는 것을 느꼈다.

"으으……. 하루……. 마, 루……."

가만 엎드린 채 움직이지 못하는 사티 앞에서 슈바이츠는 주변을 둘러봤다. 주위의 나무들은 간신히 가지에 달아 두었던 잎사귀를 세차게 떨어뜨리며 눈에 보이도록 말라서 죽어 가고 있었다.

슈바이츠는 사티에게 손을 향했다. 사티의 모습이 아지랑이처럼 흔들리다가 사라졌다. 그리고 나동그라져 있는 까마귀 두 마리를 주워 들더니 팔을 흔들었다. 슈바이츠의 모습도 아지랑이처럼 흔들리다가 이윽고 사라졌다.

끼깃, 커다란 소리를 내며 집이 기울어졌다.

120 검집에 세게 얻어맞은 행색의

검집에 세게 얻어맞은 행색의 파르카가 겁먹은 표정으로 방 구석에서 쪼그려 앉아 있었다.

도노반이 다소나마 울분을 떨쳐 낸 표정으로 칼집을 다시 허리에 찼다.

"어리석은 놈……. 이래서 교양이 없는 수인은 곤란하다니까."

"기분은 좀 풀렸나."

프랑수아가 귀찮다는 표정을 지은 채 도노반에게 말했다. 도노반은 흥, 코웃음 쳤다.

"뭐, 도움을 받았군. 고맙게 됐다."

"너무 문제를 일으키면 곤란하다. 전하께 폐를 끼치게 되니……. 어째서 여기에 왔지? 그 녀석들과 악연이라도 있나?"

도노반은 의자에 털썩 주저앉았다.

"검이다. 그 적발 남자가 가지고 있는 대검. 그것을 손에 넣고 싶었다. 다만 저 얼간이가 피에 굶주려서 폭주를 했지……. 괜히 상황만 복잡해졌군."

눈총을 받은 파르카는 움찔 몸을 떨더니 굼실굼실 다시 무릎을 감싸 안았다. 프랑수아는 뭔가 고민하는 듯 팔짱을 끼고 있다가 곧 입을 열었다.

"그러면 전하께 부탁드리는 것이 좋겠군. 그 적발 남자는 전하께 적대하는 여자의 아버지다."

"뭣이라……? 흐음."

도노반은 턱을 문지르며 무슨 생각을 하는지 눈살이 찌푸려졌다. 이해는 일치될 것 같다고 판단했는지 납득하며 고개를 끄덕거렸다.

"알겠다, 그리하지……. 귀하가 자리를 만들어줄 테지?"

"뭐, 상관없다. 어차피 녀석들은 뭔가 꾸미고 있을 테니까 전하께 보고를 올려야지."

"……내가 왔을 때 공중에 묘한 영상이 떠올랐다. 불쑥 말소리가 들리더니 살라자르가 어쨌다는 말을 하더군. 녀석들은 그자를 만나러 가는 듯하다."

프랑수아는 눈에 힘을 주었다.

"……더욱 서둘러 보고드려야 할 소식이군. 어서 가지."

프랑수아는 막 벗은 외투를 다시 입더니 빠른 걸음으로 방을 나섰다. 성당 기사 두 사람도 뒤를 따른다.

공훈을 세울 수 있는 기회이리라 생각하면서도 무슨 이유인지 프랑수아의 마음은 들떠 오르지 않았다. 다만 오로지 뭔가 의무이기에 수행하는 듯이 기묘한 적막함이 줄곧 마음에 퍼져 나가고 있다.

자기 자신의 약진도, 안젤린에 대한 복수마저도 힘겹게 마음속 깊이 다그치지 않으면 아무래도 상관없다는 생각이 들고는 했다.

—자긍심을 가질 수 있냐고? 모험가 주제에 건방지게.

벨그리프의 얼굴을 떠올리자 짜증이 났다. 다만 이러한 짜증은 마음이 죽어버린 것 같은 자신에게 보내는 감정 같기도 했다. 매사가 죄다 변명뿐이다. 복수도 출세도 단순한 알리바이 만들기에 불과한 것인가.

아니다. 자신은 앙갚음과 입신을 위하여 힘을 길렀다. 더욱 강해지면 보이는 경치도 분명 달라지리라. 힘없는 자신에게 짜증을 내며 모험가 따위에게 얕보이는 처지에서 벗어날 수 있다.

프랑수아는 자기 자신을 타이르며 일부러 난폭한 걸음걸이로 마음을 분기시켰다.

도노반이 묘한 비웃음을 머금고 뒤를 따라갔다.

○

안젤린은 칼집에서 빼낸 채 들고 다니던 검을 납검한 뒤 쇠창살을 꽉 부르쥔 자칭 벤자민을 빤히 쳐다봤다. 무척 야위었고 머리카락도 수염도 아무렇게나 뻗어 자랐지만, 확실히 맨얼굴은 제법 아름답고 품위가 있는 것 같기도 하다.

"……진짜야?"

"지, 진짜다……. 부탁한다, 도와다오."

벤자민은 괴롭게 쌕쌕 헐떡이며 말한 뒤 기침했다.

안젤린은 여전히 의아해하는 표정으로 쇠창살을 살짝 만졌다.

차가운 철의 감촉이다. 이 감옥은 입구가 없다. 쇠창살에도 문이 없는 데다가 안쪽 벽에도 딱히 출입구가 보이지 않는다. 어떻게 이 안에 집어넣었는지 알 수 없지만, 이런 황당무계한 세계에서 겨우 감옥의 입구가 없단 이유로 이제 와서 놀라지는 않는다.

"……떨어져 있어."

안젤린은 가만히 말한 뒤 칼자루에 손을 얹었다. 벤자민은 허둥지둥 쇠창살에서 떨어지고 벽면에 바짝 붙었다. 안젤린은 깊숙이 숨을 들이마시며 허리를 낮췄다.

"—흡!"

기합, 일섬. 칼집에서 빼는 기세를 더하여 검을 휘두른다. 금속끼리 부딪치는 날카로운 소리가 거듭거듭 울려 퍼지다가 조각조각 베인 쇠창살이 지면을 굴러갔다. 벤자민이 눈을 동그랗게 떴다.

"괴, 굉장하군……."

안젤린은 뚫린 빈틈으로 감옥 안쪽에 들어가서 벤자민의 다리에 연결되어 있던 쇠사슬을 절단했다. 벤자민은 잘린 쇠사슬을 정말 잘렸는지 확인하는 것처럼 손에 들더니 눈물 흘렸다.

"꿈이…… 꿈은 아니겠지……. 설마, 이런 날이 올 줄이야."

그렇게 말한 뒤 일어서려다가 다리가 휘청거리는 터라 균형을 잃고 무릎을 꿇었다. 안젤린은 팔을 붙잡아 일으켜주고 어깨를 빌려줬다.

"괜찮아……?"

"미안하군……. 너는 정말로 은인이야……. 그나저나 강철 쇠창살을 베어버리다니……."

"S랭크 모험가니까."

안젤린은 그렇게 말한 뒤 표찰을 벤자민에게 보여줬다.

"지, 진짜군……. 그런가, 어쩐지……. 괜찮다면 이름을 가르쳐 줄 수 있겠나?"

"……안젤린."

"안젤린……. 멋진 이름이야. 정말 고맙다."

비틀거리는 벤자민을 감옥 바깥으로 꺼내준 것은 좋지만, 이제 어떻게 해야 하는가 고민이 된다. 어차피 이 묘한 공간에서 못 빠져나가는 처지는 변함없으니까.

아무튼 진짜 벤자민을 발견함으로써 그동안 만났던 벤자민은 가짜라는 사실이 분명해졌다. 이곳에 있는 자칭 벤자민이 이 공간을 만들어 낸 가짜라면 대책이 없을 테지만, 그냥 넘어가는 게 좋겠다. 의심하려고 들면 끝이 없다.

일단 벽면에 벤자민을 앉혔다. 벤자민은 조금 걷기만 했는데 벌써 숨이 거칠어져서 힘들어 보였다.

"……물이나 뭘 가져오면 좋았을 텐데."

"아니, 괜찮아. 이런 상황에 많은 걸 바라진 않아……. 허억……."

"너는 언제부터 여기에 있었어? 그 가짜 황태자는 누구야?"

벤자민은 힘든 기색이었을지언정 본인도 말을 하고 싶었는지 떠듬떠듬하며 안젤린에게 이야기를 했다.

몇 년 전 벤자민은 본인의 팬인 아가씨들과 놀러 나갔던 날 마차 사고를 당했다. 아울러 정신을 차렸을 때는 이미 감옥에 갇혀 있었다. 아마도 사고 와중에 가짜와 자리가 바뀌었을 테지.

처음에는 다른 장소에 있는 감옥이었지만, 얼마 뒤 이곳으로 옮겨졌고 죽지는 않을 정도의 물과 식량을 받아 버티며 쭉 갇혀 있었다. 가짜의 정체도 적의 구성도 아무것도 알 수 없었다. 이따금 나타나는 가짜나 가짜의 동료 이외에는 누구와도 만날 수 없었던 터라 고독에 시달려서 정신이 나가버릴 것 같았다던가. 그래서 안젤린이 나타났을 때는 드디어 환각을 보게 되었는가 생각했다고 한다.

"그래도 기쁨이 눈 깜짝할 사이에 이겨버리더군……."

"……소문대로 바보 멍청이였구나."

"뭐라 받아칠 말이 없군……. 내가 어리석어서 생겨난 빈틈이었지. 후유……. 가짜는 나를 대신해서 무엇을 하고 있지? 마음 내키는 대로 횡포를 부리던가?"

"……좋은 방향으로 바뀌었다고 다들 말하던데. 훌륭한 위정자라며 평가가 좋아."

벤자민은 절망에 빠진 표정을 짓고 고개를 푹 숙였다.

"하하, 하……. 그게 뭐냐. 그러면 난 대체……."

"그런데 아마 다 겉치레 짓이야. 뒤에서는 나쁜 계획을 꾸미고 있어. 특히 마왕과 관련해서 인체 실험도 저질렀다던데."

"뭐……? 아니, 확실히 일리가 있는 말이군……. 저번 감옥에는 무슨 이유인지 마수도 붙잡아서 넣어 두었으니까…….”

안젤린은 벤자민의 어깨를 붙잡아 정면에서 얼굴을 똑바로 주시했다.

“있잖아, 너를 구해줄게. 그러니까 약속해. 가짜를 해치우고 황태자 자리에 돌아가면 바보같이 놀러 다니기만 하지 말고 진지하게 사람들의 생활을 살펴볼 줄 아는 훌륭한 사람이 되어줘. 그렇지 않음 나도 가슴을 펴고 널 구해줄 수 없어.”

벤자민은 잠시간 눈을 내리깔았다가 곧 다시 뜨고는 안젤린을 물끄러미 마주 바라봤다.

“……알겠다. 나는 어리석은 인간이지만, 은인의 부탁을 저버릴 만큼 고약한 녀석은 아님을 약속하지. 나의 능력껏 최선을 다해 전념하겠어.”

“응. 진짜 황태자는 이래야지.”

안젤린은 만족하며 고개를 끄덕거리고 토닥토닥 벤자민의 머리를 쓰다듬었다. 벤자민은 쑥스러워하며 몸을 움직거렸다. 길었던 감금 생활이 뜻하지 않게 방탕한 황태자의 마음가짐을 뜯어고친 것 같다.

어쨌든 간에 마음먹은 대로 실행하려면 우선은 이곳에서 나가야 한다. 다만 이렇다 할 방책이 떠오르지 않았다.

벨그리프가 같이 있었다면 좋았을 텐데. 내심 아쉬워하다가 안젤린은 퍼뜩 놀라며 머리를 흔들었다. 마냥 아빠에게 의지하면 아빠는 기뻐하지 않을 테니까. 자신의 뺨을 손바닥으로 찰싹 때린다.

“……혹시나 물어보는 건데, 여기에서 나가는 방법은 알아?”

“내가 알았다면 좋았을 테지.”

벤자민은 고개 숙이며 탄식했다. 뭐, 예상했던 답이다. 안젤린은 딱히 낙담하지도 않고 고개를 끄덕거린 뒤 다시금 주위를 둘러봤다.

적색과 백색의 체크무늬 지면은 변함이 없다. 파슬리 숲의 산뜻한 냄새도 잔잔한 바람에 실려 떠다니고 있다.

감옥이 있던 하얀색 벽돌을 쌓은 벽면은 고개 들어서 봐도 끝없이 이어진다는 인상을 받는다. 조금 위쪽에 역시 쇠창살에 막힌 감옥이 늘어서 있는 모습이 보이는데 안쪽까지는 확인할 수 없다. 안에 무언가 있을지도 모르겠지만, 우묵한 곳도 도드라진 곳도 없는 평탄한 벽을 기어오르는 기술은 제아무리 안젤린이라도 가지고 있지 못했다.

“……우선은 조금 더 주변을 돌아볼래. 너는 여기에서 기다리고 있어.”

“아, 아니, 잠깐만 기다려라. 나만 두고 가면 곤란한데……. 봐라, 혼자서도 걸을 수 있다.”

그렇게 말한 뒤 벤자민도 비틀거리면서도 두 다리로 버텨서 섰다. 안젤린은 난처해하며 머리를 긁적였다.

“진짜 괜찮아? 무리하지 마…….”

“혼자 남겨지는 게 무섭다……. 감옥은 어쨌든 나의 안위를 지켜주기도 했으니까.”

맞는 말이었다. 감옥은 가두는 곳이면서 다른 무엇이 못 들어오게 막아주는 역할도 한다. 그곳에서 나온 지금은 자유는 확보했지만 위험도 발생한다. 안젤린도 이 공간을 다 알지 못하는 이상 확실히 따로 흩어져서 행동하는 것은 바람직하지 않다고 생각됐다.

안젤린은 잠시 고민한 뒤 벨트에 숨겨 두었던 나이프를 꺼내서 벤자민에게 건네줬다.

"아무것도 없을 것 같지만……. 위험할 땐 자기 자신을 지켜."

"음, 무리한 요구를 하는군……. 애써보겠다."

벤자민은 긴장한 표정으로 나이프를 쥐더니 한숨 쉬었다.

안젤린은 지면에 검으로 흠집을 내서 표시한 뒤 천천히 걸음을 옮겼다. 우선 벽을 따라서 걸어간다. 벽은 완만하게 안쪽 방향으로 굽어 들었는데 어쩌면 원을 그리고 있는지도 모르겠다고 안젤린은 생각했다.

벽의 반대편에는 푸른 파슬리 숲이 쭉 늘어서 있다. 그 너머에는 아마 바다가 있겠지.

어쩌면 이 벽을 중심으로 하여 파슬리 숲이 둘러싸고 있고, 그 주위에는 바다가 뻗어 나가고 있는지도 모른다. 바다 위 외딴 섬이나 마찬가지다. 곶이라고 생각했던 것은 오므라이스였으니까 동그란 원형의 섬일 가능성이 있다.

뭔가 단서가 나타나길 바라며 쭉 걸었지만, 뭔가 발견이 있을 만한 분위기가 아니다. 같은 풍경이 마냥 이어지고 있었다. 마력의 흐름도 딱히 안 느껴지는 데다가 뭔가 간섭하는 낌새도 없었다. 아마도 먼저 겪었던 공간들보다 고생할 것 같았기에 안젤린은 한숨 쉬었다.

한동안 걷다가 벤자민의 체력도 감안해서 잠시 걸음을 멈췄다. 바닥에 앉아 벽면에 몸을 기댄다.

"……있잖아, 너 말고 여기에 온 사람은 가짜뿐이야?"

"아니, 하얀 로브를 입은 남자가 같이 나타나는 때도 있었어. 그 녀석이 누구인지는 알지 못하지만……."

그 통로에서 사티를 쫓아왔던 하얀 로브가 떠올랐다.

"슈바이츠인가……."

"슈바이츠……? 서, 설마 『재액의 창염』 말인가?"

"알아?"

"그야 제국의 역사에 이름이 나오는 마법사니까. 나쁜 의미로 유명하다만……. 그런 녀석이 관련되어 있단 말인가."

벤자민은 절망에 찬 표정을 짓고 푹 고개 숙였다. 안젤린은 한숨 쉬었다.

"누가 상대든 관계없어……. 그 녀석들은 전이 마법으로 움직였어?"

"글쎄, 난 알아볼 수가 없어서……."

도움이 안 되는구나. 안젤린은 입을 삐죽거렸다. 뭐, 줄곧 갇혀 있었던 처지를 감안하면 어쩔 수 없다는 생각도 들지만, 조금이나마 의지할 만한 사람이었다면 좋았을 텐데.

"……가짜를 해치우면 열심히 공부해야 돼."

"으, 으음. 노력하지……."

차츰 해가 떨어지고 있다. 히죽거리는 얼굴의 태양이 파슬리 숲 저편으로 가라앉으려 한다. 안젤린은 눈에 힘주며 고개를 갸웃거렸다.

"낮이랑 밤이 있구나."

"그래, 일단은 있지. 만약에 쭉 낮이었다고 생각하면 오싹하군……."

감옥에 갇힌 채 아무런 변화도 없이 낮과 밤조차 없었다면 정말 정신이 나가버렸을지도 모르겠다. 그렇게 생각하면 용케 버텨왔구나 싶어서 안젤린은 벤자민을 조금 다시 봤다.

답답하지만 단서가 없는 상황에서 무작정 움직이는 게 꺼려지는 마음도 든다.

하지만 밤이 온다면 즉 지난 시간과 다른 환경을 맞이하게 될 것이다. 해가 떨어지면 이 세계도 다른 양상을 나타내지 않을까. 벤자민의 이야기만 듣자면 낮이든 밤이든 별다를 게 없다는 설명이었는데 스스로 조사해보지 않는 한 납득할 수 없다.

태양이 푹 가라앉고, 그 대신 비웃음 띤 옆얼굴이 달린 초승달이 떠올랐다. 얼마 전 태양도 비슷했는데 되게 부아가 나는 얼굴이다. 그러나 내리비치는 빛은 강하기에 어둠 속에서도 걷는 데 아무 지장이 없을 만큼은 밝았다.

벤자민이 주뼛주뼛하며 입을 열었다.

"이, 이봐, 안젤린. 그러고 보니 넌 어쩌다가 여기에 왔지? 길드에서 비밀 의뢰라도 받았던 건가? 그러니까, 나를 구출하라는 내용으로."

"아니……. 네 가짜가 아빠의 옛 동료를 노리고 있거든. 그 사람을 구해주려다가 여기 온 거야."

"그, 그런가……. 그렇겠지."

벤자민은 조금 허전해하며 쓴웃음을 지었다. 안젤린은 그 모습을 보고 어깨를 으쓱거렸다.

"그래도 네가 살아 있어줘서 진짜 잘됐어. 네 덕분에 가짜를 해치워도 아무 문제가 없을 테니까."

"하하, 그런가. 그렇다면, 쿨럭쿨럭."

말하다가 무언가 목에 걸렸나 보다, 벤자민이 기침을 터뜨렸다. 안젤린은 곧 옆에 다가가서 등을 문질러줬다.

"힘들면 말 안 해도 괜찮은데……."

"미, 미안하다. 다만 누군가와 대화할 수 있다는 게 기뻐서 말이야."

안젤린은 흥, 콧소리 내며 웃고는 벤자민의 머리를 토닥토닥 쓰다듬었다. 벤자민은 난처해하며 뺨을 긁적였다.

"넌 별난 녀석이구나, 아이고."

감옥이 있는 벽돌 구조의 벽은 거대한 그림자가 되어 드리워지고 있었다.

달빛이 강한 까닭이 전부는 아닐 터이나 하늘에서 별은 보이지 않는다. 달의 옆얼굴이 비웃음을 지은 채 이쪽을 쳐다보는 것 같았다.

아니, 잠깐만. 뭐지. 좀 이상하다. 벽을 따라서 꽤나 긴 거리를 걸어왔는데도 안젤린이 아까 흠집을 낸 곳으로 돌아오지 않았다. 굽어 드는 모양새여도 아주 둥글지는 않은 것일까.

게다가 벽 반대편 바다 쪽에는 똑같은 위치에 쭉 태양이 있었고, 지금은 달이 떠 있다. 저것들이 안젤린과 벤자민을 쫓아온 걸까, 아니면 다른 마법적 요인 때문일까.

이유가 무엇이든 간에 이 공간에서 어떠한 변화를 보인 존재는 태양과 달, 아울러 물고기이다. 저 녀석들을 죄다 무찌르면 뭔가 달라지지 않을까? 안젤린은 쓱 일어섰다.

벤자민이 불안해하며 안젤린을 올려다본다.

"뭘 하려고?"

"저 달이 수상해. 저쪽으로 가자."

"그, 그런가……."

안젤린이 허리에 찬 검의 위치를 고치고 막 걸음을 떼려는데 문득 무언가 소리가 들려왔다. 희미한 소리다. 쇠창살을 돌이나 다른 무엇으로 때리는 듯한 소리였다.

"들려?"

"음? ……누군가가 쇠창살을 때리는, 건가?"

벤자민도 귀를 기울이며 의아하다는 표정을 짓는다. 또 누군가가 이곳에 있나?

"그동안 들은 적 있는 소리야?"

"아, 아니. 처음이군……."

"……가보자."

달은 뒤로 미룬다. 안젤린은 소리가 들린 방향을 향해 걸음을 옮겼다.

처음 왔던 방향이다. 이곳까지 올 때는 안쪽에 아무도 없었다. 그럼 위쪽에 보이는 감옥 중 어디 한 곳이려나.

안젤린은 눈에 힘주며 걸어가다가 과연 위쪽의 감옥 하나가 몹시 시끄럽다는 것을 감지했다. 쉴 새 없이 쇠창살을 때리는 터라 날카로운 소리가 어두운 밤에 울려 퍼지며 달빛을 뒤흔들었다.

안쪽에 있는 누군가가 적인지 아군인지 알지 못한다. 안젤린이 잠시 말없이 고개를 들어 살펴보던 중 이윽고 소리가 멎었다.

쇠창살에 매달리다시피 몸을 기대는 인영을 보고 안젤린은 눈이 휘둥그레졌다. 달빛에 은발이 빛난다.

"사티 씨!!"

얼결에 부르짖자 감옥 안 사티는 놀라며 안젤린을 마주 바라봤다.

"아, 안젤린? 어째서……."

"얘기는 나중에 해! 당장 꺼내줄게……!"

그렇게 말은 했는데 감옥은 꽤 높은 위치에 있다. 뛰어오르려 해도 발 디딜 자리가 없어서 버거웠다.

안젤린이 어떻게 해야 하나 고민하던 때 사티가 쇠창살 너머로 손을 뻗었다.

"검 가지고 있어? 빌려줘!"

안젤린은 허리에 찬 검을 칼집째 손에 들어서 힘껏 던졌다. 검은 똑바로 날아가서 사티의 손에 붙들렸다.

그러고 나서 잠시 후, 철과 철 맞부딪치는 소리가 들리는가 싶더니 잘린 쇠창살이 떨어졌다.

"역시 진짜가 아니면 안 되는구나……. 고마워!"

얼굴을 내민 사티가 검을 던져서 돌려줬다. 안젤린은 검을 받아서 다시 허리에 차고 두 팔을 한껏 벌렸다. 벤자민이 몹시 당황한다.

"어, 어떻게 할 생각이야?"

"뛰어! 받아줄게!"

사티가 당황하며 머뭇거렸다.

"아, 아냐, 위험해! 혼자 내려갈 테니 물러나 있어……."

"위험하지 않아! 나는 『흑발의 여검사』 안젤린……. S랭크 모험가니까!"

사티는 다소 망설이는 모습이었지만, 이윽고 몸을 구부렸다가 공중으로 훽 몸을 던졌다. 안젤린은 두 다리를 단단하게 디뎌 버티며 사티를 주시했다. 조금씩 거리가 가까워지다가 어느 순간에 사티는 안젤린의 가슴 안에 날아들었다.

갑자기 무게가 실리며 몸이 놀랐지만 안젤린은 힘을 꽉 줘서 받아 냈다. 쓰러지지도 않았고, 미처 못 받아 내는 불상사도 없었다. 따뜻하고 부드러운 몸이 품속에 날아들었기에 오히려 안도되는 마음이었다.

"……사티 씨, 괜찮아?"

사티는 말없이 안젤린의 등에 손을 둘러서 꼭 껴안았다. 킁킁

코를 훌쩍이는 소리가 들려왔다. 안젤린도 살며시 마주 안아줬다.

가까이에서 보면 사티는 만신창이였다. 새로 난 상처가 잔뜩이라 피 냄새까지 살짝 감돈다. 아름다운 은발도 다 흐트러져서 푸석푸석하다. 다만 그 이상으로 따뜻한지라 신기하게도 반갑고 안심되는 냄새가 났다.

사티는 코멘소리로 말했다.

"고마워……. 몇 번이나……."

"하루랑 마루는……?"

"……슈바이츠한테."

안젤린은 얼굴을 찌푸렸다. 그 세피아색 공간도 결국 적에게 떨어져버렸구나.

한껏 숨을 들이마신 안젤린은 똑바로 사티의 눈을 쳐다봤다. 달빛을 반사하는 에메랄드색 눈동자에 자신의 얼굴이 살짝 비쳤다.

"……더는 안 보내줄 거야. 하루랑 마루를 구하러 가자. 가짜 황태자도 슈바이츠도 무찌르고 아빠 앞에 데려가겠어……!"

"아하하, 알았어……. 이젠 포기했거든. 같이 가자."

사티는 안젤린의 얼굴을 보며 빙긋이 웃었다.

○

빗발은 조금이나마 약해지고 있으나 그럼에도 가차 없이 내리쏟아지며 몸을 적셨다.

살라자르의 연구실은 복잡한 길을 지나간 곳에 있다. 지하도와 증설된 건물 때문에 지면이 이리저리 겹쳐지는 구조를 띤다. 따라서 이런 지형에 들어오면 비는 안 맞아도 되지만, 해가 이미 떨어져서 어두운 터라 조심하지 않으면 금방 길을 헤매게 된다.

익숙지 않은 지역이라 길을 헤매면 어쩌나 걱정했지만, 아넷사와 밀리엄은 정확히 길을 기억하고 있었다. 고위 랭크의 모험가로서 길러온 기술일 것이다. 아직 모험가가 된 지 얼마 안 되었을뿐더러 엘프인지라 숲 이외의 지형에 익숙지 않은 마르그리트는 전혀 갈피를 못 잡는 모습이었다만.

조금 앞쪽을 가는 밀리엄의 걸음걸이는 가벼웠다.

"잘됐다~ 안제, 무사했구나."

"응. 그래도 아직 안심은 못 해. 아직 다 해결한 게 아니니까."

"이봐, 벨. 어떻게 카심은 안제가 무사하다고 장담한 거냐?"

"안제가 시공 감옥이라는 곳에 붙잡혔다는 것을 알려준 분이 살라자르 님이었지? 아마도 시공 마법으로 감지 가능한 방법이 있을 게다."

"아, 그런가. 그렇구나. 으음, 그런데 살라자르는……. 그 녀석, 뭔가 좀 수상쩍단 말이지."

마르그리트는 그렇게 말한 뒤 머리 뒤쪽으로 깍지를 꼈다.

돌바닥이 깔린 지하 통로는 의족으로 디디면 또 다른 소리가 울려 퍼졌다. 한동안 나아가자 마술식으로 보이는 문자 및 도형이 빼곡하게 그려져 있는 나무 문이 나타났다.

"여기에요, 여기~."

"대충 한 시간쯤 걸렸네……."

아넷사가 문을 두드리자 거의 곧바로 열리며 카심이 얼굴을 내밀었다.

"오, 왔구나, 왔어. 빨리 들어와라."

"카심, 어떻게 된 일인가?"

"이래저래 설명할 게 있어, 좀. 그쪽은 뭔가 진전이 있어? 아니, 뭔가 시끄럽던데."

"이쪽도 일이 좀 복잡해져서 말일세."

벨그리프는 성당 기사의 태도며 핀데일에서 이미 프랑수아와 만났었다는 이야기 등을 짤막하게 이야기했다.

"오호라, 흐음……. 뭐, 그 녀석이 우리한테 힘을 보태줄 리 없잖아. 과연 벤자민이 가짜인 줄 알지는…… 분명하지 않나. 됐어, 나중 문제지. 일단 들어와."

카심을 따라 방에 들어간 뒤 벨그리프는 제법 당황했다.

약품 냄새가 나는 방 안은 파르께하며 희미한 빛이 가득 차 있었는데, 게다가 쉴 새 없이 명멸하며 반짝반짝 빛나는 터라 현기증이 나는 기분이다.

아울러 방 한복판의 마법진 위에 누군가가 큰대자로 벌렁 쓰러져 있었다. 게다가 그 인물은 불어나거나 줄어들거나 하며 한시도 같은 형태를 유지하지 못하고 있다. 밀리엄이 눈을 깜빡깜빡했다.

"어, 아, 어라, 살라자르 씨? 어떻게 된 거야?"

"뭐, 순서대로 설명해줄게."

일단 전원이 방에 들어왔다.

방의 구석 쪽 어디에 있었던 마이트레야가 나타나서 벨그리프의 다리를 콕콕 찔렀다.

"늦어. 뭐하다 온 거야."

"하하, 미안하다, 미안해. 이래 봬도 꽤 서둘러서 왔단다."

"어떻게 된 거냐? 살라자르 녀석, 죽었나?"

마르그리트가 말했다. 카심이 어깨를 으쓱거린다.

"그런 건 전혀 아니다. 안제 때문이야, 이 녀석 상태."

"네? 무슨 뜻인가요?"

아넷사가 되물었다.

"순서대로 말해준다니까 성질 급한 녀석들이네. 뭐, 됐다. 대강 설명하면 살라자르와 슈바이츠 패거리가 한패였더라고."

"으음?"

다들 저절로 눈이 동그래졌다. 마이트레야가 재미있다는 표정을 지은 채 말했다.

"정확하게는 서로서로를 이용했던 거야. 슈바이츠와 벤자민이 사용하고 있는 이공간은 『뱀의 눈』이 만들어줬어. 슈바이츠와 벤자민은 그 공간을 이용해서 자기들 계획을 추진했고, 『뱀의 눈』은 녀석들의 영향 때문에 발생되는 현상을 관측했지."

"하지만 이 녀석을 탓해도 소용없어. 저번에도 한 말인데 살라자르한테는 선악의 구별도 양심도 전혀 없거들랑. 오직 자신의 호기심이 행동 규범이니까. 이 녀석이 자꾸 떠들어 대는 현상의 흐름을 관측하기 위해 슈바이츠 일당한테 이공간을 구축해서 넘겨줬던 거지. 안제가 잡혔다는 시공 감옥을 만든 사람도 이 녀석이야."

그런 사정이 있었던가, 벨그리프는 팔짱을 꼈다. 그렇다면 안젤린이 시공 감옥에 갇혔을 때 살라자르가 곧장 알아차렸던 것도 납득이 된다.

밀리엄이 의아하다는 표정을 지은 채 잇따라 모습이 바뀌고 있는 살라자르를 쳐다봤다.

"그건 알겠는데…… 왜 이렇게 된 거예요?"

카심이 껄껄 웃고는 중절모자를 고쳐서 썼다.

"이게 걸작인데 말이야, 안제가 시공 감옥의 관문을 돌파해서 공간에 마구 대미지를 주니까 이렇게 술사한테 반동이 돌아온 거다. 헤헤헷, 역시 안제는 대단하다니까."

"살라자르의 공간 마법은 독특해. 현상화한 자신의 마력과 몸소 만들어 낸 공간을 항상 연결시켜서 유지하지. 그러니까 안정성은 무척 뛰어나지만, 이렇게 돌파당하면 술사까지 불안정하게 흔들리게 돼."

"그렇군……. 이 짧은 시간에 용케 알아냈구나."

"나, 『흑색의 태피스트리』 마이트레야에게 걸리면 이 정도는 쉽지. 더 칭찬해도 좋아."

"그건 알겠는데 말이다, 이제 어떡할 거야. 살라자르는 저런 꼴이고."

마르그리트가 그렇게 말했을 때 묘한 소리를 내며 살라자르가 벌떡 일어났다. 젊은 남자의 모습이다. 그렇게 비틀비틀하며 큰 목소리로 웃는다. 카심이 모자를 고쳐서 썼다.

"마침 잘 깨어나줬다. 인마, 『뱀의 눈』. 정신 좀 차려봐."

"푸흐핫! 하하하하! 아주 유쾌하군! 훌륭하다, 『천개 파괴자』! 현상의 흐름도 점점 집약되고 있다네!"

"시끄럽고~ 네 헛소리는 이제 질렸어. 우리를 아주 지독하게 골탕 먹였지."

"카심. 살라자르 님이 이공간을 만들었다면 이쪽에서 진입할 수도 있나?"

"역시 벨이야, 이해가 빠른데. 아니, 사실은 말야. 이 자식은 시공 감옥을 딱 관리만 하고 웃기게도 간섭은 못 한다나 봐. 무슨 어쩌고 권한은 슈바이츠와 벤자민이 갖고 있다더라."

"그럼 어떡하라는 말이냐."

마르그리트가 역정을 내며 따졌다.

"그럼 이 녀석이 나설 차례지. 어때? 마이트레야."

마이트레야는 움찔거리며 몸을 떨었다. 아넷사가 고개를 갸웃거린다.

"그 아이가 뭔가……. 아, 전이 마법을 쓴다고 했죠."

"맞아! 『흑색의 태피스트리』, 실력자라고 말 많이 들었어~."

밀리엄의 말에 마이트레야는 표정을 살짝 누그러뜨리다가 퍼뜩 놀라며 머리를 흔들었다.

"그래도, 별로……. 슈바이츠한테 들킬 텐데……."

"이제 와서 뭔 소리냐. 여기까지 왔으면 들키든 안 들키든 다 똑같은 거다."

"으음……."

마이트레야는 떨떠름하게 입을 삐죽였다. 벨그리프의 등에 있는 대검이 화내는 듯이 윙윙거렸다. 마이트레야는 작게 비명을 지르더니 카심의 뒤에 숨었다.

"혀, 협박해도 굴하지 않아."

"검 상대로 강한 척하면 뭐하냐……. 이 녀석아, 부탁 좀 하자. 나도 네 마법은 인정한단 말이다."

"으, 으으으."

마이트레야는 포기했는지 숨을 내쉬고 벨그리프를 돌아봤다.

"……지켜줄 거야?"

"그래. 그런 약속이었으니까……. 부탁한다, 마이트레야."

벨그리프는 그렇게 말한 뒤 머리를 수그렸다. 마이트레야는 입을 꾹 다물고 카심의 옷을 잡아당겼다.

"일단 공간의 좌표를 특정해야 돼. 도와줘."

"옳지. 미리, 너도 도와줘라. 자, 이렇게 됐다, 『뱀의 눈』. ……응?"

방금 전까지 요란하게 웃고 있었던 살라자르가 아무 소리가 없다. 노인의 모습으로 바뀐 살라자르는 단안경의 안쪽에서 벨그리프를 빤히 쳐다보고 있었다.

"……오호라. 으음……. 그런가. 자네가."

"뭐냐? 벨이 뭘 어쨌다는 거야."

살라자르는 꾸물럭 젊은 여자의 모습으로 바뀌어서 턱을 쓰다듬었다.

"이 흐름은…… 여기에서 끝나는 게 아니군. 단락인가. 그런가. 음, 알겠다."

"인마, 좌표 특정할 거다."

"옳거니, 옳거니. 오늘은 좋은 날이다."

살라자르는 고분고분 협력했다. 또 골치 아픈 대화를 각오했던 카심이 오히려 당황할 정도였다.

마법사들이 모여서 각자 마력을 끌어 올리며 술식을 구축하고 있다. 반투명한 마법진이 공중에 다수 떠올랐다가 사라지며, 바람도 안 부는데 머리카락과 옷자락이 흔들거리고 있다.

옆에 선 마르그리트가 조용히 귓속말했다.

"있잖아, 그 공간에 직접 들어가서 어떡할 거냐? 안제만 구해서 나오는 거야?"

"……아직 뭐라고 말은 못 하겠는데 다만 안제만 구출해서 끝날 것 같지는 않구나. 아마 상대도 모종의 조치를 취할 테니까."

현상의 흐름. 마법사가 아닌 벨그리프는 저 말이 어떠한 의미인지 알 수 없었지만, 확실히 무엇인가 큰 힘에 휩쓸려 가는 것 같다는 자각은 있다. 그 흐름이 다다르는 곳에 무엇이 기다고 있을지 아직은 알지 못한다. 다만 이 여행의 종착점은 가깝다. 어째서인지 그런 예감이 든다.

이게 최선의 방법일까. 벨그리프는 알 수 없었다. 더 좋은 방도를 강구하지 못하는 자신의 모자란 힘이 분했다.

그러나 지금은 후회나 할 겨를이 없다. 모자란 대로 전진해야 할 때도 있는 법이다.

등에 멘 검이 작게 윙윙거렸다.

비슷하게 흐름에 올라타려는 인물들과 충돌하리라. 그런 예감이 벨그리프의 가슴속에서 자꾸자꾸 부풀어 올랐다.

121 밤이 으슥해지며 완연하게 짙은 밤의 어둠이

밤이 으슥해지며 완연하게 짙은 밤의 어둠이 머리 위로 드리워지고 있다. 줄곧 쏟아졌던 비는 다소나마 기세가 약해졌지만, 잔뜩 섞이는 진눈깨비가 지면에 거듭 쌓이며 마음을 답답하게 했다.

방 안의 황휘석 샹들리에가 밝게 빛나는 터라 창문에는 사람이 비칠 뿐 바깥은 보이지 않았다. 프랑수아가 머리 숙였다.

"밤늦은 시간에 불쑥 죄송합니다, 전하."

"아니, 괜찮아."

벤자민은 프랑수아와 동반해서 온 성당 기사 두 사람에게 눈길을 주며 웃었다.

"두 분까지 같이 어떠한 볼일이려나?"

"긴히 상담을 요청드리고자."

도노반은 적이 민망해하며 파르카에 의한 행패를 설명했다. 벤자민은 특별히 놀란 모습도 없이 흠흠, 고개를 끄덕이며 말을 들었다.

"오호라, 큰일이었네. 아주 난처했겠어……. 어쩌면 검이 오히려 파르카 군을 침식하는 게 아닐까 싶어."

"지금, 뭐라고?"

"저 검은 성장하거든. 즉 모종의 의사를 갖고 있다는 뜻이지. 그러니까 다른 사람의 피와 마력을 못 견디게 흡수하고 싶어 해. 그 검의 의사가 점점 파르카 군의 의식에 강한 영향을 끼치기 시작한 것 같네. 검 자체도 제법 강해진 분위기고."

도노반은 의아하다는 표정을 지은 채 파르카를 쳐다봤다. 파르카는 무표정으로 뒤에서 대기하고 있다.

"……쭉 마수만 베었던 것도 관계가 있겠습니까?"

"아마도? 벤 대상의 마력을 흡수하는 방식이니까. 다른 종류의 마력을 더 흡수시키면 그런 충동도 가라앉지 않을까?"

"흐음……."

그렇다면 더욱 서둘러 대검을 손에 넣어야겠군. 도노반은 턱을 쓸어 만졌다. 그 귀물을 마검으로 깨부수면 정순한 마력을 강탈할 수 있다. 단지 힘만을 불리는 것이 아니라 다른 사람을 베고 싶어지는 충동도 억제할 수 있겠지. 대검을 발견하지 못했다면 고위 성직자, 또는 엘프를 찾아 베어야 하는 상황에 몰렸을지도 모른다. 벤자민은 재미있다는 표정을 짓고 있었다.

"도노반 군, 뭔가 염두에 둔 게 있나 봐?"

"하하, 전하께서는 무엇이든 다 꿰뚫어 보시는군요."

붉은 머리 검사가 소지한 대검, 그것을 손에 넣고 싶다는 이야기를 들은 뒤 벤자민은 살짝 놀랍다는 표정을 지었다가 곧 히죽 웃었다.

"마침 잘 맞아떨어졌네."

"후후, 사실은 프랑수아 님에게 그 작자들이 전하께 대적한다는 말을 들어서 말입니다. 외람되오나 힘을 보태고자 합니다."

"오호라……. 응, 도움이 될 거야. 상대의 전력 중 강한 녀석을 하나 붙잡았지만, 아직 방심은 못 하는 상황이거든."

더욱 자세하게 대화를 나누려 할 때 불현듯 방 안에 별개의 기척이 나타났다.

"……!"

"파르카!!"

즉각 반응하여 검을 뽑아 들려고 한 파르카는 도노반이 고함지르자 움찔하며 몸이 얼어붙었다. 도노반은 파르카를 매섭게 노려봤다.

"방금 전 추태를 벌써 잊었나, 이 멍청한 놈!"

"……."

파르카는 풀 죽어서 고개 숙이며 막 나타난 상대를 바라봤다. 하얀 로브를 입은 남자가 서 있었다. 벤자민이 껄껄 웃는다.

"어서 와, 슈바이츠. 어디에 갔었던 거야."

슈바이츠는 눈까지 깊이 눌러쓴 후드 안쪽에서 싸늘한 안광을 보내왔다.

"……어째서 성당 기사가 있나."

"하하, 대충 서로의 이해가 일치됐거든. 적의 적은 아군이라잖아? 맞지? 도노반 군."

"예……."

도노반은 작게 머리를 숙였다. 분명 이해는 일치한다. 지금 잠깐은 슈바이츠를 외면해도 상관없다. 검을 제어하지 못하는 한 저 자를 상대하여 싸워도 승부가 되지 않을 것이다. 도노반 또한 성당 기사이다. 정죄 기관의 습격을 단신으로 거듭 물리친 상대를 우습게 보진 않는다.

슈바이츠는 성당 기사들을 훑어보다가 이윽고 흥, 코웃음 치더니 다시 벤자민을 마주 바라봤다.

“뭐, 되었다. 나와 관계없는 일이지.”

그러고는 로브 품에서 축 늘어져 있는 까마귀를 두 마리 탁자 위쪽에 아무렇게나 던져 놓았다. 까마귀들은 움직임은 없으나 죽은 것 같지는 않다. 벤자민이 「오오」 소리를 내며 일어섰다.

“과연 대단하구나, 너. 엘프의 결계를 결국 돌파한 건가.”

“다소 시간은 걸렸으나 마력 부족 때문에 옛 신과 맺은 계약이 약해졌을 테지.”

“엘프는? 죽였어?”

“그것은 아직 이용 가치가 있다. 『섬』의 감옥에 집어넣어 두었다.”

“하하하, 그랬구나. 오늘은 시공 감옥이 무척 떠들썩하겠어.”

“뭐라?”

슈바이츠의 눈매가 가늘어졌다.

“무슨 소리지?”

“아니, 나도 가만있던 게 아니라 『흑발의 여검사』를 가둬 놨거든. 『패왕검』과 버금가는 상대의 최대 전력이잖아? 그렇지만 알맹이는 그냥 계집애더라. 별거 아니야."

"이런 멍청한 놈!!"

웬만하면 말소리가 거칠어지지 않는 슈바이츠의 호통에 벤자민도 제법 당황했는지 놀라서 눈을 커다랗게 뜨고 깜박거렸다.

"왜, 왜 불쑥 화내는 거야. 문제없어, 『독실』에 넣어 놨다니까?"

"너는 그 계집의 실력을 과소평가하고 있다. 어째서 내가 돌아올 때까지 기다리지 않았나."

"아니, 상대가 태세를 다 갖추면 위험해지니까 먼저."

슈바이츠는 안달복달하는 분위기로 팔짱을 끼고 머리를 흔들었다.

"그 계집을 둘러싼 현상의 흐름에 휩쓸리지 않고자……. 나는 세심하게 주의를 기울여서 일을 추진했었다. 한데 너 때문에 전부 엉망이 됐군, 이 쓸모없는 자식."

이 발언에는 벤자민도 울컥 화가 솟았는지 탁자에 소리를 내며 난폭하게 손을 짚었다.

"있잖아, 네가 언제나 혼자 결론을 내고 아무것도 말 안 해주는 게 잘못이잖아? 그런 어수룩한 여자애 하나가 뭘 할 수 있겠어? 설마 『독실』을 돌파해서 『섬』까지 도착할 가능성이 있다는 거야?"

슈바이츠는 실망해서 한숨 짓고는 벤자민에게 모멸의 시선을 보냈다.

"……너는 이미 흐름에 휩쓸렸던 건가."

"뭐라고? 이봐, 슈바이츠. 네가 자꾸 이러면 나도 생각이."

"이제 되었다. 자기 실책은 스스로 수습하고 와라."

슈바이츠는 그렇게 말한 뒤 팔을 휘둘렀다. 그러자 방 안의 풍경이 꾸물럭 신기루처럼 비틀리더니 다음 순간에는 방 안에 있던 인물들은 한 사람도 남김없이 사라져버렸다.

○

"……그냥 응급 처치야."

"응, 고마워. 후후, 역시 솜씨가 좋구나."

다시 의복을 걸쳐 입은 사티는 빙긋이 미소 지었다. 안젤린은 허리에 찬 파우치 안의 간이 구급 도구로 아직 피가 배어나고 있는 사티의 상처를 치료했다. 어제 전투 때 칼에 베여서 당한 상처 이외에 타박상의 내출혈 따위도 있었다. 가만히 바라만 봐도 마음이 아팠다.

"어제도 네가 치료해줬는데 오늘도 이렇게 되네."

"혼자 무모하게……."

"그러게 말야. 내가 생각해도 좀 한심해."

사티는 쓴웃음 짓고 머리를 긁적였다. 안젤린은 뺨을 볼록거리며 사티의 뺨을 두 손으로 감싸 쥐었다.

"으냐……."

매끈매끈하며 말랑말랑 부드럽기에 이대로 쭉 만지고 싶다. 만났을 때부터 사티는 쭉 상처투성이였다. 더 아름다운 사람일 텐데. 안젤린은 뺨을 볼록거렸다.

"예쁜 사람이 이렇게 상처투성이로 다니면 아깝잖아."

"그거야 너도 마찬가지인걸. 봐, 여기는 잘못하면 멍들었을 거야."

사티는 손을 뻗어서 안젤린의 뺨을 꼬집었다. 이쪽도 막상막하로 부드러운가 보다. 두 사람이 같이 서로의 뺨을 꼬집고 있을 때 뒤쪽 방향에서 벤자민이 슬쩍 말했다.

"저기…… 슬슬 돌아서도 되려나?"

"앗, 미안. 괜찮아."

깜빡 잊었네, 안젤린은 머리를 긁적거렸다. 치료 중 옷을 벗어야 하니까 다른 데 보고 있도록 단단히 전했던 말을 벤자민은 성실하게 지켜줬다. 미녀를 잔뜩 거느리고 다녔다는 소문의 에로 황태자 치곤 고분고분해서 괜찮네. 안젤린은 혼자 고개를 끄덕거렸다.

사티가 쿡쿡 웃었다.

"죄송해요, 전하. 그나저나 설마 살아 계셨다니 깜짝 놀랐어요. 무사해서 정말 다행이에요."

"그, 그래. 고맙군. 나도 이런 곳에서 엘프와 만나게 되다니 깜짝 놀랐어. 사티라고 했던가. 너는 안젤린과 아는 사이 같다만……."

"제 친구의 딸이랍니다. 다만 이 아이는 어제 막 만났던 사이예요."

사티는 그렇게 말한 뒤 웃었다.

맞는 말이다. 그동안 이야기는 꽤 많이 들어왔지만, 직접 만나기는 어제가 처음이었다. 그런데도 무슨 까닭인지 편안함마저 느껴지는 것은 벨그리프의 옛 동료이기 때문이라는 이유가 크지 않았을까.

벤자민은 아무렇게나 자란 수염을 비비 꼬면서 쓴웃음 지었다.
"거참, 가능하면 좀 마음 편안한 곳에서 만나고 싶은 심정이야."
"정말 말이에요. 아무튼 우선 이곳에서 나갈 방법을 고민해보죠."
사티는 다시 진지한 표정으로 주위를 둘러봤다.
"사티 씨, 전이 마법은……?"
"여기선 못 써. 아까 감옥 안에서 시험해봤는데 튕겨 나오더라."
뭐, 슈바이츠가 나를 가둔 곳이니까 전이 쪽 대책은 마련해 놨겠지. 사티는 한숨 짓더니 다시 눈에 힘을 주었다.
"안젤린, 뭔가 단서는 찾아낸 게 있을까?"
"있잖아."
"응."
"안제라고 불러줘."
"으응?"
"……안젤린은 좀 거리감 느껴지니까."
사티는 잠깐 멍하게 굳어 있다가 느닷없이 해맑게 웃음을 터뜨렸다. 곧이어 손을 뻗어서 안젤린의 머리를 덥석덥석 쓰다듬는다.
"아하하하, 어휴, 너는 할 말은 하는구나. 알았어, 안제. 아무튼, 뭔가 알아낸 게 있을까?"
"이 섬에 오기 전까지 세 개의 공간을 지나왔어. 그곳들 전부 무언가 특이한 데가 있어서 거길 찔렀어. 여기선 저 달이 수상해."
안젤린은 그렇게 말한 뒤 옆얼굴 초승달을 가리켰다. 사티는 흠흠 고개를 끄덕거렸다.

"확실히, 감금용 공간은 간섭 가능한 열쇠를 만들어 놔야 하거든. 수수께끼 풀이나 아님 수호자라거나……. 일단 조사해봐야겠네."

"수수께끼 풀이는 알겠는데……. 수호자?"

"맞아. 요컨대 감옥지기야. 그 녀석을 쓰러뜨리면 자물쇠가 풀려."

아하, 맨 처음 방의 붉은 구체 비슷한 게 수호자였구나. 안젤린은 생각을 떠올렸다.

"뻔히 보이니까 괜찮긴 한데 대부분 만만찮은 적이 나타나. S랭크 마수 수준의 상대일 거야."

"그 정도면 낙승이야. 맡겨줘."

척, 엄지손가락을 세우는 안젤린을 보고 사티는 또 웃었다.

"어휴, 아까부터 되게 재밌네, 안제! ……벨 군은 정말로 좋은 아버지구나."

"응! 세상에서 제일 자랑스러운 아빠야!"

안젤린은 그렇게 말한 뒤 가슴을 폈다. 사티는 빙긋 웃더니 한껏 숨을 들이마셨다.

"좋아, 가볼까? 전하, 걸을 수 있겠어요?"

"그래. 전투에서는 되도록 좀 빼주면 좋겠다만."

"네가 도움 될 거란 생각은 전혀 안 하니까 괜찮아."

"……그야 사실이지만. 꽤나 신랄하구나, 안젤린은."

벤자민은 쓴웃음 짓고 머리를 긁적거렸다.

셋은 나란히 걸음을 뗐다. 벽을 등 뒤에 두고 숲으로 나아간다. 가까워짐에 따라 콧속을 푹 찔러 들어오는 냄새가 점점 강해졌다.

달빛이 그림자를 길게 뻗친다. 안젤린은 이따금 고개를 들어 올려서 하늘의 달을 올려다봤지만, 달은 자꾸자꾸 높아지기만 할 뿐이라 가까이 다가가도 손이 닿을 것 같지는 않았다. 벤자민이 중얼거렸다.

"……높구나. 저것을 부수겠다고?"

"아직은 몰라……. 일단 조사해봐야지."

저 달과 전투가 벌어진다면 검사인 안젤린에게는 조금 감당하기가 어려울 듯싶었다.

『대지의 배꼽』에서 바하무트와 싸웠을 때는 날아다니는 권속 물고기들을 발판으로 써서 뛰어오를 수 있었지만, 비슷하게 써먹을 게 보이지 않는다. 별똥별 따위를 권속으로 날려 보내준다면 차라리 발판이 생겨 편했을 텐데, 안젤린은 괜히 아쉬워했다.

"사티 씨는 마법이 전문이야?"

문득 궁금해져서 물어본다. 벨그리프의 옛적 이야기에서 사티는 젊은 시절의 퍼시벌과 동격의 검사라고 했다. 사티는 「글쎄」라며 시선이 흔들거렸다.

"지금은 마법도 많이 쓰는데 기본적으로는 검사야."

"검은? 숨겨 놓았나?"

벤자민이 물었다. 사티는 웃음 지으며 어깨를 으쓱였다.

"숨겨 놓았다고 표현할 수도 있겠네요. 요컨대 마력으로 눈에 안 보이는 검을 만들어서 사용하는 경우가 많아졌거든. 진짜 무기는 안 들고 다닌 지 오래됐지만……. 이런 공간에선 진짜가 아니면 안 되는걸. 반성해야겠어."

"아까 감옥을 탈출하지 못했던 게……?"

"응. 변명 비슷한 말이 되겠지만, 지금 난 다른 곳에 상당한 마력을 소비하고 있어서 마력의 검도 질이 좀 떨어지나 봐. 안 그래도 이런 공간은 마법에 대한 저항력이 상당히 높으니까……. 안제가 와줘서 다행이었어, 정말."

또 머리를 쓰다듬어주기에 안젤린은 살짝 뺨을 붉혔다. 왠지 사티의 이런 손길이 무척 기뻤다.

아무튼 간에 사티도 마탄 정도를 사용할 수 있다 뿐이지 원거리는 썩 특기가 아닌 듯하다. 아직 달이 열쇠라는 결론이 나진 않았지만, 역시 저것이 수상하다는 생각이 든다.

어릴 적 안젤린은 벨그리프에게 달을 따다 달라고 졸랐던 적이 있었다고 한다. 머릿속에 어렴풋한 기억이 남아 있다. 그때 벨그리프는 어떻게 해주었더라.

큰 파슬리의 잎 사이로 달빛이 새어 들어오며 지면을 아롱아롱 비추고 있다. 체크무늬 지면과 어우러져서 뭔가 정신 사납다. 가만히 보면 현기증이 날 것 같다. 조금 배가 고파졌다는 생각도 든다.

쏴아, 잎사귀가 흔들거렸다. 사티가 걸음을 멈춘 뒤 수상하다는 표정을 지으며 눈에 힘을 주었다.

"공간이……. 뭔가 나타난, 건가?"

안젤린은 등에 오싹한 감촉을 느끼며 검을 뽑아 들었다.

"이리 와!"

사티는 벤자민을 끌어안으며 안젤린에게 바짝 다가붙었다.

갑자기 뭔가 거뭇한 덩어리가 까악까악 울음소리를 내며 나무들 사이를 누비며 다가왔다.

두 마리의 까마귀다. 날개를 펄럭거리며 덮쳐든다. 발톱도 부리도 예리하기에 눈을 찔리면 큰일이다. 벤자민은 무슨 일인가 알지 못한 채 으허헉 비명 지르며 몹시 당황했다.

"큭, 이게!"

안젤린이 까마귀를 냅다 베고자 했을 때 사티가 핼쑥해져서 제지했다.

"잠깐!"

"어, 그치만."

"저 아이들은 하루와 마루야! 어째서……."

"뭐?!"

저 까마귀가 쌍둥이라니? 안젤린은 어쩔 줄 몰라 하며 잘 살펴보려 했지만, 어둡기도 하고 이리저리 막 움직이는 터라 알아볼 수가 없었다. 일단 베이지 않게 검의 옆면을 써서 겨우겨우 쫓아냈다. 까마귀들은 날아올라 가지에 앉아서 까악까악 울었다.

숨 돌릴 틈조차 없이 이번에는 다른 그림자가 미끄러지듯 다가들었다. 안젤린은 퍼뜩 놀라며 자세를 갖춘 뒤 그림자를 요격했다. 검사인가 보다.

"크윽……!"

상대는 무시무시하게 민첩한 움직임으로 종횡무진 뛰어다니며 안젤린을 휘둘렀다. 힘겹게 공세를 버텨 내면서 안젤린은 소리 질렀다.

"사티 씨! 괜찮아?!"

"나는 신경 안 써도 돼!"

힐끔 봤더니 사티는 보이지 않는 검으로 습격자의 공격을 방어하며 벤자민까지 같이 지키고 있었다. 역시 이 사람도 여간내기는 아니구나. 안젤린은 조금 기뻐하다가 좋아할 때가 아닌지라 곧 마음을 다잡았다.

"이, 녀석이!"

위에서 급강하하는 그림자의 공격을 방어한 뒤 완력으로 다시 밀어냈다.

습격자는 폴짝 뛰어서 물러나더니 뭔가 기뻐하는 모습으로 검을 빙글빙글 돌렸다. 소년이다. 토끼 귀가 머리에서 흔들리고 있다.

"뭐야, 도대체……."

"그건 내가 할 말인데."

다른 목소리가 들렸다. 고개 돌리자 깔끔하게 옷을 차려입은 황태자 벤자민, 즉 가짜가 서 있었다. 옆에는 프랑수아 및 토끼 귀 소년과 같은 복장을 입은 탄탄한 체격의 남자가 서 있다. 벤자민은 그들을 보고 숨을 죽였다.

"너는……. 게다가 왜 성당 기사가."

"하하, 소개할까. 이쪽은 성당 기사 도노반 경, 저쪽은 파르카 군이야."

벤자민은 고개 숙였다. 가짜는 어깨를 으쓱거렸다.

"그나저나 난처한데. 이러면 슈바이츠한테 혼나도 어쩔 수 없잖아……. 안젤린, 너는 꽤 대단하구나. 역시 적으로 놔두기엔 너무 아쉬워."

"……적당히 좀 포기하지? 너희는 나를 절대로 이기지 못해."

"글쎄? 네가 혼자라면 또 모를까, 짐덩이를 둘이나 데리고 있는 지금은 오히려 불리하지 않아?"

뒤에서 또 다른 기척이 느껴졌다. 안젤린은 슬쩍 뒤쪽을 돌아봤다. 하얀 로브를 입은 남자가 팔짱을 끼고 서 있었다. 슈바이츠다. 그 옆에는 텅 빈 눈빛의 메이드가 대기 중이다.

포위당했다. 썩 좋은 상황이라는 말은 못 하겠다.

벤자민은 말할 필요도 없고 사티도 온전한 상태가 아니었다. 이 녀석들을 상대하기에는 조금 염려가 되었다.

그때 벤자민이 비틀비틀 일어서서 입을 열었다.

"잠깐, 도노반 경, 그 남자는 황태자가 아니다……."

"뭐라?"

본인도 칼자루에 손을 올려 두었던 도노반은 의아하다는 표정으로 벤자민을 쳐다봤다. 벤자민은 입을 움직이기가 쉽지 않은 처지임에도 계속 말했다.

"내가…… 진짜 벤자민이다. 그 남자에게 유폐되어 바꿔치기당했던 거야……. 그 남자에게 황실의 피는 흐르지 않는다. 속지 마라."

도노반은 곁눈질로 가짜가 있는 방향을 돌아봤다. 가짜는 조금도 당황하는 기색이 없이 조소를 띠며 서 있다. 도노반은 벤자민에게 눈길을 돌렸다.

"……증거는?"

"지금 당장은……. 그래도, 분명 가짜다. 옛날의 나와 딴판으로 바뀌었다는 것은 경도 잘 알 텐데."

"그래서? 가짜인 내가 구태여 선정을 펼치기 위해 무능한 황태자를 유폐했다는 말을 하려는 건가?"

가짜가 끼어들어서 반박하자 벤자민은 입술을 깨물었다. 가짜는 쿡쿡 웃었다.

"가짜를 준비하려면 좀 제대로 된 남자를 데려왔어야지, 안젤린. 자, 도노반 경, 귀공은 어느 쪽이 진짜라고 생각하시나?"

도노반은 어깨를 으쓱거리고 힐끗 벤자민을 노려봤다.

"전하의 이름을 사칭하는 괘씸한 자로군. 가짜를 추대하고자 하는 일당과 한꺼번에 주신을 대신하여 벌을 내려주겠다."

"큭……."

벤자민은 낙담하며 힘없이 무릎 꿇었다. 사티가 어깨를 쓰다듬으며 달래줬다.

"전하, 누가 뭐래도 진짜는 전하세요."

벤자민은 차마 대답이 안 나오는지 고개를 숙이고 있다.

안젤린은 방심하지 않고 주위를 둘러보며 칼자루를 고쳐 쥐었다.

슈바이츠는 강적이며 파르카도 상당한 실력자다. 도노반도 약해 보이지는 않았다. 저 메이드도 방심하면 안 될 듯하다. 가짜 벤자민은 썩 강한 인물은 아닌 것 같지만 정체를 알 수 없었다. 까마귀 하루와 마루도 이쪽을 위협하듯 울부짖고 있다.

상대의 수법을 알지 못하는 게 가장 불안한 요소다. 안젤린은 혀를 찼다.

자신 혼자라면 탈출할 수 있다는 자신감이 들지만, 벤자민과 사티를 무사하게 지키자는 생각을 하면 꽤 어려워진다. 안젤린이 파고들어서 공격을 펼친 순간에 손이 빈 상대는 곧장 두 사람을 노릴 것이다. 설령 가짜 벤자민과 슈바이츠를 무찌르는 데 성공하더라도 사티와 벤자민이 죽게 된다면 아무 의미가 없다.

가짜 벤자민이 껄껄 웃으며 두 팔을 벌렸다.

"자, 보자, 약한 사람을 괴롭히는 것 같아서 마음이 안 내키지만……. 각오는 되었나?"

"흥……. 되게 주절주절 떠드네. 벌써 다 이겼어?"

"흐음, 아직도 저항을 할 작정인 건가?"

"당연하지. 넌 우리를 너무 우습게 보네……. 검은 코트 사람은 어디에 있어?"

"헥터 말이군? 글쎄, 다른 임무를 맡겨서 보냈을 뿐이야."

"……흥."

안젤린은 슬며시 사티를 돌아보며 고개를 살짝 끄덕거렸다. 사티는 미소 지었다. 안젤린은 앞을 향한 뒤 칼날의 끝부분을 가짜 벤자민에게 겨눴다.

"이젠 빌어도 안 봐줘."

"하하, 무섭군, 무서워."

따각, 신발 밑창이 지면을 디디는 소리가 나더니 곧 파르카가 화살처럼 뛰어서 안젤린에게 검을 휘둘렀다.

안젤린은 방어할까 망설이다가 살짝 움직여 피한 뒤 파르카의 팔을 붙잡아서 기세를 실어 뒤쪽으로 던져버렸다.

사티는 파르카를 피하는 모양새로 벤자민을 안아 과격하게 옆으로 뛴다. 안젤린은 거기까지 확인한 뒤 무시무시한 기세로 앞쪽에 몸을 날렸다. 가짜 벤자민과 도노반, 프랑수아가 다들 당황하며 눈을 부릅떴다.

안젤린은 그대로 검을 끝까지 휘두르려고 했지만, 도노반이 앞에 나서서 방어했다.

"끄윽! 이런 위력이라니……!"

안젤린의 검격에 실린 무게를 미처 감당하지 못한 도노반은 비틀비틀 물러나며 얼굴을 찌푸렸다.

"전하, 물러나십시오!"

프랑수아도 검을 뽑아서 앞에 나섰다. 가짜 벤자민은 뒤로 물러났다.

안젤린은 즉각 프랑수아의 목을 날려버리려다가 리젤로테의 얼굴이 머릿속을 스쳐 갔기에 손을 멈췄다. 결국 또다시 뒤로 뛰어서 사티와 벤자민의 곁에 돌아왔다. 유감없이 베어 넘겨도 되는 상대만 있는 것이 아니다. 제약이 많아 난처하다. 안젤린은 혀를 찼다.

저 너머까지 던져서 날려 보냈던 파르카가 검을 치켜들며 돌아오고 있다.

사티가 소리 질렀다.

"안제! 저 토끼를 상대해줘!"

"응!"

안젤린은 파르카의 검을 막아서 다시 밀어냈다. 사티는 텅 빈 눈빛의 메이드가 다가들며 펼친 일격을 막아 냈다.

파르카는 온몸으로 유열을 가득 쏟아 내면서 검을 휘두른다. 칼날이 맞부딪칠 때마다 묘한 피로감이 덮쳐들었기에 안젤린은 얼굴을 찌푸렸다. 힘을 한껏 실어서 검을 쳐내고 앞으로 밀어 파르카의 배를 걷어찼다. 파르카는 등부터 쓰러지는 도중 두 손을 짚고 재주를 넘어 서더니 이상하다는 표정을 지은 채 걷어차인 배를 만지작거렸다.

"소름 끼치는 녀석……."

안젤린은 입을 삐죽거리며 다시금 검을 들어 올렸다. 한편 사티도 메이드를 밀어내고 거친 호흡을 가다듬고 있었다.

"제길, 이런 정도로……."

"사티 씨, 무리하지 마."

"무리 안 하면 이기지 못해, 안제. 특히 슈바이츠를 어떻게든 상대해야 할 텐데……."

안젤린은 뒤쪽에 서 있는 하얀 로브 차림의 남자를 본다. 이렇다 할 움직임은 딱히 없지만, 방심하지 않고 이쪽을 주시함은 알 수 있었다.

불현듯 상공에서 날갯소리가 났다. 안젤린이 퍼뜩 놀라며 검으로 방어한다. 날카로운 발톱이 칼날을 가격하자 자루를 쥔 손까지 떨렸다.

"큭……!"

"하루! 마루! 나야! 못 알아보겠어?!"

사티가 비통한 목소리로 부르짖는다. 그러나 두 마리의 까마귀는 까악까악 아우성치며 덮쳐들기만 한다. 파르카와 메이드도 앞뒤에서 협공을 하며 들이닥쳤다.

"사티 씨! 뒤에!"

안젤린은 파르카의 검을 막았다. 사티도 메이드를 요격한다.

방금 전 돌격이 효과를 거두어서 도노반과 프랑수아는 경계하며 가짜 벤자민을 지키고 있었다. 다만 이대로 가면 공세로 전환하지 못한 채 체력이 다할 것이다.

"안제!"

불현듯 사티가 반전하며 안젤린을 밀치더니 보이지 않는 검으로 파르카를 튕겨서 날려 보냈다.

상공에서 급강하하여 나타난 까마귀가 그 뒤를 지나쳐 갔다.

안젤린은 사티와 교대하는 모양새로 이번에는 뒤쪽의 메이드가 펼친 공격을 막아 냈다. 아울러 곧장 카운터로 두 동강이를 내려 했지만, 메이드가 즉시 뒤쪽으로 몸을 빼내버렸다.

안젤린과 사티는 다시 벤자민을 사이에 두고 등지며 대치했다.

안 좋은데. 혀를 찼다. 상대는 이쪽이 지치기를 기다리고 있다. 따라서 치고 들어갈 틈이 안 나온다. 어서 결판을 내고 싶었지만, 공세에 나서면 지켜야 할 사티와 벤자민이 위험해진다.

파르카는 퉁퉁 발뒤꿈치로 지면을 차다가 다시 육박했다. 안젤린도 발을 내디디며 검을 맞댄다. 몇 합을 주고받은 뒤 안젤린은 몸을 낮췄다.

"……! 거기!"

파르카가 붕 휘두르는 일격을 피해 접근하며 검을 역수로 쥐고 옆구리를 베어 가른다. 선혈이 쏟아져서 성당 기사의 하얀 복장을 붉게 물들였다.

—못 뚫었어!

피부만 베었음을 깨닫는 동시에 파르카는 움직임을 늦추지 않고 위에서 칼자루로 안젤린의 어깨를 힘껏 때렸다. 갑옷 너머로도 무시무시한 충격이었기에 안젤린은 못 버티고 무릎 꿇었다.

파르카도 뒤로 물러나서 옆구리의 상처를 문지르고 있다. 전투 중 흥분 상태이기 때문인지 조금도 타격을 받은 모습이 아니었다.

메이드의 공격을 겨우겨우 받아치던 사티도 이제껏 쌓인 피로와 상처가 같이 부담이 되어 힘들어 보인다.

스스로는 딱히 뜻하지 않았는데도 자꾸 뒤쪽이 신경 쓰여서 주의가 흐트러져버린다. 이대로 가면. 불안해하던 때 거대한 마력의 분류를 감지했다.

『예리하게 연마된 병의 바람에, 발갛게 물든 그 바닥에, 천치의 꿈은 흩날

려 떨어진다.』

슈바이츠가 있는 곳에서 묵직하고 싸늘한 마력이 북풍처럼 흘러와 일행을 둘러쌌다.

아차, 이런 때 대마법까지. 안젤린은 혀를 찼다. 호락호락 상대에게 준비 시간을 허용해버렸다. 마력은 마치 가느다란 바늘처럼 따끔따끔 피부를 찔렀다.

이렇게 된 이상 하다못해 사티만이라도 지키자 싶어 안젤린은 몸을 돌려서 사티의 어깨를 감싸 안았다. 그러곤 지면에 밀치다시피 함께 쓰러진다. 마력은 덩어리가 되어 불길한 기세를 가득 뿜어내며 덮쳐들었다.

그 순간이었다.

『손가락 끝에서 힘은 이어지리라. 실은 엮여서 끈이 되고, 저 멀리 멍에의 턱을 부수리라.』

불현듯 나선 형상으로 소용돌이치는 마력이 느껴지는가 싶더니 그것이 쇠뇌로 발사한 화살과 같은 기세로 날아왔다. 그렇게 안젤린과 사티를 뒤덮으려고 했던 마력과 부딪쳐서 강렬한 소리를 울리며 터져 나간다. 무엇인지 이미 아는 대마법이었다.

"……하르트 란가의 창?"

"에라! 썩 비켜라, 토끼 자식아!"

잘 아는 목소리가 들렸다.

검과 검 부딪치는 소리가 난다.

화살이 공기를 찢어발기는 소리, 번개 내리치는 소리가 난다.

안젤린은 얼굴을 들어 올렸다. 그 아래에서 쓰러져 있는 사티는 무슨 일인지 알지 못하여 어리둥절하는 모습이다. 벤자민은 두 손으로 머리를 부여잡은 채 몸을 웅크리고 있었지만, 딱히 부상을 당한 것 같지는 않았다.

"안제! 괜찮니!"

또 다른 목소리가 들렸다. 저 말소리를 듣자마자 안젤린의 몸 깊숙한 곳에서부터 기쁨과 활력이 가득 끓어오른다. 망설임 없이 벌떡 일어났다.

"아빠! 애들아!"

주위에서 전투가 벌어지고 있었다.

마르그리트가 파르카와 칼을 맞대고, 아넷사와 밀리엄이 텅 빈 눈빛의 메이드를 상대하고 있다. 카심은 슈바이츠의 앞을 가로막았고, 자신들과 가짜 황태자 사이에는 안젤린이 몹시도 좋아하는 등이 보였다.

안젤린은 사티를 부축해서 일으켜줬다. 사티는 입을 헤벌린 채 적발 남자의 등을 바라보고 있었다. 남자가 고개 돌렸다.

"미안, 늦게 왔구나……. 다행이야. 무사해서."

"어, 아……."

사티는 입을 뻐끔뻐끔하다가 느닷없이 굵은 눈물방울을 두 눈으로 가득 쏟았다.

"아하, 아하하……. 아저씨가, 됐네, 벨 군……."

"……너는 조금도 변하지 않았구나, 사티."

벨그리프는 살짝 쑥스러워하며 웃고는 손에 든 대검을 고쳐 쥐었다.

122 대검의 윙윙 소리가 자루를 쥔 손에서

대검의 윙윙 소리가 자루를 쥔 손에서 온몸에 울려 퍼지고 있다. 배 속이 묵직하게 채워지며 머릿속도 차분하지는 심정이다.

베일을 한 장 사이에 드리운 듯한 기억 속 윤곽이 뚜렷해지며 선명하게 빛을 발하는 느낌이 든다.

엘프 사티는 옛 시절에서 달라지지 않았다. 아름답고 매끄러운 은발, 부드러운 인상의 용모와 달리 강한 의지를 짐작케 하는 두꺼운 눈썹. 다만 얼굴 생김새는 비록 달라지지 않았을지라도 왠지 어른스러워 보이는 까닭은 서로가 나이를 먹었기 때문일까.

더 찬찬히 바라보고 싶었지만, 지금은 여유를 부릴 상황이 아니었다. 먼저 눈앞의 상대에게 집중해야만 한다.

"벨 군, 저 까마귀들은 죽이지 말아줘."

사티가 말했다. 벨그리프는 눈동자만 위로 향했다. 거대한 파슬리의 가지에 까마귀가 두 마리 앉아서 이쪽을 보고 있었다. 벨그리프는 훗, 입가에 미소를 띠었다.

"알았어."

"미안. 사실은 다른 이야기를 더 하고 싶은데."

사티가 가만히 말한 뒤 씁쓸하게 웃었다. 벨그리프는 미소 지었다.

"전부 다 끝나면 천천히 이야기하자."

"아하하, 묻고 싶은 게 잔뜩이야. 해주고 싶은 이야기도."

벨그리프는 눈웃음을 지었다가 주위 전투를 가볍게 둘러봤다.

방금 전 막 만났었다고도 말할 수 있는 성당 기사들의 모습이 보인다.

프랑수아의 뒤쪽에 있는 남자가 소문 자자한 황태자일 테지.

카심과 대치하고 있는 남자는 상당한 실력자인 듯하고, 근거리가 전문이 아니라곤 해도 아넷사와 밀리엄을 혼자 상대하고 있는 메이드도 평범한 인물은 아니었다.

황태자의 차림을 한 남자가 슬쩍 웃었다. 다만 눈은 웃지 않는다.

"백마 탄 왕자라기에는 조금 누추한데. 아이고, 일이 난처해졌어."

곧이어 벨그리프의 뒤에 살금살금 숨어 있는 조그만 인영을 보고 눈살을 찌푸렸다.

"이봐, 마이트레야. 어째서 그쪽에 가 있지?"

마이트레야는 「흐앗」 작게 비명을 질렀다만, 곧 생각을 고쳐먹었는지 벨그리프의 그림자 안쪽에서 얼굴만 쏙 내밀어 혓바닥을 메롱 내밀었다.

"나는 이기는 쪽 편을 든 거야. 단순해."

안젤린이 의아하다는 표정을 짓고 물었다.

"누구야, 너."

"나는 마이트레야. 『흑색의 태피스트리』라는 칭호를 가진 위대한 마버—."

마이트레야가 말을 마치기 전에 카심과 슈바이츠의 마법이 충돌하여 요란하게 소리를 냈다. 벤자민은 절레절레 머리를 흔들었다.

"……너한텐 실망했어. 괜찮아, 한꺼번에 처리해줄게."

벤자민은 눈을 감더니 뭔가 자그맣게 영창을 시작했다. 도노반이 눈살을 찌푸리며 검을 들어 올렸다.

"……거참, 너도 참 놀라운 녀석이군……. 어쨌든 마침 잘됐다."

"도노반 님, 저와 당신들이 싸울 이유는 아무것도 없을 텐데요."

"흥, 제국의 반역자 주제에 무슨 망언인가. 네 딸은 전하를 가짜라 호칭하며 검을 겨누었을 뿐 아니라 저 부랑자를 진짜 전하라고 지껄이기까지 했다. 처단하기에는 충분한 이유 아닌가?"

벨그리프는 놀라서 뒤를 돌아봤다. 안젤린과 사티의 옆에 초라한 차림의 남자가 몸을 웅크리고 있었다. 벨그리프의 시선을 받은 안젤린이 긍정했다.

"이 사람이 진짜야. 여기에 잡혀 있었어."

"그랬나……."

예상한 대로 진짜 벤자민을 죽일 순 없었나 보다. 어떻게든 도노반을 설득하고 싶지만, 지금 상황에서는 평화적인 해결을 바라기도 어렵지 않을까. 싸울 수밖에 없나.

도노반도 실력은 꽤 괜찮은 듯하다. 막무가내로 덤벼드는 것이 아니라 벨그리프의 동태를 관찰하며 차츰차츰 간격을 가늠해서 온다. 갑작스레 나타난 원군의 규모를 확인하려는 의도 같았다.

벨그리프도 방심하지 않고 도노반을 주시하면서 일거수일투족에 반응하여 살짝살짝 움직였다.

안젤린이 퍼뜩 놀라며 눈을 커다랗게 떴다.

“아빠! 잠깐만 갔다 올게!”

안젤린은 나는 듯이 달려가더니 밀리엄에게 나이프를 꽂으려 하고 있었던 메이드를 걷어차서 날려버렸다. 밀리엄이 핼쑥해져서 부들부들 떨었다.

“고고고마워, 안제……. 죽는 줄 알았네.”

“이 녀석은 내가 상대할게. 너희는 아빠의 뒤를 지켜줘.”

“알았어. 역시 후위끼리 전위 상대는 많이 어렵네.”

아넷사가 쓴웃음을 지으며 단검을 허리의 칼집에 꽂고 밀리엄과 뒤로 물러났다.

벨그리프는 다시금 검을 겨눴다.

“……사실은 대화로 해결하고 싶지만, 순순히 말을 들어줄 분위기가 아니군요.”

“흥. 그 사자 같은 남자는 없는 건가. 검은 훌륭하다만 너 따위에게 실력으로 뒤지지는 않는다……. 파르카!”

도노반이 고함지르자 마르그리트를 상대하던 파르카가 되돌아왔다. 안젤린에게 베인 옆구리의 피는 이미 멎었다.

“좋은 기회다. 저놈을 죽이고 검을 파괴해라. 저 엘프는 내가 넘겨받겠다.”

그렇게 말한 뒤 도노반은 파르카를 쫓아온 마르그리트에게 향해 나아갔다.

파르카는 벨그리프를 보자 눈에 띄게 기뻐하며 검을 겨누더니 다음 순간에는 이미 몸을 날렸다. 상단에서 내리찍는 참격이다. 대검을 들어서 막자 파르카의 검에 실린 마력과 충돌하여 마력의 파편이 불꽃처럼 흩날렸다. 검이 윙윙 소리를 울렸다.

벨그리프는 소리 질렀다.

"사티! 달릴 수 있나?!"

"아, 응!"

"장소가 안 좋다! 전하를 모시고 숲에서 나가라! 미리! 아네! 둘을 부탁하마! 마이트레야, 다른 사람들과 같이 있거라!"

벨그리프는 그렇게 말한 뒤 대검을 옆으로 붕 휘둘렀다. 파르카가 뒤로 뛰어서 공격을 회피한다. 그러나 검은 옆쪽에 선 커다란 파슬리 나무를 쑥 베어 쓰러뜨렸다. 나무는 소리를 내며 쓰러지면서 막 다가들려고 하던 파르카의 앞길을 가로막았다.

"달려라!"

머리 위에서 날갯소리가 들렸다. 까마귀가 사티 쪽 일행을 쫓아가고 있다.

다른 일행들이 뒤로 달려가는 기척을 느끼며 벨그리프는 도구 주머니에서 섬광탄을 꺼내다가 집어 던졌다. 그것은 파슬리의 가지를 베어 넘기며 다가오던 파르카의 눈앞에서 터져 강렬한 빛을 쏟아 냈다.

"……윽!"

밤의 어둠 한복판에서 갑작스레 눈을 덮치는 섬광에 시야가 아찔해지자 파르카는 당황하며 멈춰 섰다.

그 빈틈을 놓치지 않은 벨그리프가 앞으로 뛰쳐나가서 검 옆면으로 파르카의 팔을 가격했다. 파르카는 숨을 쥐어짜는 듯한 비명을 내지르며 무릎 꿇었다. 분명 상당한 충격이었을 텐데도 끝내 검을 놓치지 않은 것은 검사의 고집이었을까.

"미안한데 그 검을 곧이곧대로 받아치고 싶진 않구나. 잠시 잠들어 있거라!"

벨그리프는 자세를 낮춘 뒤 이번에는 명치에 손바닥으로 일격을 때려 박았다. 폐에서 공기가 죄다 도망쳐 나오며 파르카가 눈을 까뒤집고 벌렁 엎어져 쓰러진다. 그때 저 너머에서 다시 대마법이 서로 부딪치며 큰 충격이 파슬리 숲을 뒤흔들었다.

터져 나오는 마법의 잔재가 빛의 줄기를 이루어 허공으로 흩날리고 있다. 그것들은 명멸하면서 마치 생물처럼 이리저리 움직이다가 이윽고 녹아내리듯이 사라져버린다.

서로 부딪치는 마법의 충격 때문에 떨어져서 흩날리는 파슬리 잎의 상쾌한 냄새가 분명 긴장해야 할 상황과 도통 어울리지를 않는지라 카심은 중절모자를 내리누르며 웃었다.

"헤헤헷, 배가 푹 꺼지네, 자꾸."

맞은편의 슈바이츠는 얼굴을 찌푸린 채 일정 거리를 유지하며 카심을 쳐다보고 있다.

카심은 손가락을 돌렸다. 터져 나가서 가닥가닥으로 흩날리던 마력이 소용돌이치며 다시 모여든다. 슈바이츠는 한숨을 섞어 중얼거렸다.

"……까다로운 남자군."

"그거야 서로 마찬가지지."

카심은 손가락 끝을 슈바이츠에게 겨눴다. 모여든 마력이 창날을 형성하여 슈바이츠를 겨냥한다.

"나는 네가 아니라 친구와 얘길 하고 싶은데 말이다."

"그런가."

"결국 너희는 뭘 꾸미는 거야? 세계 정복이라도 할 셈이냐?"

슈바이츠는 냉소를 띠었다.

"이 세계에 그만한 가치가 있다 생각하나?"

"별로 그렇다고 생각은 안 했었지, 지금까진. 그래도 지금 와서는 나도 이런저런 게 제법 사랑스럽더라고. 너희가 자꾸 난장을 치고 다니겠다면 한 몸 바쳐서 때려잡을 만큼은 말야."

카심이 손가락 끝을 살짝 움직였다. 예리한 마력의 창 다수가 한꺼번에 슈바이츠에게 덮쳐들었다.

그러나 슈바이츠는 마력의 벽을 세워서 죄다 막아버렸다. 아울러 반투명한 벽이 부풀어 올라 카심이 있는 방향에 들이닥친다.

카심은 폴짝 뒤로 뛰더니 팔을 휘둘러 올렸다가 내리쳤다. 위쪽 방향에 묶여 있었던 마력 덩어리가 커다란 쇠망치처럼 마력의 벽을 때렸다. 강렬한 진동을 느낀 슈바이츠가 무사한 안쪽에 있음에도 눈살을 찌푸린다.

"뭐냐, 수비만 할 거냐?"

이어서 카심이 두 손을 지면에 댔다. 몸속의 마력이 손을 매개로 지면에 스며들어서 땅속을 무시무시한 기세로 뚫고 슈바이츠가 있는 곳으로 움직인다.

슈바이츠는 꿈틀 반응하며 열 걸음 가까운 거리를 한 발짝으로 뛰어서 물러났다. 방금 전까지 슈바이츠가 있던 장소에는 지면에서 창 형태의 마력이 튀어나와 있었다.

"과연 호락호락하진 않구나."

카심은 그렇게 말한 뒤 히죽 웃었다. 슈바이츠는 묵묵히 손가락을 움직였다. 카심의 양옆 공간이 마치 표적을 정해 찌부러뜨리려는 것처럼 질량을 갖고 들이닥쳤다.

카심은 퍼뜩 놀라며 몸을 굽히더니 옆으로 뛰어 회피했다. 서로 충돌한 공간은 조금 흔들리다가 곧 아무런 일도 없었다는 듯이 원래대로 돌아갔다. 숨 돌릴 틈조차 없이 이번에는 지면이 생물처럼 물결치며 카심의 다리를 붙들었다. 머리 위에서 무엇인가 덮쳐드는 낌새가 느껴진다.

"어이쿠."

카심은 재빨리 손가락 끝에 마력을 모아 서둘러 영창한 뒤 다리를 붙든 지면에 손을 가져갔다.

"붕괴하라!"

순간, 지면은 진흙 세공품처럼 물커덩 허물어지며 카심의 다리를 놓아줬다. 카심이 뒤로 구르다시피 몸을 빼내자 눈에 보이지 않는 무엇인가에 짓눌린 것처럼 지면이 움푹 파였다.

카심이 언짢아하며 얼굴을 지푸린다. 빈틈을 내어준 터라 허둥지둥 태세를 다시 갖췄는데 슈바이츠는 저편에 가만히 서 있을 뿐 손쓰려 하지 않는다. 카심은 혀를 찼다.

"뭔가 너, 대충 장난치는 느낌이 드네. 딱히 제대로 싸우라는 말은 안 하겠는데, 의욕 없으면 다른 데 가라. 나도 한가한 사람이 아니라고."

"……약간의 장애도 역시 흐름을 가속시키는가."

"엉?"

"괜찮겠지."

갑자기 슈바이츠의 오른팔이 불타올랐다. 새파란 불꽃이다. 그것이 도깨비불처럼 잇따라 슈바이츠의 주위에 떠올라서 저마다 각각 움직이며 위협하듯 세차게 타올랐다.

카심은 중절모자를 고쳐서 썼다.

"오호라, 괜히 『재액의 창염』이 아니었군……."

따로따로 떠올라 있던 푸른 불꽃이 사슬처럼 이어지는가 싶더니 뱀처럼 허공을 꿈틀꿈틀 기어서 카심에게 다가들었다. 도중에 닿은 파슬리의 잎이 불타오르자 주위는 파르께한 빛으로 밝아진다.

"이봐, 이봐. 숲에다가 불을 지를 셈이냐."

카심은 몸을 빼내며 마력을 집중시켰다.

『땅을 꿰뚫어라, 하늘을 꿰뚫어라, 혼을 꿰뚫어라.』

재빨리 영창하여 대마법을 날린다. 마력의 어금니가 불꽃의 뱀을 물어뜯었다.

그러나 불꽃은 변화무쌍하게 형태를 바꿔 가면서 마력의 어금니를 감싸 세차게 불타오른다. 카심도 마력을 주입하여 대항했지만, 불꽃의 기세가 강한지라 이마에 땀이 배어났다. 악명 높은 『재액의 창염』의 힘은 허세가 아니었나 보다.

결코 낙관할 만한 상황이 아님에도 카심의 얼굴에는 웃음이 떠올랐다. 강적과 대결하며 마음이 들뜨는 것은 모험가의 천성인 듯하다.

"헤헤, 나를 마법으로 밀어붙이다니 과연 대단하네……."

마법으로 코등이싸움을 이어 나가며 카심은 다른 한쪽 손으로 마력의 창을 준비한다. 불꽃의 뱀이 더욱 강하게 불타올랐을 때 카심은 단박에 마력을 해방시켰다. 창은 가느다랗게, 강력하게 불꽃의 한 지점을 관통하여 슈바이츠에게 들이닥치더니 결국 어깨에 박혀 들어갔다.

"으음!"

슈바이츠는 얼굴을 찌푸리며 살짝 비틀거렸다. 불꽃의 기세가 약해진다.

이때만 기다렸다는 듯이 카심은 마력의 어금니에 힘을 쏟아부었다. 거대한 짐승의 주둥이 같은 형태를 띠며 불꽃의 뱀을 물어뜯어 부순다.

"아직 멀었다!"

카심은 재차 공중에 다수의 마탄을 생성한다. 게다가 통상적인 마탄처럼 둥근 형태가 아니었다. 예리하며 화살 같았다. 창과 비하면 강도도 길이도 모자라지만, 생성에 긴 시간이 걸리지 않는다. 단박에 십수 개 생성된 마탄들이 일제히 슈바이츠에게 발사되었다. 기세가 약해진 불꽃으로는 저것들을 다 막아 내지 못할 듯했다.

슈바이츠는 혀를 차더니 불꽃의 뱀을 없애버렸다. 밀어내던 마력이 사라진 탓에 카심은 균형을 잃고 헛발을 디뎠다.

뱀을 없앤 대신에 오른팔 쪽 불꽃의 기세가 불어났다. 슈바이츠는 마치 망토처럼 불꽃을 두르는가 싶더니 그것을 휘둘러서 막 들이닥치던 마법의 화살을 막아 냈다. 화살은 푸른 불꽃에 불살라져서 마력으로 돌아간 뒤 허공에 녹아 사라졌다.

"훌륭하다, 『천개 파괴자』……."

슈바이츠는 불꽃에 몸을 숨기며 더욱 거세게 화력을 끌어올렸다. 주위에 쭉 늘어서 있는 거대한 파슬리 나무에 옮겨붙어서 가지를 타고 번지는지라 결국 화재가 발생했다.

주위를 파랗게 비추며 눈이 따끔따끔해진다. 불꽃에 둘러싸이면 전투를 할 경황이 아니게 된다.

"어휴, 카심 아저씨 의욕이 너무 넘치잖아……."

안젤린은 얼굴을 찌푸리고 불꽃 덩어리가 된 나무들 틈을 누비며 달려 나갔다. 활활 타올라 뜨거운데도 주위의 빛은 파랗다는 게 어쩐지 기분 나쁘다.

불현듯 등골이 오싹오싹해져서 검을 들어 올렸다. 칼날에 작은 나이프가 부딪쳤다.

안젤린은 나이프가 날아온 방향을 노려봤지만, 뭔가 그림자가 재빨리 움직여서 불길에 숨어 사라진다.

"에잇, 아까부터 진짜."

아넷사와 밀리엄을 대신해서 안젤린이 텅 빈 눈빛의 메이드와 맞서 싸웠지만, 메이드는 상대가 안젤린임을 인식하자마자 결코 근거리 전투를 시도하지 않았다. 항상 일정한 거리를 유지한 채 사각을 노려 이동하면서 암기를 이용하는 공격을 펼쳤다. 숙련된 암살자를 방불케 하는 훌륭한 몸놀림이었다. 쫓아가려다가도 이러한 밤의 어둠에 숨어버리면 제아무리 안젤린이어도 공세를 늦출 수밖에 없었다.

주위에 나무가 잔뜩 있다는 것도 상대하게 유리한 요소이다. 더욱이 지금은 불꽃이 방해되어 몸을 움직이는 데 제약이 많다.

"정면 승부라면 절대로 안 질 텐데."

안젤린은 혼자 투덜거리며 또다시 투척되어 날아든 가느다란 침을 검으로 쳐냈다.

이런 공격에 맞아줄 생각은 전혀 없지만, 방어만 하는 처지에 몰렸다는 것이 거슬린다. 아예 정면에서 상대할 의도가 없는 적은 정말이지 까다롭다.

불꽃은 부쩍부쩍 기세를 불리며 숲을 따라서 활활 번져 나간다.

다만 이 상황은 기회이기도 했다. 이대로 넓은 장소에 나가면 상대는 숨을 장소가 없다. 장해물 없이 단지 널찍한 장소에서 싸울 수 있다면 안젤린이 바라는 바다.

“으앗, 휴.”

이번에는 머리 위에서 내리쏟아졌던 바늘의 비를 피했다. 파슬리 잎 타오른 재가 떨어진다.

“끄응, 나뭇가지 위에서.”

메이드는 가지 위쪽을 마치 원숭이인 양 능숙하게 뛰어다녔다. 치마 입었는데 저런 데 올라가면 다 보이잖아. 안젤린은 뜬금없이 엉뚱한 생각을 떠올렸다. 물론 이러한 상황이면 치마 안 내용물이야 어두워서 안 보인다.

아무래도 적은 앞길을 선점해서 자신을 숲 바깥에 내보내지 않겠다는 계산인 듯하다.

그럼 방법이 있지. 안젤린은 재빨리 주위를 둘러보다가 아직 불붙지 않은 파슬리 나무에 다리를 올려 뛰어올랐다. 낮은 나뭇가지를 발판으로 써서 단박에 위로 올라간다. 도중에 나이프와 바늘이 날아와도 전부 쳐내서 떨어뜨렸다.

불꽃의 열이 올라와서 위쪽이 되레 더 뜨거웠다. 그러나 시야가 더 멀리 트인다. 메이드의 위치도 포착할 수 있었다.

“술래잡기는 끝이야……!”

안젤린은 가지를 차서 메이드에게 육박했다. 아마 도망치겠거니 예상했는데 의외로 메이드는 정면에서 안젤린의 검을 방어했다. 다만 정공법으로 싸울 생각은 티끌만큼도 없었는지 막는 동시에 다리로 나뭇가지를 힘껏 흔들었다.

안젤린은 뜻하지 않게 균형이 무너졌다.

그 틈을 놓치지 않고 위에서 단검을 내리찍는다.

"끄읏!"

안젤린은 팔을 뻗어서 나이프를 쥔 손목을 틀어잡고 아슬아슬하게 찌르기를 피했다. 메이드의 텅 빈 눈동자에 비친 자신의 얼굴이 보인다. 얼마 전 파르카에게 맞은 부위가 욱신욱신 아파서 안젤린은 이를 악물었다.

그 한순간의 틈을 찔러서 메이드는 안젤린의 다리를 후렸다.

다만 안젤린도 메이드의 손목을 놓아주지 않았다. 두 사람은 서로 동반하여 가지에서 떨어졌다.

"이게!"

안젤린은 메이드를 잡아당겨서 강제로 자신보다 아래에 놓은 뒤 그 몸을 밟아서 뛰어올랐다. 메이드는 등부터 지면으로 추락하다가 간신히 낙법을 펼친 뒤 비틀비틀 일어섰다.

간신히 기세를 죽여 착지한 안젤린은 재빨리 메이드에게 접근해서 검을 치켜들었다.

"……살려주세요."

"아!"

메이드의 눈에서 눈물이 뚝뚝 흘렀다. 동정심을 자극하는 모습인지라 안젤린은 얼결에 검을 멈췄다. 다만 그 순간 메이드는 울먹이는 표정 그대로 단검을 내찔렀다.

"큭!"

몸을 피했지만 넓적다리에 한 줄기 상처가 치달리며 선혈이 흩날렸다. 그러나 안젤린은 기가 꺾이지 않고 즉각 검을 바꿔 쥐고는 이번에야말로 가차 없이 일섬을 선사했다.

메이드의 목이 허공을 날아간다. 목에서 피가 쏟아졌다.

털썩 쓰러진 메이드의 몸이 움직이지 않음을 확인한 뒤 안젤린은 검을 거뒀다.

"……이런 상대는 질색이야."

아마도 암살자로서는 일류였을 것이다. 마지막 눈물에는 안젤린도 완전히 속아 넘어가버렸다.

가만히 서 있을 때가 아니다. 안젤린은 발길을 돌려 불타오르는 숲에서 나가고자 달려 나갔다.

숲 바깥에서는 까마귀가 선회하며 아래에 둔 사냥감을 노리고 거듭거듭 급강하를 반복하고 있었다.

벤자민을 지키기 위한 자리에 사티가 서 있고, 아넷사와 밀리엄은 각각 무기를 겨누며 까마귀를 매섭게 주시한다.

"제길, 움직임이 빠르네……."

"어떡하지, 포획계 마법은 서툴단 말야~."

사티가 미안해하며 말했다.

"미안, 얘들아. 억지 부려서."

"무슨 말씀이세요, 저희도 조종당하는 아이를 죽이는 건 싫다고요."

"맞아, 맞아요! 야~ 반항하지 말고 돌아와라~! 으앗!"

까마귀가 화살처럼 강하하더니 밀리엄의 옆을 휙 스쳐서 갔다. 두 사람 모두 까마귀의 발톱과 부리가 스쳐서 옷이며 피부에 쭉 그어지는 상처가 다수 생겨나 있다.

사티가 소리 질렀다.

"하루! 마루! 적당히 좀 하렴! 너희는 잠자코 조종당할 만큼 연약한 아이들이 아니잖니!"

까마귀 두 마리는 날아다니며 까악까악 떠들어 댄다. 아넷사가 혀를 찼다.

"어떻게든…… 못 움직이게 막기만 하면."

"아네, 끈끈이 안 가져왔어~?"

"이런 상황이 될 줄은 예상을 못 해서……. 제길, 난감하네."

평소에 갖고 다니는 아넷사의 장비 중 끝에 끈끈이가 달린 화살은 몸을 가볍게 하기 위해서 숙소에 두고 나왔다. 밀리엄이 벼락 마법을 날려 명중시킬 순 있겠지만, 덜컥 죽어버리면 아무 의미가 없다.

아넷사는 고개 돌렸다.

"마이트레야, 뭔가 방법이 없겠어?"

벤자민의 옆에서 몸을 움츠리고 있던 마이트레야는 눈을 찡그렸다.

"……저 까마귀, 그렇게 소중한 거야?"

"얘가, 지금은 그런 말 할 때가 아니잖아~! 와앗!"

까마귀의 부리가 밀리엄의 모자를 쳐서 날려버렸다. 아넷사가 위협을 위해 화살을 쐈다. 까마귀는 휙 피하더니 화살을 날려 무방비해진 아넷사를 덮쳤다.

"아차……."

하지만 까마귀는 아넷사를 부리로 찌르기 전에 무엇인가에 얻어맞아 자세를 무너졌고, 까악까악 떠들어 내며 다시금 날아올랐다. 아넷사가 어리둥절하며 뒤를 돌아봤더니 사티가 한 손을 앞에 내밀고 있었다. 어떤 마법 쪽 수단을 쓴 것일까.

사티는 한껏 숨을 들이마시며 앞에 나섰다.

"미안해……. 이제 괜찮아. 해치우자."

"앗? 하지만."

"내 고집 때문에 너희가 더 다치게 놔둘 순 없어."

그렇게 말한 뒤 사티는 까마귀를 노려보며 공격 태세를 갖춘다. 마이트레야가 불쑥 물었다.

"……소중한 게 아니었어?"

"……자식 같은 아이들이지만. 그래도 어쩔 수 없어."

"그래."

마이트레야는 일어나서 두 손을 가볍게 벌렸다. 마력이 소용돌이치며 바람처럼 옷자락을 흔든다.

"바닥에 떨어뜨려주면 붙잡을 수 있어. 나중에 의뢰비 받을 거야."

"이왕이면 빨리 좀 거들어주지! 미리! 할 수 있지!"

"맡겨주시라~!"

밀리엄은 지팡이를 흔들어 위력이 낮은 마탄을 잔뜩 쏴 날렸다. 까마귀들은 이 반격에 당황하며 허둥지둥 회피한다.

"좋아!"

그 광경을 보던 아넷사는 화살촉을 부러뜨리고 끝부분에 천을 대신 감아서 재빨리 시위에 메겼다가 쐈다.

화살은 까마귀가 마탄을 피한 곳으로 날아가서 날갯죽지를 세차게 가격했다. 까마귀는 까악 비명을 지르더니 몸부림치며 바닥에 떨어진다. 그러자 그림자가 꾸물럭 뻗어 나가서 쇠사슬처럼 까마귀를 옭아맸다.

이어서 다른 한 마리도 똑같이 땅에 떨어졌고, 두 까마귀가 모두 자기 그림자에 구속되어 움직이지 못하게 됐다.

사티가 어리둥절하며 눈을 깜빡거렸다.

"하하……. 역시 안제의 파티 멤버구나……. 고마워!"

"헤헤, 사티 씨가 칭찬해주시면 영광이죠."

"에헤헤~ 벨 아저씨의 동료한테 칭찬받았다는 게 되게 기쁘다. 이제 이쪽은 대충 해결이다냥~?"

밀리엄은 모자를 머리에 얹고 주위를 둘러봤다. 숲을 불태우는 푸른 불꽃이 근방을 비추고 있다.

아직 어딘가에서 검 부딪치는 소리가 들려온다. 아직 타오르고 있는 숲의 주변부에서 휭휭 공기를 갈라 날카로운 소리를 울려 퍼뜨리는 무기는 세검이었다. 가느다란 세검이 널찍한 기사검을 일방적으로 몰아치며 압도하고 있다.

수세를 벗어나지 못하는 도노반과 달리 마르그리트는 여유로운 표정으로 웃음마저 띠고 있었다.

"이봐, 어이구, 뭐해. 졸았잖아? 아저씨."

"큭, 이년이……."

도노반은 난폭하게 마르그리트의 세검을 쳐서 반격에 나섰지만, 마르그리트는 천연덕스러운 얼굴로 피한 뒤 전진하여 도노반의 배를 걷어찼다. 뒤로 몇 발짝 물러난 도노반은 배를 부여잡으며 이를 악물었다.

"시시하군. 차라리 토끼가 훨씬 더 셌다고."

"천박하구나……. 이런 게 고귀한 종족이란 말인가."

동화에 자주 나오는 청렴한 엘프의 인상과는 정반대의 성격을 가진 마르그리트를 상대하며 도노반도 눈살을 찌푸려야 했다. 그러나 주위에서 활활 타오르는 푸른 불길에 비추이는 저 외모만큼은 확실히 이야기 속 묘사처럼 늠름하고 아름답다.

다만 그 이상으로 너무나 강하다. 성당 기사로서 오랜 경험을 쌓았고 결코 약하지는 않은 도노반이 거의 상대도 되지 않았다.

마르그리트는 세검을 가볍게 흔들며 지면을 툭툭 찼다. 주위를 둘러보다가 차근차근 불타며 번져 나가는 푸른 불꽃을 보고 눈살을 찌푸린다.

"슬슬 결판을 내자고. 이러다가 타 죽으면 얼간이잖냐."

"건방진 소리를……!"

그때 도노반의 뒤쪽에서 뭔가 오싹하는 기척이 느껴졌다. 마르그리트는 물론 도노반도 놀라서 고개 돌린다.

그곳에는 검은 의복을 걸친 기묘한 인물이 서 있었다. 분명 인간의 형태를 갖고 있기는 한데 도무지 살아 있는 생명의 기척이 전혀 감지되질 않는다. 그 대신이랄까, 피부를 찌르는 듯한 죽음의 기세가 온몸에서 뿜어져 나와서 가만히 보기만 해도 기분이 나빠졌다.

검은 옷 괴물은 얼굴에 해당하는 부분에 있는 두 개의 붉은 눈으로 마르그리트를 쳐다봤다. 도노반은 거들떠보지도 않았다.

"저, 저주체인가……? 아니, 하지만 이건……."

"하핫, 성당 기사면 뷔에나 교 소속이지? 괴상한 놈을 데리고 다니는군."

마르그리트는 살갗에 본능적으로 소름이 돋았음에도 애써 외면하며 쾌활한 말투로 말했다. 도노반은 혀를 찼다.

"……이것이 나를 편들어준다면 필시 주신의 뜻하심이리라."

"되게 편리한 신님이네. 너, 의외로 신앙심이 없구나."

마르그리트는 그렇게 말한 뒤 검을 겨눴다.

검은 옷 괴물은 땅속에서 울려 퍼지는 듯한 신음성을 내더니 마르그리트에게 덤벼들었다. 옷 안쪽의 바짝 말라붙은 팔이 뻗어 와서는 뒤틀린 손톱이 마르그리트의 세검을 움켜잡았다.

"이게, 징그럽다고!"

마르그리트는 힘을 꽉 줘서 검을 끝까지 휘둘렀다. 그러나 손은 갈라지지 않는다. 괴물은 땅을 기다시피 하며 마르그리트에게 다가들었다. 마르그리트는 재빨리 몸을 비틀어 괴물에게 세검을 찔러 넣었다. 하지만 반응이 없다. 그뿐 아니라 칼날에 뭔가 휘감기는 듯한 이상한 느낌이 들어 허둥지둥 검을 빼낸다.

"제길, 까다롭네……."

푸른 불길에 비추이는 괴물을 본다. 인간의 형태를 가졌을지라도 급소가 똑같다는 보장은 없다. 오히려 어디에 검을 찔러 넣어도 위험할 것 같다는 생각이 든다.

마왕마저 처단한 이력이 있는 마르그리트도 이 검은 옷 괴물은 어떤 강적과도 다른 기묘한 뒤틀림이 느껴져서 도무지 손쓰기가 망설여졌다. 오히려 예전의 자신이었다면 망설임 없이 덤벼들지 않았을까 생각이 들어 자조의 웃음마저 나올 지경이었다.

괴물의 뒤편에서 도노반이 검을 휘둘렀다. 마르그리트는 위태롭지 않게 방어했지만, 동시에 괴물도 같이 덤벼든다. 무기라고 할 만한 무기를 가지고 있지 않은데도 저 손에 붙잡힐 경우를 상상하면 소름이 돋았다.

손을 피한 뒤 도노반을 밀어내고 뒤로 뛰어서 거리를 벌린 마르그리트는 호흡을 가다듬었다. 도노반은 흉악한 미소를 지은 채 검을 재차 겨눈다. 마치 괴물의 힘이 제 몸에 옮겨 왔다는 듯한 자신감이었다.

"……사이가 꽤 좋군. 암흑 기사로 이름을 바꾸는 게 어떠냐?"

"그 건방진 입을 당장에 도려내주마!"

또다시 도노반과 괴물이 동시에 덤벼든다. 만약에 도노반이 두 명이라면 여유롭게 상대할 수 있겠지만, 검은 옷 괴물은 너무 까다롭다. 저것에게 집중하면 훨씬 더 약한 도노반의 검마저 위태롭게 느껴졌다.

그에 더하여 불길이 더욱 거세지고 있었다. 이대로 교착 상태가 이어지면 불길의 위험도 더욱 높아질 테지.

마르그리트는 일순간 망설이다가 빙글 발길을 돌려 달음박질쳤다. 도노반이 눈을 부릅뜬다.

"도망치는가! 이 겁쟁이가!"

"흥, 이 상황에 고집부리면서 싸우면 벨이랑 큰숙부한테 혼난단 말이다!"

마르그리트는 메롱 혓바닥을 내밀고 곧장 숲 바깥을 향해 달렸다.

딱딱 소리를 내며 타오르는 파슬리 나무들을 누비고 나아가던 중 갑작스럽게 지형이 탁 트인다. 달빛이 먼바다에 반사되며 하얗게 잔잔하게 내려앉았다.

일단 동료들과 합류하고자 주위를 둘러보던 중 숲속에서 도노반이 뛰쳐나왔다.

"놓치지 않는다……!"

그대로 마르그리트에게 검을 휘두른다. 마르그리트는 공격을 받아 낸 다음 재빨리 주위를 확인했다. 방금 전 검은 옷 괴물은 보이지 않는다. 좋은 기회임을 판단한 뒤 마르그리트는 곧장 공세에 나섰다. 도노반은 거품을 물며 방어로 돌아선다.

몇 합을 부딪친 뒤 코등이싸움이 벌어졌다. 자세를 가다듬지 못한 도노반은 분명히 체격에서 밀리는 마르그리트에게 밀려 등을 젖혔다.

"이, 이년이……!"

"그 괴물만 없으면 너 따위 하나도 안 무서워. 이 틈에 정리해주마!"

"웃기지 마라! 네년 따위 천박한 엘프에게!"

그때 벨그리프의 고함 소리가 들려왔다.

"마리! 피해라!"

마르그리트는 깜짝 놀라며 뒤로 뛰었다.

도노반의 눈이 휘둥그레지며 시선이 아래로 움직였다. 복부에서 검이 튀어나와 있었다. 도노반은 입을 뻐금뻐끔하다가 곧 피를 토했다.

"꺼억……. 뭐, 뭐냐……."

털썩 무릎을 꿇고 도노반은 뒤쪽을 돌아봤다.

파르카가 서 있었다. 변함없는 무표정으로 도노반의 등에 검을 찔러 꿰뚫었다.

쓱 검을 빼내더니 파르카는 걸리적거린다는 듯이 도노반을 차서 옆으로 치워 냈다.

"내, 내분이냐……?"

어안이 벙벙하여 중얼거리다가 문득 마르그리트는 옆구리에 통증을 느꼈다. 놀라서 손을 가져다 대니 끈적하게 피가 묻어 나온다. 고개 돌려서 봤더니 옆구리가 찢어져 피가 흘러넘치고 있었다.

그렇구나. 파르카는 도노반을 죽이고자 했던 것이 아니라 도노반과 함께 자신을 찔러버리려고 했구나. 뒤늦게 방금 전 사실을 이해했다.

왠지 다리에 힘이 들어가지 않아 마르그리트는 털썩 무릎 꿇었다.

123 타오르는 푸른 불꽃과 하얀 달빛

타오르는 푸른 불꽃과 하얀 달빛의 아래에서는 붉어야 할 피가 거무칙칙하게 보였다. 바로 뛰어서 물러났는데도 파르카의 검이 마르그리트의 옆구리를 베어 가른 듯했다. 불현듯 타오르는 듯한 통증이 덮쳐들었다.

"……아파."

파르카가 가까이 걸어와서 검을 치켜드는 광경을 보고 마르그리트는 숨을 죽였다. 검의 자루가 질량을 불려 파르카의 팔까지 침식한지라 팔과 검이 일체화되어 있었다. 검이 내리 휘둘러지는 거의 동시에 벨그리프가 몸을 날려서 대검으로 공격을 막아 냈다. 성검과 마검, 두 검이 소리를 내며 마력이 쏟아진다. 파르카는 얼굴을 찌푸리며 뒤로 뛰어서 물러났다.

벨그리프가 몸을 구부려 마르그리트의 어깨를 안아줬다.

"마리, 정신 차려라!"

"벨……. 나…… 죽는 거냐?"

"괜찮아. 제대로 뒤로 피했다. 치명상이 아니야. 힘을 빼지 말거라."

"그래도, 피가 이렇게……. 힘도 안 들어가고."

"저 검은 벤 상대의 힘을 빼앗더구나. 힘이 안 들어가는 건 많이 다쳐서가 아니야. 정신 단단히 붙들어라. 나약해지지 마라."

마르그리트는 입술을 꽉 깨물고 파르카를 노려봤다. 강한 까닭에 부상을 당한 경험이 좀처럼 없었던지라 필요 이상으로 불안해하고 있다.

한심하긴. 마르그리트는 어떻게든 몸에 힘을 넣어서 일어났다. 조금 비틀거렸지만 설 수 있다. 벨그리프의 말을 듣고 보니까 이런 정도의 부상으로 죽어줄 순 없다는 오기가 솟아난다.

"저 자식은, 뭐 어떻게 된 거냐?"

"모르겠구나. 다만 저 검이 좋은 물건이 아님은 분명하군."

벨그리프는 대검을 들어 올리며 마르그리트의 앞쪽에 섰다.

"상처를 꽉 눌러 지혈하거라. 저쪽에 사티가 있어. 합류해서 치료를 받도록 해라."

"……금방 돌아올 테니까 조금만 버텨!"

마르그리트는 상처를 두 손으로 누른 채 빠른 걸음으로 달려갔다.

벨그리프는 숨을 들이마시며 다시금 파르카를 쳐다봤다. 급소를 쳐서 분명히 기절시켰던 소년이 지금은 마치 인간의 형태를 지닌 괴물과 같다. 오른팔과 동화된 검의 칼날이 번뜩번뜩 검게 빛나고 있다.

왠지 옛날에 이런 무언가와 맞섰던 것 같다. 보르도의 저택에서 샤를로테와 마주했을 때 소녀의 반지가 부풀어 올라서 팔을 침식했었다. 파르카의 검도 그 반지와 같은 종류의 물건일까.

파르카를 제압한 뒤 벨그리프는 먼저 사령탑을 부수자는 의도로 곧장 가짜 황태자가 있는 곳으로 향했지만, 카심과 슈바이츠의 대마법이 일으킨 충격으로 일순간 움직임을 멈춘 틈에 그들은 모습을 감춰버렸었다. 그 후에 타올랐던 푸른 불꽃의 영향도 있어 상황은 몹시 혼란스럽다고 말할 수밖에 없다.

그런 와중에 기절했음을 확인했던 파르카가 일어서 있었다. 다만 정신을 차려 깨어난 것이 아니라 더 정확하게는 다른 무엇에 몸이 움직여지고 있다는 느낌이었다.

그런 파르카와 몇 합을 주고받았지만, 도중에 무언가 다른 것을 느꼈는지 달려갔기에 벨그리프도 뒤를 쫓아갔다. 그리고 목격한 것은 검은 옷을 입은 괴물과 그 괴물을 베어 갈라서 칼날에 흡수하는 파르카, 아울러 팔을 침식해 가는 검이었다.

"……그때 확실하게 저지했더라면."

잘못 판단했다. 벨그리프는 이를 갈았다. 자신의 움직임이 느렸던 탓에 마르그리트가 부상당했고 도노반은 죽어버렸다.

지금 이렇듯 대치하고 있는 파르카는 표정이 없는 얼굴은 여전했지만, 눈빛은 더욱 싸늘해졌기에 산 사람이 아닌 듯한 기척마저 느껴졌다. 마치 검 같다.

"검인가……. 너는 정말로 파르카 군인가?"

그라함의 검이 윙윙 소리를 냈다. 파르카가 지면을 박차며 들이닥쳤다. 벨그리프도 앞에 나서서 검을 맞댄다.

"……."

파르카는 꽉 힘을 실어서 벨그리프를 세차게 밀어붙였다. 분명 체격은 더 작은데도 파르카의 힘은 검 때문인지 비정상적으로 강했기에 벨그리프는 왼쪽 다리에 힘주어 버텼다.

"크……."

명백하게 힘이 강해졌다. 아까 검은 옷 괴물을 흡수한 이유도 있을 테고, 어쩌면 도노반의 마력마저 흡수했을 가능성마저 있다. 아울러 이렇듯 코등이싸움을 하는 중에도 몸에 피로감이 스며들었다.

벨그리프는 왼 다리를 차서 오른쪽 의족을 축 삼아 회전했다. 밀어내는 데 전력을 쏟은 파르카가 기세를 주체하지 못하여 바닥을 굴러간다. 벨그리프는 뒤쫓아가서 있는 힘껏 검을 내리 휘둘렀다.

"아니?!"

그런데 넘어졌던 파르카가 대검의 일격을 오른팔로 받아서 막아 냈다. 분명 온몸의 힘을 실었는데도 벨그리프와 팔뚝 힘만으로 맞버티고 있다. 벨그리프는 이를 악물며 비지땀이 배어나도록 힘을 넣었다.

"……."

불현듯 파르카가 힘을 빼내며 옆으로 굴렀다. 대검은 지면을 베어 가르며 작렬한다. 부서진 지면이 튀어올라서 흩날렸다.

균형을 잃은 벨그리프에게 파르카가 검을 내리 휘두른다.

"아빠!"

그때 안젤린이 뛰어들었다. 검을 막더니 파르카를 걷어차 날려

보낸다. 파르카는 데굴데굴 구르며 날아가다가 착지하더니 비틀비틀 흔들거렸다.

"아빠, 괜찮아?!"

"안제……. 미안하구나. 고맙다."

"에헤헤, 마리한테 듣고 온 거야……. 저 토끼, 조금 이상하네?"

"그래. 조심하거라, 안제. 자꾸 불길한 느낌이 드는구나."

부녀는 재차 나란히 검을 겨누었다. 파르카는 비틀비틀 흔들거리며 두 사람을 쳐다보다가 불현듯 화살처럼 몸을 날려서 거리를 좁혀 왔다.

휘둘러지는 칼날을 방어한 뒤 벨그리프는 미끄러지듯 옆으로 움직였다. 안젤린은 그 반대편으로 가서 파르카를 사이에 둔 위치에 섰다.

툭 지면을 박차 달려든다.

파르카는 방어 후 반격을 펼치려다가 안젤린이 뒤에서 다가들자 허둥지둥 반전해서 다시 공격에 대응한다.

그 틈을 찔러서 벨그리프는 파르카의 등을 걷어찼다.

"……!"

"이얏!"

균형을 잃은 파르카에게 안젤린이 검을 내리 휘두른다. 곧 베여서 갈라질 것 같았던 파르카가 도저히 인간 같지가 않은 무리한 신체 움직임으로 피부만 살짝 베이며 피하더니 거리를 벌리고 무릎 꿇었다.

한 마디도 나누지 않았는데 안젤린은 벨그리프가 뜻하는 대로 움직여준다. 또한 자신도 안젤린의 의도를 곧장 이해할 수 있었다. 이런 형태로 부녀가 함께 싸우게 될 줄이야. 벨그리프는 얼결에 미소 짓고 말았다. 안젤린은 아예 눈에 보이도록 기쁜 눈치다.

무릎 꿇었던 파르카가 비틀비틀 일어섰다. 다만 왼팔이 이상한 방향으로 꺾였고, 발목도 접질린 듯한 모양새다. 부녀의 협공을 벗어나기 위해 신체를 본래 꺾이지 않는 방향으로 꺾은 탓이다. 뼈가 어긋나는 소리마저 들려왔던 것 같다.

안젤린이 검을 겨눈다.

"어떻게 할까? 아빠."

"……역시나 검이 의식을 빼앗은 것 같구나. 그게 아니라면 방금 전 무리한 움직임은 설명이 안 돼."

애처로운 모습으로, 그럼에도 무표정하게 검을 겨누는 파르카는 어쩐지 가만 보자니 괴로운 감정이 느껴졌다.

대검이 윙윙 소리를 낸다. 안젤린이 눈살을 찌푸렸다.

"……그런 거야?"

"무슨 말이니?"

"검이 가르쳐줬어. 저 지저분한 마력 덩어리……. 아마 토끼가 가지고 있는 검인데, 저걸 부숴버리래."

"그런가……. 좋아."

확실히 검이 의식을 강탈했다면 검을 파괴해서 해결할 수 있을 것이다. 벨그리프는 대검을 겨누며 파르카를 주시했다.

"안제, 검을 노리자꾸나."

"저 녀석은 안 죽이게?"

"본래 적대할 필요가 전혀 없었던 상대이니까……. 그래도 자기 몸이 위험하다고 판단되면 어쩔 수 없겠지."

"……있잖아, 아빠."

"음?"

안젤린은 헤죽헤죽 웃으며 벨그리프의 얼굴을 들여다봤다.

"사티 씨, 만나서 기뻐?"

"무슨 소리냐, 이런 상황에……. 그래, 기쁘더구나. 무척."

"후후……. 빨리 옛날이야기 들려줘야 해!"

안젤린은 검을 들어 올리며 파르카를 향해 다가갔다. 벨그리프는 쓴웃음 지으며 뒤를 따른다.

파르카는 비틀거리면서도 안젤린의 일격을 제대로 막아 냈다. 이미 단순한 검사라기에는 어색함이 있는 불규칙적인 움직임으로 안젤린에게 맞서 반격한다.

"큭."

안젤린은 종이 한 장의 차이로 회피했다. 추가 공격을 펼치려 하던 파르카를 벨그리프가 날려버렸다. 그대로 칼날의 아랫부분을 노려서 검을 휘두른다. 다만 파르카도 어떤 의도인지를 이해한 듯 팔을 빼내며 검이 부딪치지 않게 피했다.

"제길, 눈치챘나."

벨그리프는 혀를 차면서도 포기하지 않고 밀어붙였다. 그럼에도 파르카는 수비 태세에 들어가서 벨그리프의 맹공을 철저하게 흘려보낸다.

불현듯 환지통이 욱신거렸다. 썩 강한 통증은 아니지만, 기습과 같은 통증이었기에 벨그리프의 움직임이 일순간 멈췄다. 그 틈에 반응하여 파르카가 반전, 공격 자세를 취했다.

간신히 검을 받아 낸 벨그리프를 뛰어넘어 온 안젤린이 상단에서 검을 내리 휘둘렀다. 파르카는 공격을 포기한 채 옆으로 뛰어 피한다. 쫓아가려고 하는 안젤린을 벨그리프가 불러 세웠다.

"안제, 잠시 멈춰라! 뭔가 이상하군……."

거리를 벌린 파르카는 여전히 비틀비틀 흔들거렸지만, 검으로 화한 오른팔이 꾸물럭 움직이는 것 같기도 했다. 칼날 부분은 여전히 예리하게 검은빛을 띠었지만, 거기에서 내려가면 마치 뱀이나 촉수와 비슷하게 섬뜩한 움직임으로 꿈틀거리고 있다.

안젤린이 질색하며 얼굴을 찌푸렸다.

"징그러워……."

"침식이 진행되는 건가……?"

어쨌든 간에 서둘러 결판을 내야 할 분위기다. 환지통은 가라앉았으나 또 언제 통증이 치솟을지 가늠이 안 된다.

벨그리프는 검을 꽉 쥐며 딸아이와 함께 앞으로 나아갔다.

파르카는 늘어난 팔을 채찍처럼 휘두르며 덮쳐들었다. 칼날을 맞대기만 해도 강렬한 충격이 손을 저릿저릿하게 만들었다.

벨그리프와 안젤린은 일순간 눈을 마주하며 고개를 끄덕거린 뒤 좌우로 휘릭 갈라져서 파르카를 사이에 두고 동시에 달려들었다. 파르카는 벨그리프의 검을 오른팔로 막아 냈고, 안젤린의 일격을 종이 한 장 차이로 회피했다.

벨그리프는 검을 빼내려고 했지만 안 움직인다. 파르카의 검은 칼날까지도 꾸물럭 형태를 바꿔 가면서 대검에 휘감겼다. 검은 윙윙거리며 빛을 발하지만, 성검과 마검의 힘이 비등비등한지 별 효과가 없다.

순간 벨그리프는 대검을 한 손 파지로 바꿔 쥐고는 오른손을 허리에 찬 검에 가져갔다. 이번 여행에서는 그라함의 검에 밀려났던 오래된 단짝이다. 그 검의 자루를 쥐고 아래에서 올려붙인다.

예리하게 연마된 칼날이 파르카의 오른팔을 어깻죽지부터 절단했다. 파르카는 소리가 되지 않는 비명을 내질렀다. 안젤린이 파르카를 끌어안다시피 하며 벨그리프에게서 떼어 냈다.

벨그리프는 뒤로 뛰는 동시에 대검을 있는 힘껏 휘둘렀다. 휘감겨 있던 마검은 미끄러지듯 지면에 떨어져서 마치 육지에 끌어다 놓은 물고기처럼 마구 몸부림쳤다.

대검이 눈부시게 빛나며 부르짖었다.

—파괴해라!

그런 목소리가 들려온 것 같았다.

벨그리프는 온몸의 힘과 마력을 불어넣어서 양손에 쥔 두 자루의 검을 몸부림치는 마검에 내리 휘둘렀다. 땅이 울릴 만큼 강렬한 검격이 마검을 분쇄했다.

"후우……."

어쩐지 힘이 쭉 빠진다. 온몸에서 에너지가 쭉 방출된 듯한 느낌이다. 벨그리프는 한껏 숨을 내쉬었다.

마검의 잔해는 끓어오르듯 지글지글 소리를 내며 녹아서 까맣고 끈적이는 물로 바뀌었다.

더는 움직이지 못하는 것을 확인하고 검을 각각 칼집에 집어넣는다.

안젤린이 달려와서 목을 껴안았다.

"해냈어! 역시 아빠는 굉장해!"

"아니, 안제 덕분이지……. 고맙다."

벨그리프는 살짝 웃으며 안젤린의 머리를 쓰다듬었다. 그리고 조금 떨어진 곳에 벌러덩 쓰러져 있는 파르카를 돌아봤다.

"……저 아이는?"

"몰라. 기절했는지 죽었는지……."

벨그리프는 파르카에게 다가가서 입가에 손을 가져다 댔다. 약하게나마 호흡하고 있다. 팔의 상처에서 엄청나게 피가 흘러넘쳤다. 벨그리프는 우선 끈으로 남은 팔을 꽉 묶어 지혈한 뒤 망토 일부를 도려내서 붕대처럼 감아주었다. 안젤린이 눈을 끔뻑끔뻑한다.

"살려주려고?"

"이제 검도 없잖니. 구태여 죽일 필요는 없지……. 아니면 죽이고 싶니?"

"아니. 나도 사람 죽이는 건 싫어."

"음. 그러면 됐다."

그라함의 검도 윙윙 소리를 가라앉혔다. 의외로 파르카 본인은 위험하지 않은지도 모르겠다. 다만 만약에 대비하기 위해 다리도 묶어서 못 움직이게 해 둔다.

그때 카심이 달려왔다.

"어이구~ 멀쩡들 하냐~?"

"아, 카심 아저씨. 어휴, 카심 아저씨가 너무 분발해서 큰불 났잖아……."

"헤헤헤, 미안, 미안. 그래도 이 불은 슈바이츠 탓이걸랑……. 저 토끼는 어떻게 된 거야?"

"무력화했네. 강적이었다만……. 안제 덕분에 겨우 제압했지."

"카심 아저씨, 마리는?"

"아, 괜찮아, 괜찮아. 약 발라서 붕대 감으면 금방 낫는다. 그 정도 상처야. 거참, 공주님은 자기 피에 익숙하질 않아서 못쓰겠더라, 헤헤헷……. 오, 제 말 하면 온다더니."

카심이 온 방향에서 마르그리트가 오는 모습이 보였다. 그 뒤쪽에는 아넷사와 밀리엄, 마이트레야, 또한 사티와 벤자민도 있었다.

벨그리프는 조금 어깨의 힘을 빼냈다.

"다행이구나……. 다들 무사하군."

"벨! 토끼 자식은 어쨌냐?!"

"겨우 제압했단다. 다친 덴 괜찮니? 마리."

"아무렴, 심각한 상처도 아니더만. 사티가 치료해줬다."

마르그리트는 그렇게 말한 뒤 천을 감아 둔 복부에 손을 가져갔다. 벨그리프는 사티를 바라봤다. 잠들어 있는 듯한 까마귀 두 마리를 품에 안고 있었다. 무사히 붙잡는 데 성공했구나.

새삼 사티를 살펴본다. 달빛과 불꽃에 비추이는 모습은 기억 속 쾌활한 소녀와 똑같다.

사티도 벨그리프를 보고 기뻐하며 수줍게 미소 지었다.

"벨 군, 많이 강해졌구나. 깜짝 놀랐어."

"……그, 그런가?"

"앗, 벨 아저씨가 쑥스러워한다."

"쑥스럽다냥~. 후후, 귀여워~."

아넷사와 밀리엄이 쿡쿡 웃었다. 벨그리프는 난처해하며 머리를 긁적였다. 카심이 재미있다는 표정으로 수염을 비비 꼬았다.

"나도 꽤 강해졌는데, 감상 없나?"

"카심 군은 칭찬하면 너무 우쭐거리니까 안 돼~."

"뭣이라~? 헤헤헷, 아, 뭐야, 진짜. 하나도 안 변했잖냐……."

카심은 웃으며 모자를 고쳐 썼다. 어쩐지 눈이 젖은 것처럼 보였다. 안젤린이 살짝 불만스러워하며 입술을 삐죽거리고 있다.

"퍼시 아저씨도 같이 있었으면 좋았을 텐데……."

"그러게 말야. 그 자식은 뭘 하는 거야?"

마르그리트도 동의하며 고개를 끄덕거렸다.

어쩐지 화기애애한 분위기가 감돌고 있었지만, 벨그리프는 화들짝 정신 차리며 머리를 흔들었다.

"느긋하게 이야기를 하고 싶지만, 아직은 그럴 때가 아니군. 조금만 더 힘을 내볼까."

카심이 고개를 끄덕거리며 수염을 쓸어 만진다.

"그러게나 말이다. 우선 당장의 적은 대충 해결이 되었는데……. 슈바이츠를 해치웠단 생각은 안 들지만."

"어떡할 거야? 아빠."

"가짜 황태자만큼은 놓치면 안 되겠지. 진짜 전하를 발견한 이상 가짜를 처단하지 못할 이유가 사라졌다. 그렇겠지요? 전하."

"그, 그래……. 그나저나, 괜찮은 건가? 나 따위가 이제 와서 돌아간들……. 가짜는 훌륭한 위정자라고 들었네만? 내가 황태자로 돌아가 봐야……. 아무도, 기뻐하지 않을 텐데."

벤자민을 눈물을 글썽거리며 말했다. 벨그리프는 미소 짓고는 어깨에 손을 얹어줬다.

"지금 말씀으로 당신께서 제자리에 돌아가셔야 함을 확신했습니다, 전하. 자기 자신을 겸허하게 돌아볼 수 있으시다면 얼마든지 바뀌어 갈 수 있을 겁니다. 지난 과오는 고치면 되지요. 스스로가 미숙했음을 알고 계시다면 노력도 할 수 있습니다. 걸어 나아가는 데 늦음은 없는 법입니다."

벤자민은 잠시 입술을 꽉 깨물다가 이윽고 눈물 훔치며 고개를 끄덕거렸다.

"그렇겠지……. 게다가 자네의 딸과 약속을 했어. 훌륭한 황태자가 되겠다고 말이야……. 안 그런가? 안젤린.”

안젤린은 헤죽 웃고는 벤자민을 토닥토닥 쓰다듬었다.

“착한 아이네. 후후……. 그러면 가짜를 어서 해치우자!”

“좋아. 그 자식은 가만 놔두면 뭔 짓거리를 할지 몰라. 애당초 말야, 보이는 데서 선량한 사람인 양 행세하고 안 보이는 데서 슬금슬금 나쁜 짓 하는 녀석은 죄다 악당이라고. 이 녀석아~ 힘내라, 진짜 말이야~.”

카심이 등을 두드리자 벤자민은 쓴웃음을 지었다.

쩍쩍 소리를 내며 파슬리 나무가 불타오르고 있다. 저 푸른 불꽃이 흔들릴 때마다 발밑의 그림자도 반짝반짝 명멸했다. 열기가 이쪽까지 흘러오는 것 같다.

벨그리프는 일단 숲에서 멀어지고자 파르카를 안은 채 걸음을 떼려 했지만, 묘한 기척을 감지해서 다리를 멈춰 세웠다. 대검도 화내며 윙윙 소리를 낸다.

활활 타오르는 불길 속에서 몇몇 인영이 걸어 나왔다. 안젤린이 눈살을 찌푸리며 검을 뽑았다.

“저거…….”

“사령 마술. 가짜 황태자의 주특기야.”

마이트레야가 짧게 설명하고 벨그리프의 뒤에 숨었다. 비틀비틀하는 발걸음으로 다가오는 저것은 분명 언데드 같다.

“또 저주체도 나올 것 같아. 조심해야지.”

“저주체……. 그 검은 옷의 괴물인가.”

실체를 가진 주살의 괴물. 제도의 숙소에서도 나타났던 그 괴물은 가짜 벤자민의 마법이 만들어 냈던 것일까 생각해본다. 상대의 약점을 가차 없이 찌르는 것인가. 그것과 대치하면 환지통이 도지는 터라 벨그리프는 좀 불리하다.

"벨 아저씨!"

아넷사가 소리 질렀다. 벨그리프는 뒤를 돌아봤다. 놀랍게도 후방에 있는 바다에서도 언데드가 나타나 이쪽을 향해 다가온다. 포위를 당한 모양새다.

"이런, 참 요란하게 저질러줬어."

목소리가 들렸다. 고개 돌리자 조금 떨어진 곳에서 가짜 벤자민이 프랑수아를 동반하여 서 있었다. 양옆에 갑옷을 입은 언데드와 목 없는 메이드를 거느리고 있다. 안젤린은 눈을 커다랗게 떴다.

"저 메이드……."

가짜 벤자민은 넉살 부리며 어깨를 으쓱거렸다.

"너는 참 잔인하구나, 안젤린. 애써 만들어준 귀여운 얼굴이 사라져버렸어."

"잔인한 게 대체 누구야……!"

"난 딱히 메이드의 머리를 날려버리진 않거든. 후후."

가짜 벤자민은 손을 들어서 손가락을 움직였다. 배후에서 사람의 키 곱절은 되는 거뭇한 인영이 나타났다. 벨그리프의 환상 속 오른쪽 다리가 욱신거렸다. 다만 등에 멘 대검이 커다랗게 윙윙 소리를 내자 곧 통증도 사라졌다.

벨그리프는 파르카를 지면에 내려놓은 뒤 대검을 뽑아 들었다. 검이 눈부시게 빛나며 윙윙 소리를 내자 막 접근하던 언데드들은 겁먹어서 걸음을 멈춰 세웠다.

가짜 벤자민이 얼굴을 찌푸린다.

"『팔라딘』의 성검인가. 골치 아프네."

"……너는 무엇을 꾸미는 거지? 제국을 강탈해서 결국 어떻게 할 작정이었나?"

벨그리프가 추궁하자 가짜 벤자민은 껄껄 웃었다.

"그야 사람들을 행복하게 만들어주고 싶어서지. 모르는 건가? 내가 해왔던 일들 말이야. 옛날보다 많이 좋아졌다며 다들 칭찬해 준다고."

"반면에 빈부 격차가 심해졌다는 말도 많았지. 네가 한 일은 겉치레만 신경 써서 꾸며 놓은 게 전부 아닌가?"

아넷사가 화내며 말했다. 가짜 벤자민은 씩 웃는다.

"누구든 자기 마음에 안 들면 나쁘게 말을 하는 법이야. 그런 녀석들은 말이지, 어떤 상황에 처해서도 불평만 늘어놓거든. 뭔가 해주면 부족하다며 떠들고, 아무것도 안 해주면 무능하다며 떠들지. 그런 녀석들은 상대해 봤자 시간만 낭비하는 거야."

"그렇다 해도 제국의 민중임은 마찬가지지. 구할 인간을 선택하는 자는 자신을 지지하는 부류에게 관대하고, 비판하는 부류에게 엄해지는 법이다. 또한 자신에게 관대한 부류의 비위를 맞춰주지……. 적어도 나는 네가 훌륭한 위정자라고 생각할 순 없군. 약한 사람들을 방치하고, 마수나 마왕을 이용하면서 그 끝에 도대체 어떤 전망을 가지고 있단 말인가?"

"평화야. 강한 무력은 다른 인간들의 입을 다물릴 수 있어. 마수든 마왕이든 그저 무기야. 너희의 검과 마찬가지지. 요컨대 쓰기 나름이란 말이다."

"그런 소리를 해도 되는 것은 마음을 단련한 인간뿐이다. 약한 마음은 제아무리 강력한 힘을 가지고 있어도 불안에서 벗어나지 못한다. 결국 끝없이 힘을 추구하며 방황하다가 언젠가 파멸할 뿐. 진정 필요한 것은 손을 내밀어줄 수 있는 용기 아닌가?"

"이상론이네. 그렇게 물러 빠진 생각은 현실적이지 않아."

"현실은 다른 사람이 막무가내로 떠넘기는 게 아니다. 이상을 가진 사람들이 만들어 내는 것이라고 나는 생각한다. 이상을 버린 인간이 떠드는 현실이야말로 환상이군."

벨그리프는 그렇게 말한 뒤 입술을 깨물었다.

꿈을 버리고 변명하며 이것이 현실이라고 거짓 웃음을 짓고 다녔던 옛 시절.

다만 지금은 이렇듯 친구들과 재회하는 꿈을 이룰 수 있었다. 한쪽 다리를 잃은 뒤 톨네라 한 곳에서 평생 늙어 가다가 죽는다는 현실이 오히려 환상이었다.

옆에 선 딸아이를 본다. 그것도 딸아이가 가져다준 인연이다.

안젤린은 포기하지 않는다. 언제나 자신의 꿈과 이상을 향해 일직선이다. 안젤린을 키움으로써 자신들도 성장했었음을 지금 뒤늦게 깨닫는다.

가짜 벤자민은 어깨를 으쓱거렸다.

“하하, 아무래도 너와 마음이 맞긴 어렵겠어……. 어떻게 할래? 네 이상을 따르자면 나와 못 싸우는 게 아닌가?”

“아니지. 나는 제국의 앞날 운운과 관계없이 불쑥 딸아이를 유괴하려고 한 너의 행동에 화가 난 거다. 주먹 몇 대는 고분고분 맞아주기를 바란다만, 어떡할 텐가?”

가짜 벤자민은 웃음을 터뜨렸다.

“거참, 딸도 딸인데 아버지도 아버지로군! ……뭐, 됐어. 어차피 너는 나를 못 죽여.”

가짜 벤자민이 작게 무언가 영창하자 언데드가 다시 움직였다. 검은 옷 괴물도 바닥을 기어 다가온다. 마르그리트가 화내며 발을 구르더니 재빨리 달려 나갔다. 가장 가까웠던 언제드 몇 마리를 눈 깜짝할 틈에 베어버리고 돌아온다.

“여기 있는 건 벨 혼자가 아니다! 허여멀건 자식아! 내가 처죽여 주마!”

“마리, 다쳤으니까 무리하지 마……. 이런.”

아넷사가 화살을 쏜다. 화살은 언데드에게 박혀 작렬하며 부서뜨렸다. 밀리엄도 뇌운을 가까이 불러내서 번개를 떨어뜨린다. 까맣게 탄 언데드가 털썩 쓰러졌다.

가까운 곳의 언데드는 정리했지만, 그 잔해를 넘어 자꾸자꾸 언데드가 나타난다. 아넷사가 혀를 찼다.

“엄청난 숫자야……. 화살이 부족할 것 같아.”

“아네, 화살 낭비는 금지! 숫자만 많은 건 나한테 맡겨주시라~!”

밀리엄은 잇따라 술식을 전개하며 언제드를 통구이로 만든다. 다만 그럼에도 감당이 안 될 만큼 언데드는 수가 많았다. 과거에 보르도의 시가지 복판에서 싸웠던 때와 단위가 다른 물량이다.

카심이 소리 질렀다.

“미리, 비켜라!”

“엥? 와아앗!”

즉시 몸을 빼내는 밀리엄의 옷을 단검이 스쳐 간다. 목 없는 메이드가 언데드의 틈을 누비고 나타나서 펼친 공격이었다. 더욱이 갑옷을 입은 언데드도 산 사람에 손색이 없는 움직임으로 덤벼든다. 마르그리트가 혀를 찼다.

“움직임 빠른 것들도 있는 거냐!”

“마르그리트!”

마르그리트의 뒤에서 찔러 들어오는 언데드의 검을 사티가 막아 냈다. 곧이어 사티가 검을 휘두르는 것처럼 팔을 움직이자 언데드는 비스듬하게 베였고, 아울러 목이 날아갔다.

“미, 미안.”

“신경 쓰지 마! 안제! 메이드는 맡길게!”

“알았어……!”

안젤린은 목 없는 메이드의 상대를 맡아 가능한 한 후위조에게서 떼어 놓고자 움직였다.

사티는 부상당한 사람 같지가 않은 움직임을 펼치며 안 보이는 검으로 언데드를 잇따라 처리했다. 저주체조차 손짓 한 번으로 간단하게 휙휙 날려버린다. 아넷사와 밀리엄이 감탄하는 표정을 지었다.

"괴, 굉장해……."

"사티 씨, 역시 강하구나……."

근처의 언데드를 싹 정리한 사티는 다소 피로가 배어나는 얼굴로 뒤돌아봤다.

"카심 군, 괜찮아?"

"헤헤, 슈바이츠 상대로 마력을 좀 과하게 썼지만 말야. 아직은 기운이 많이 남았다고."

카심은 그렇게 말한 뒤 마법을 날렸다.

다만 이대로 가면 버티다가 결국 패배다. 언데드는 아직껏 몹시 숫자가 많다. 욕지기를 불러오는 썩은 냄새도 점점 심해지고 있다. 가짜 벤자민의 근처에 있는 언데드를 줄여서 저자를 직접 공격하는 게 가장 좋으리라.

벨그리프는 대검을 휘둘러 올렸다. 칼날의 광채가 강해지며 윙윙 소리도 더욱 커진다. 그대로 힘을 꽉 불어넣어 내리 휘두르자 칼날에서 마력을 띤 충격파가 쏟아지더니 전면으로 들이닥치던 언데드들이 싹 날아갔다.

벤자민이 눈을 부릅뜬다.

"이거 상성이 많이 나쁘군. 어휴, 헥터는 뭘 하는 거야……. 프랑수아 군.”

의아하다는 표정을 짓고 옆쪽에 서 있었던 프랑수아는 퍼뜩 놀라며 정중하게 경례했다.

“넷.”

“너도 나가서 싸워줘야겠네.”

“하오나.”

프랑수아는 뭔가 의심하는 눈으로 가짜 벤자민을 마주 바라봤다.

“전하께서는…… 진정 전하이십니까?”

“……반역자의 말을 믿겠어? 나를 믿겠어?”

“…….”

망설이며 시선이 자꾸 흔들리는 프랑수아를 보고 가짜 벤자민은 한숨 쉬었다.

“어차피 넌 이제 예전으로 돌아갈 수 없어.”

그렇게 말한 뒤 프랑수아의 가슴을 손가락으로 밀었다. 그러자 프랑수아의 몸에 비정상적인 힘이 가득히 흘러넘쳤다. 시야가 명료해지고 묘하게 흉포한 감정이 배 속 밑바닥에서 끓어오른다. 숨이 막히는 듯한 심정이다.

프랑수아는 눈을 부릅뜨며 가짜 벤자민을 쳐다봤다.

“무…… 무슨…….”

“너 말이야, 이미 예전에 죽었거든. 자, 가서 잘 싸워봐.”

가짜 벤자민의 말을 거역하지 못한다. 프랑수아는 검을 한 손에 들고서 달려 나갔다. 놀란 표정의 벨그리프에게 덤벼든다.

"프랑수아 님! 당신과 싸울 이유가 없습니다!"

"크, 윽……."

대검이 화내며 윙윙거린다. 그 소리가 프랑수아를 괴롭게 했다.

"나는……. 나, 는……."

"검을 거두십시오! 당신이 다치면 리젤로테 님이 슬퍼하십니다!"

"끄으으으으……. 카아아아아아!"

프랑수아는 핏발 선 눈으로 벨그리프를 걷어찼다. 벨그리프는 뒤로 물러나서 재차 검을 겨눈다. 프랑수아는 비참한 표정으로 너털웃음을 터뜨렸다.

"결국! 나는 끝까지 꼴사나운 놈이 되는군! 어리석구나! 단지 이용당할 뿐이었는데……! 이게 웬 바보짓인가!"

대공가의 점령을 안젤린에게 저지당한 이후 자신의 톱니바퀴가 어긋나버렸다고 프랑수아는 생각했다. 그러나 지금 와서는 딱히 나쁜 기분이 들지 않았다. 오히려 마음 어딘가에서는 그때 저지당한 덕분에 좋은 방향으로 돌아선 게 아닌가 하는 생각마저 했다.

그럼에도 자신의 고집이며 자부심 때문에 줄곧 안젤린을 미워했다. 그것이 존재 의의라고 생각했다. 그렇게 하지 않는다면 과거의 모든 자신을 부정당할 것 같은 기분이었다. 이제 와서 새로운 자신이 될 수 있을까 공포를 느꼈기 때문이었을 테지.

그러나 아무래도 자신은 예전에 이미 죽어버렸나 보다.

그렇다. 그날 밤 강에 빠졌던 이후 기억이 애매하다. 분명히 함께 있었을 터인 부하들은 대체 어떻게 됐나. 애당초 어째서 황태자에게 발탁되었단 말인가.

돌이켜보면 수상한 게 너무나 많다.

그리고 쭉 목격했던 사령 마술. 그것조차 수상하게 여기지 않은 까닭도 이자의 마법 때문이었을까. 퍼즐 조각이 들어맞는 듯한 기분이었다.

신체는 마치 자신이 것이 아닌 듯하다. 자기 의사와 무관계하게 마치 달인과 같은 기예로 검이 휘둘러진다. 성검을 지닌 벨그리프조차 일방적인 수세에 몰아넣을 수 있는 눈부신 검술이다.

"크…… 우오오!"

벨그리프가 있는 힘껏 검을 되밀었다. 프랑수아는 튕겨 나가며 뒤로 물러난다. 벨그리프는 어깨를 들썩거리며 프랑수아를 바라본다.

"프랑수아 님……. 제발."

"하하, 하하하, 나는 단순한 광대였구나……."

또 몸이 의식과 무관계하게 검을 치켜들었다. 프랑수아는 죽기 살기로 몸을 제지하고자 힘쓴다. 그 때문에 움직임이 뭔가 딱딱했다.

"부탁한다. 나를, 죽여다오……. 하다못해, 마지막 순간이나마 올바름을 지키고 싶다……."

"크……."

벨그리프가 검을 빼낸다. 가짜 벤자민을 처단하는 것은 포기하고 뒤로 물러났다. 아까 파르카와 싸웠을 때 쌓인 피로가 지금 뒤늦게 덮쳐든다.

다만 언데드의 숫자는 꽤 많이 줄었다. 아무러면 무한히 솟아나지는 않을 테지. 뒤쪽을 보면 동료들의 얼굴에도 피로가 제법 배어나지만, 어찌어찌 버틸 수 있을 듯하다.

목 없는 메이드를 쓰러뜨리고 온 안젤린이 한껏 숨을 들이마셨다.

"아빠, 괜찮아?"

"그래, 조금만 더 버티자꾸나."

벨그리프는 가짜 벤자민을 노려봤다. 어떻게든 프랑수아를 구출하고 싶다고 생각하던 때 또다시 묘한 기척이 팽창했다. 고개 돌리자 주위 언데드에게서 검은 덩어리가 날아와 가짜 벤자민 쪽에 모여들고 있었다. 그것이 척척 융합하며 거대한 그림자를 만들더니 결국은 인간의 형태를 취했다.

마이트레야가 작게 비명을 내지른다.

"뭐야, 저 저주체……. 너무 크잖아……. 위험해."

"끝장을 내려는 건가……. 카심, 대마법은?"

카심은 묵묵히 어깨를 으쓱거렸다.

"마력이 좀……. 시간이 꽤 걸리겠어."

"……해보자고. 마지막까지 포기할 수 없지."

벨그리프는 대검을 고쳐 쥐었다. 검이 커다랗게 윙윙 소리를 내며 빛났다. 가짜 벤자민이 웃었다.

"다 끝났어. 뭐, 제법 버틴 편이네."

거대한 저주체가 몸을 확대하여 위에서 덮쳐들듯이 손을 올렸다.

온다. 모두가 긴장하며 대비하던 때 불현듯 저주체의 움직임이 멈췄다. 부들부들 몸을 떨더니 한가운데부터 두 동강으로 갈라졌다. 쏴아 소리를 내며 검은 안개가 되어 사라져 간다.

벨그리프는 물론 일행들과 가짜 벤자민까지 어리둥절했다.

"어? 아, 뭐야, 뭐가 어떻게 된 거야?"

쿨럭쿨럭 기침하는 소리가 들렸다. 막 사라진 저주체가 있던 주위에 누군가가 서 있다.

안젤린이 기뻐하며 소리 질렀다.

"퍼시 아저씨!"

"그래."

향주머니를 품에 집어넣고 퍼시벌이 손을 흔들었다. 뒤쪽에는 토야와 모린도 같이 서 있다.

사티가 멍하게 웃었다.

"어떡해……. 또 아저씨가 늘어났어. 퍼시 군, 기운 넘치는구나!"

"엉? 오오……. 사티냐?! 이 자식들, 나만 빼놓고 다들 합류했던 거냐, 얄밉게!"

"바보 자식아, 네가 너무 늦게 온 거야!"

카심이 웃으며 소리 질렀다. 퍼시벌이 히죽 웃는다.

"미안하다. 뭐, 『처형인』을 해치우고 왔다, 눈감아줘라."

"뭐……? 헥터를? 말도 안 돼……. 아니, 그래서 여기에 못 왔던 건가……."

가짜 벤자민이 당황하며 퍼시벌을 쳐다봤다. 퍼시벌은 눈살을 찌푸리며 가짜 벤자민을 보더니 검 끝을 겨누었다.

"아하, 네놈이 흑막이냐. 이봐, 히나— 토야. 이 자식은 그냥 콱 해치워도 되겠지?"

"네."

"좋아. 빨리 해치우고 술이나 마시자고."

가짜 벤자민의 얼굴에 경련이 일어난다.

"웃기지 마라……. 이제 와서 몇 명 늘어나 봤자 상관없다!"

재빨리 영창하자 이제껏 하늘에 떠 있었던 초승달이 회전하며 내려오더니 퍼시벌을 향해 날아갔다. 마치 예리한 칼날 같았다.

하지만 퍼시벌은 피하기는커녕 앞에 나서서 서로 엇갈리는 순간 초승달을 조각조각 베어서 갈라버렸다.

"아니……?"

"뭐냐, 어쩐 일이냐. 벌써 패가 다 떨어졌나?"

"웃기지 마라! 슈바이츠! 이봐! 어디에 있나! 나를 구해라!"

그러나 아무 반응도 없다.

퍼시벌은 여유로운 표정으로 나머지 언데드를 베어 넘기며 한 걸음씩 다가간다. 벨그리프도 다른 일행과 함께 가까이 다가들었다.

"이렇게 황당하게……. 이딴 곳에서 끝날 순 없다……!"

가짜 벤자민은 히죽 웃더니 가슴에 손을 가져다 댔다. 퍼시벌이 퍼뜩 놀라며 지면을 박찬다.

"도망칠 셈이냐!"

"처음부터 이렇게 하는 게 맞았는데. 잘 있어라! 너희는 여기에 영원히 갇혀 있도록 해라!"

가짜 벤자민의 모습이 살짝 흔들렸다. 그러나 그 가슴을 검이 꿰찔렀다.

"꺼억—?!"

검을 꿰찌른 인물은 벨그리프도 안젤린도 퍼시벌도 아닌 프랑수아였다.

가짜 벤자민은 눈을 부릅뜨며 입에서 피를 토했다.

"네놈이……!"

가짜 벤자민이 핏발 선 눈으로 팔을 치켜들었지만, 프랑수아는 이를 악물고 검을 비틀었다. 가짜 벤자민은 결국에 팔을 내리 휘두르지 못한 채 똑바로 쓰러졌고, 마지막으로 「커흑」 작게 숨을 토한 뒤 움직임이 멎었다.

프랑수아는 힘이 쭉 빠져나가서 옆쪽에 같이 쓰러진다. 퍼시벌이 의아하다는 표정을 짓고 가까이 걸어왔다.

"뭐야, 어떻게 돌아가는 거냐?"

"프랑수아 님!"

벨그리프가 달려와서 프랑수아를 안아 일으켰다. 프랑수아는 창백한 얼굴로 슬며시 웃었다.

"하하, 이 자식, 당황해서 나를 조종하던 게 일순간 멈추더군……."

"정신 차리십시오! 부상을 당한 게 아닙니다."

"아니, 부상 때문이 아니야. 나는 언데드니까……. 하하, 아무도 눈치채지 못할 줄이야, 이 자식은 꽤나 우수한 사령술사였군."

"틀린 말이야. 너는 언데드가 아니야."

빠른 걸음으로 다가온 사티가 말했다. 몸을 구부려서 프랑수아의 머리에 살며시 손을 얹었다.

"잠들어 있어. 다시 깨어났을 때는 분명히 악몽에서 벗어날 수 있을 거야."

프랑수아는 뭔가 말하려고 입을 뻐끔뻐끔하다가 눈을 푹 감고 의식을 놓아버렸다. 벨그리프는 조심스레 프랑수아를 누였다.

"……전부, 끝났나?"

"응."

사티가 대답해주고 벨그리프의 머리를 끌어안았다. 힘이 빠지는지 체중을 기댄다.

"아하하, 뭔가, 힘이 쭉 빠지네……."

그렇게 말한 뒤 식식 코를 훌쩍였다.

"……고마워, 구하러 와줘서. 벨 군이 살아 있어줘서 정말로 기뻐."

"그래……."

벨그리프는 다정하게 미소 짓고는 사티의 머리에 살며시 손을 얹었다.

"나도 다시 만나서 기쁘다, 사티. 힘들었지. 고마워."

사티는 눈을 꾹 감고 눈물 흘렸다. 안젤린이 감격한 얼굴로 사티와 벨그리프를 한꺼번에 껴안는다.

아넷사도 밀리엄도 마르그리트도 눈물을 글썽이며 지켜봐주었다. 토야와 모린도 따뜻한 표정을 짓고 있었다. 벤자민은 눈을 내리뜬 채 뭔가 감동하는 분위기였다. 카심은 중절모자를 얼굴에 덮어 가렸다. 울음이 나오는 것 같다.

퍼시벌은 눈을 적시면서도 만면에 미소를 지었다.

"드디어 전원 집합이군! 얼른 이 기분 나쁜 곳에서 나가자고! 꼬마 임프, 전이 마법을 써라!"

"그래그래. 사람을 막 부려 먹는다니까……. 의뢰비는 비쌀 거야."

마이트레야는 입을 삐죽거리며 주문을 영창했다. 전원이 그림자에 가라앉는다.

아주 잠깐의 사이를 두고 썰렁한 공기가 주위를 감쌌다. 밀리엄이 몸을 떨었다.

"흐앙~ 추워라~."

"그래, 하지만 이제 날씨가 맑아."

"에헤헤……. 우리가 이겼어! 축배를 들자!"

안젤린이 기뻐하며 벨그리프와 사티의 사이에 들어가서 두 사람의 팔을 껴안았다.

오래도록 내리쏟아지던 비가 멎었고, 밤하늘에는 별이 반짝이고 있었다.

124 아침 안개의 사이에서

“영웅의 그릇을 가진 인물이 저토록 많이 모였는데도 현상의 흐름은 썩 커다란 규모로 발전하지 않았다. 저곳은 종착점이 아니었다는 뜻이다.”

“통과점이었다는 것은 확실한데 말이지! 『창염』이여, 자네 눈에는 어떠한 흐름이 보이는가? 솔로몬에게 다가가기 위한 여정은 아직껏 먼가, 아니면 의외로 가까운가. 아니, 아무튼 그 소녀가 소용돌이의 중심이라는 것은 틀림없겠어.”

“솔로몬이 공간을 뚫고 나갔던 것은 마술식을 쓴 결과가 아니었다. 아마도 가장 큰 요인은 광기와 다를 바 없는 강력한 감정의 폭발……. 이른바 『악』과의 싸움은 단순히 일개 원인에 불과하지. 그러면 이번 소동이 종착점이 아니었던 것은 이해할 수 있다.”

“거기에 다다르는 과정이 또 중요하다네! 소용돌이란 나선과 비슷한 회전 운동이지. 그 회전은 같은 장소를 도는 것처럼 보이지만, 상승이든 하강이든 무엇이든 간에 쭉 변화가 이루어지며 속도를 더해 간다네. 폭발에 의한, 첨예화에 의한 공간의 천공! 솔로몬이 보유했던 강대한 힘과 혼의 한탄이 거대 현상의 단락 역할을 했음이다!”

“……의외로 그것은 영웅적인 인간에 의한 작은 범위에서 일어날 수 있는 결과인지도 모른다. 더욱 조그마하게, 일대일의 인간관계에서.”

“자네는 어떻게 할 계획인가?”

“계속 흐름을 관측할 수밖에 없지. 필요한 것은 마지막 한 수의 타이밍이다. 그 시기를 가늠해야겠군.”

“『열쇠』다. 그것은 아직 실전되지 않았다네. 영웅의 그릇을 지녔을지언정 엘프 한 명이 파괴할 수 있을 만한 물건이 아니지! 흐름에 휩쓸리지 마라, 『창염』. 나의 벗이여!”

“누가 벗이냐. 나는 가겠다. 네 녀석은 영원히 이곳에서 관측자 행세나 하도록 해라.”

○

아침 안개의 사이에서 빛이 줄기를 이루어 내리비치자 젖은 지면이 반짝반짝 빛났다. 이곳저곳의 물웅덩이는 탁한 갈색을 띠었지만, 그럼에도 빛을 반사하며 거울 같았다.

늪에 빠진 것처럼 잠들어 있는 동료들을 방에 남긴 채 벨그리프는 숙소의 마당에 나와 있었다. 처마 아래의 나무통에 걸터앉아서 아침 공기를 가슴 가득히 들이마신다.

일찍 일어난 여행자들이 채비를 마친 뒤 출발하는 모습이 보인다. 짐수레 삐걱거리는 소리며 말발굽이 돌바닥을 때리는 소리가 들려온다.

벨그리프는 이런저런 광경을 바라보며 꿈을 꾸는 기분으로 꾸벅거리고 있었다.

오늘 하루쯤이야 훈련 시간을 빼먹어도 벌 받지는 않으리라. 그럼에도 저절로 일어나서 침상을 나와버린 것은 단순히 버릇이어서다. 몸이 피로할 뿐 아니라 아직 졸리다는 느낌도 있지만, 그냥 잠들기가 아쉽다는 마음도 든다.

나잇값을 못 하는구나 싶어서 수염을 비비 꼬던 중 누군가가 톡톡 어깨를 건드렸다.

"빨리 일어나는구나~『적귀』님."

"너야말로. 더 자는 게 좋지 않겠어?"

사티는 에헤헤 웃으며 벨그리프의 옆에 걸터앉았다.

"뭔가 마음이 들떠 올라서 말야. 많이 피곤하기는 한데."

"하하하, 나도 마찬가지야. 나이를 헛먹은 것 같군. 젊은 아이들이 오히려 푹 자고 있어."

"후후, 그럼 퍼시 군이랑 카심 군은 젊다는 말이구나."

"……그럴지도 모르지. 그 녀석들은 알맹이가 어린애니까."

"다 큰 장남이랑 차남이네. 후후, 아빠는 말하는 게 다르구나."

그렇게 말하고 두 사람은 얼굴을 마주 바라보며 웃었다.

어젯밤 긴 전투 후, 숙소의 방에 돌아온 일행은 아직 떠들썩했던 주점에 가서 축배를 들었다. 옛 친구들 네 명의 재회는 본인들은 물론이거니와 안젤린과 다른 동료들까지 몹시도 기뻐해주며 자기 일처럼 흐뭇해했다.

쌓인 이야기가 많았던 터라 밤새도록 쭉 대화 나누고 싶은 기분이었지만, 목숨을 건 격투를 치른 다음이었기에 술이 들어가자 모두들 푹 잠들어버렸다. 최강 수준의 모험가들도 수마에는 이길 수 없었나 보다.

그렇게 밤이 지나갔고, 지금은 또 이렇듯 비 멎은 마당에 나란히 앉아 있다.

벨그리프는 뒤쪽 벽면에 등을 붙였다.

"프랑수아 님은 괜찮으려나."

"그 사람은 자신이 언데드라고 생각했던 것 같은데 말야, 진짜로 언데드였다면 그렇게 뚜렷하게 의식을 유지할 수 없거든. 아마도 가사 상태라든가 정신을 잃었을 때 사령 마술에 의식을 지배당했던 게 아닐까? 뭐든 방법이 있을 거야."

"그런가……. 다행이군."

리젤로테 님이 슬퍼할 일은 없겠구나. 벨그리프는 슬쩍 웃었다.

"……그래도 완전히 예전처럼 돌아가진 못할걸. 정신 조작이 아니라 사령 마술을 쓰는 육체 지배는 몸을 절반쯤 죽은 상태로 만드는 방식이라서 손발 중 하나는 생명 에너지를 이미 잃었을 가능성이 높아. 다리나 팔 하나 정도는 못쓰게 될 각오를 해야 할 거야."

"음……. 다만, 목숨만 건진다면 다시 일어날 수 있지. 다리가 하나 없더라도 말이야."

사티는 후훗, 웃었다.

"네가 말하니까 설득력이 있네……. 한쪽 다리에 의족을 달았는데도 이제는 정말 잘 싸우더라."

"하하, 네가 이렇게 말해주니까 자신감이 붙는군."

"딸내미 안제는 S랭크 모험가이고, 마리는 서쪽 숲의 공주님, 게다가 고향에 『팔라딘』이 있어서 검을 배웠다니 말이야. 어휴, 내가 모르는 데서 참 많은 모험을 했구나, 벨 군."

"아니, 대부분의 시간은 그저 고향에서 밭을 일궜는데……. 너는 변함없구나. 예전 그대로야."

그렇게 말하자 사티는 뺨을 볼록거렸다.

"으응~? 그 말은 나도 어린애 같단 뜻이야?"

"아니, 아니. 그게 아니라, 외모 이야기지."

당황하는 벨그리프를 보고 사티는 웃음을 터뜨렸다. 그렇게 웃으며 벨그리프의 머리를 토닥토닥 쓰다듬는다.

"어휴~ 여전히 진지하구나, 벨 군은. 착하다, 착해."

"놀리지 말아줘……."

"벨 군은 변했어, 좋은 방향으로. 수염도 잘 어울리는걸."

사티는 헤죽헤죽 웃으며 벨그리프의 수염을 붙잡아 비비 꼬았다. 벨그리프는 난처해하며 웃었다.

"그런가?"

"응. 관록이 있어. 같은 수염이라도 카심 군은 좀 깔끔하게 다듬어야겠더라. 막 놔두면 지저분해 보이거든."

그렇게 말하며 사티는 자신의 턱에 손가락을 가져가서 문질러봤다.

"어때? 수염. 있을 때 없을 때 많이 달라?"

"그렇군. 뭐라고 할까, 자꾸 만지는 버릇이 들면 예전으론 못 돌아가지. 다 깎아버리면 물론 똑같아지겠지만, 역시 위화감이 좀 있을 거야."

"그래, 그렇구나……."

생글생글 웃는 얼굴인데도 눈에 눈물이 떠올라서 사티는 살짝 당황하며 손가락의 등으로 닦는다. 그럼에도 자꾸자꾸 눈물이 흘러넘치다가 결국 오열까지 새어 나왔다.

벨그리프는 놀라서 등을 어루만져줬다.

"괜찮아?"

"응……. 있잖아…… 이렇게 또 아무래도 좋은 얘기를 나눌 수 있다는 게 기뻐서……. 퍼시 군도 카심 군도 이렇게 또 환히 웃어준다는 게, 정말 잘됐어……."

그 말에 벨그리프도 저절로 가슴이 죄어드는 기분을 느꼈다. 눈을 내리깔며 다정하게 사티의 등을 쓰다듬는다.

"……너는 많이 힘들었겠지. 그 녀석들과 줄곧 싸웠던 거지?"

"그렇게, 됐네……."

"아직 이야기하긴 어렵나? ……괴로운 기억일 순 있겠지만, 너에게 무슨 일이 일어났었는지를 알고 싶다만."

사티는 코를 훌쩍이며 손등으로 눈을 꾹꾹 문질렀다.

"아냐, 꼭 이야기해야 할 문제니까. 나 자신에게 매듭을 짓기 위해서도 말이야."

사티는 한껏 숨을 들이마셨다가 내뱉었다.

"그때는……. A랭크가 된 무렵이었을 거야. 퍼시 군은 자꾸 스스로를 몰아붙이고, 나는 싸움만 하고. 가는 말이 고와야 오는 말이 곱다잖아? 그러다가 너무 분위기가 험악해져서 내가 뛰쳐나가 버렸어. 더 이상 같이 지내도 좋은 일은 없었을 테니까……. 어젯밤 사과도 받았거든? 지금은 딱히 신경을 안 쓴다는데도 이상한 데서 성실하다니까."

사티는 그렇게 말한 뒤 살며시 웃었다.

"지금 돌이켜보면 다들 어린애였어. 세상이 참 좁았지……."

"아니, 원인을 따지자면 내가 말없이 떠나갔기 때문이니까……."

"얘가, 얘가. 이제 와서 누구를 탓하자는 게 아니잖아. 뭐야, 내가 화내는 꼴 보고 싶어서 이래?"

"으음……. 미안."

"……요컨데 말야, 다들 진지했던 거야. 벨 군은 물론이고 퍼시 군도 카심 군도, 나도 마찬가지였어. 그러니까 각자 자기가 잘못했다며 자책했어. 그만큼 너희를 좋아했었다는 이유도 있었지만 말이야."

"음……. 그렇군. 분명히 맞는 말이야."

"……오히려 내가 너한테 먼저 사죄해야 되지 않을까 싶어, 벨 군."

"어째서? 네게 무언가 잘못이 있다는 생각은 난 하지 않았는데."

"내가 스스로 죄책감을 느꼈기 때문이야. 사과도 자기만족을 위한 것 같기는 한데……. 계속 얘기할게? 아무튼 파티에서 뛰쳐나왔는데 그래도 네 다리를 고쳐주겠다는 목표는 결국 포기할 수 없었어."

올펜을 떠난 사티는 우선 동방의 틸디스를 지나 글단에 갔다. 동방의 여러 나라들에는 서쪽과 다른 마법이 발전한지라 거기에서 힌트를 얻을 수 있지 않을까 생각해서였다. 다만 기대했던 수확은 없었다.

그 이후는 조금 서쪽으로 돌아와서 칼리파, 이스타프와 틸디스 등 대도시를 돌아다니며 남하, 다단의 대도시 바그완과 루크레시아에도 들렀다가 마지막에는 로데시아의 제도에 도착했다. 떠돌이 생활 중 위험한 상황에 처하는 때도 많았고, 그 무렵에는 검도 마법도 숙련된 기량을 달성할 수 있었다.

"마수와 싸울 때는 많았지만, 모험가로서 임무는 거의 하지 않았어. 랭크 승격도 안 했고 일당을 벌어서 쓰는 정도였어. 엘프라는 이유 하나로도 눈에 띄는데 요란하게 일을 벌여서 주목받으면 귀찮아지니까……. 결국은 자격도 반납해버렸네."

사티는 그렇게 말한 뒤 나무통 테두리에 발뒤꿈치를 올려서 무릎을 끌어안았다.

"기억나? 옛날에 어째서 모험가가 되자고 생각했냐는 이야기, 잠깐 했었지?"

"그래……. 달리 방법이 떠오르는 게 없었다고 말했지. 나도, 너도."

"응. 그런데 난 말야, 그때 실패로 모험가를 동경하는 마음이 완전히 사라져버렸다는 느낌을 받았거든. 그렇다고 고향에 돌아가고 싶진 않았고, 아무튼 뭔가 내가 해야 할 일을 찾아내고 싶었어. 그래서 네 다리를 고칠 방법에 매달렸던 것 같아.”

“이해한다. 나쁜 일이라는 생각은 안 드는군.”

“……그렇게 제도에서 슈바이츠와 만났어.”

“슈바이츠와……?”

벨그리프는 눈살을 찌푸렸다.

『재액의 창염』 슈바이츠. 이번 소동에서 가짜 황태자와 나란히 서는 흑막 가운데 한 사람이다. 카심과 전투 중 모습을 감췄다는 말은 들었지만, 아무도 해치웠다는 생각은 하지 않았다.

사티는 끌어안은 무릎에 입을 가져다 대고는 후유, 숨을 쉬었다.

“그때는 그 자식의 위험성을 전혀 알지 못했어. 인간 세계의 사정에 어두운 엘프였으니까. 『재액의 창염』이라는 칭호는 알고 있었지만, 그렇게까지 두려운 상대는 아니라고 우습게 봤던 거야.”

“……어떤 계기로 슈바이츠와 만났어?”

사티는 살짝 자조를 담아서 미소 지었다.

“상대가 먼저 말을 걸어오더라. 자신들에게 협력하지 않겠냐고.”

“……그러면.”

“맞아, 나는 잠시나마 그 녀석들의 연구를 거들어준 시기가 있었던 거야.”

사티는 몸서리치며 눈을 내리깔았다. 벨그리프는 묵묵히 다음 이야기를 기다렸다.

"……좀 우스운데 말야, 덕분에 꽤 많은 능력을 익힐 수 있었어. 옛 신이 남긴 의식의 잔재를 알게 된 것도 그때였고, 그 잔재를 이용하는 공간 작성이나 전이, 유사 인격 같은 기술을 습득하는 방법도 그 시기에 알게 됐거든."

"옛 신의 의식이라고?"

"응. 솔로몬 이전에 대륙을 지배했던 녀석들이야. 솔로몬에게 멸망당했는데 아직껏 힘의 잔재만은 남아서 떠돌아다니니까 마력을 주면 이용할 수 있어."

"……위험하진 않은 건가?"

"나처럼 아주 살짝만 이용하면 괜찮아. 찌꺼기 같은 정도니까 마력 공급을 중단하면 상대가 더 이상 힘을 안 빌려주고 끝날 뿐이야."

제도 주변에서 오래 떨어지면 공간의 유지도 전이도 못 하게 된다고 사티는 설명했다.

"슈바이츠의 조직과 대립한 다음부터는 그 녀석들의 실험을 방해했으니까 결과적으로 제도 주변에서 벗어날 수 없게 된 거야."

"그런가……. 그때부터 줄곧 혼자서?"

"어떤 시기에는 협력자도 있었어. 대부분은 구해 낸 사람들이었는데 이미 실험을 당한 처지니까 몸이 못 버텨서 말야, 그다지 오래 살지는 못하더라고……."

사티는 흡흡 코를 훌쩍였다.

"슈바이츠는 되게 신중하거든? 실험이나 연구를 같이 진행하는 동료 사이여도 불필요하게 얼굴을 마주하지 않게 조심했어. 협력자 녀석들도 한 사람 한 사람의 목표가 다른 것 같기도 했고. 세계 정복을 계획하는 녀석도 있었고, 빠른 출세를 노리는 녀석도, 개인적인 원한을 갚아주는 게 목표인 녀석도 있었어."

"슈바이츠의 계획에 각자 목표를 가지고 합류했던 인물이 많았다는 말인가?"

"그렇게 되네. 게다가 슈바이츠는 뭘 하든 내버려 뒀어. 그러니까 각자의 목표가 엇갈리고 뒤죽박죽되니까 조직 전체에서 무엇을 목표로 하는지가 애매했지. 그래서 나도 실험의 전모는 알지 못하는 데다가 황태자로 둔갑한 가짜가 누구였는지도 몰라. 애당초 처음에는 마법 발전을 위해 솔로몬의 유산이라는 마왕을 연구하겠다는 게 명분이었거든. 솔로몬이나 마왕 관련은 뷔에나 교에서 완전히 이단 취급이니까 공공연히 드러낼 수 없어. 그래서 몰래 진행하는구나. 나도 그렇게 생각했었어."

사티는 후유, 숨을 내쉬었다. 눈가에 떠오르는 눈물을 손가락으로 훔친다.

"벨 군은, 그 녀석이 저지른 실험의 내용, 대강이나마 들어서 알지?"

"……분명, 마왕을 인간으로 만들어 낳는 게 목적이라고 했지."

1년쯤 전에 벡에게 들은 이야기다. 벡도 실험을 통해 태어났던 사람 중 하나였다. 다만 실험은 태어난 아이에게서 마왕의 기세가 완전히 사라져야 성공으로 판가름된다. 그럼으로써 주인을 찾아다니며 광기에 빠진 마왕들을 지배하고자 했던 계획이라는 말을 들었다.

"한데 마왕은 이래저래 형태를 바꿀 수 있었지? 나는 반지로 바뀐 마왕도 직접 보았고, 아마 파르카 군의 마검도 같은 부류일 테지. 구태여 인간으로 낳을 의미가 있는 건가?"

벨그리프가 묻자 사티는 고개를 끄덕였다.

"확실히 맞는 말이야. 실제 태어난 아이들 중 실패작이라고 불린 아이도 제대로 된 개별의 자아를 가져서 마왕이 아닌 일개인의 인격으로서 존재했어. 설령 인간은 아니었더라도."

"하루와 마루, 라고 했던가."

"응. 귀엽지?"

사티가 보호해왔던 쌍둥이도 마찬가지로 마왕의 혼을 지니고 태어난 아이들이다. 다만 신체는 벡과 달리 불안정했기에 본래 마왕의 형태— 까마귀를 본질로 가지면서 평소에는 인간의 형태를 취할 수 있는 다소 특이한 입장이라고 한다.

얼마 전 잠시나마 슈바이츠에게 조종당했던 두 아이들도 지금은 인간의 모습으로 돌아와서 방 안에서 새근새근 자는 중이다.

"온갖 고생을 겪게 만들었지만, 결과적으로 그 아이들에게 바깥 세상을 보여줄 수 있게 되어서 다행이야……."

사티는 살짝 표정을 누그러뜨렸다가 곧 재차 다잡았다.

"슈바이츠가 마왕으로 완전한 인간을 만들어 내서 어떻게 할 계획인지 자세한 내용은 몰라. 아마도 슈바이츠는 지금 세상의 마법학과 전혀 별개의 시점으로 무언가 진행하려는 것 같기는 한데…….”

“……괜찮아?”

말을 건네는 한편 끌어안은 무릎에 얼굴을 파묻고 있는 사티의 어깨를 벨그리프는 살며시 쓰다듬었다. 사티는 잠시 부들거리다가 곧 얼굴을 들어 올렸다.

“많은 사람들이 있었어. 서쪽의 사람도, 동방의 사람도, 남부의 사람도, 수인도 있었지.”

“사티?”

“……엘프는 나였던 거야, 벨 군.”

사티는 울먹이는 표정을 짓고 벨그리프를 바라봤다.

“나도 마왕을 배서 낳았어.”

벨그리프가 뭔가 말하기 전에 사티는 멈추지 않고 쏟아부었다.

“깨달았을 때는 이미 배에 이변이 있었어. 어째서 이렇게 됐나 알 수가 없었어. 무서웠어. 어떻게 해야 되나 종잡을 수가 없는데, 그런데 배는 커다래지고…….”

“사티, 괜찮아. 힘들면.”

“아냐. 여기까지 왔으면 전부 말해야지. 결국 낳기로 결심했는데, 그런데 태어난 아이를 녀석들에게 넘겨주기는 절대 싫었어. 실패작 아이들은 살해당해서 다시 마왕의 핵으로 만들어지거든. 그러니까 나는 고민했어. 태어나서 바로는 아직 성공인지 실패인지 몰라. 그동안은 녀석들도 옆에 쭉 달라붙어 있지 않았어. 나는 그때 옛 신의 잔재와 계약했어. 그래서 공간 전이를 쓸 수 있는 거야."

공간 전이는 술사가 아는 장소로 이동 가능하다. 모르는 곳이어도 아주 못 가지는 않지만, 벽이나 나무, 혹은 사람 따위가 있는 장소, 더욱이 골짜기나 높은 장소와 같은 지형에 전이되어버리면 위험하기 때문에 기본적으로 미리 잘 알아 둔 장소 이외에 사용하는 경우는 드물었다.

"그치만 나 자신도 모르는 장소라면 녀석들도 쫓아가지 못할 거라고 생각했어. 그 무렵 나는 녀석들에게 이미 파악을 당한 처지였으니까 마력을 더듬어 갈 가능성도 있었거든. 분하지만 아이와 같이 살아갈 순 없었던 거야. 게다가 제도에서 오래 떨어지면 힘도 사라져버려. 그러니까 도박이었어. 다행히 무사히 전이는 성공했어. 숲속이었으려나. 단풍이 아름다운 곳……. 멀리 연기가 보여서 분명 사람이 있을 거라고 생각했어. 전이의 힘도 잃어버리게 되고, 녀석들에게 들킬까 봐 무서워서 금방 돌아갔지만……."

사티는 고개 숙였다.

"이후에는 거기 간 적이 없어. 녀석들에게 알려지는 것도 싫었고, 아이를 찾고 싶어도 불과 몇 분이면 옛 신의 힘— 전이나 공간 구축의 힘은 사라져버려. 차라리 도망치는 좋지 않을까 생각도 해봤지만, 실험에 이용당한 사람들을 떠올리면 차마 도망칠 수 없었어. 그러니까 아이가 어떻게 됐는지는 결국 지금도 몰라……. 미안해, 벨 군. 나는 줄곧 슈바이츠와 싸우는 데 열중해서 너를 떠올릴 여유가 없었어."

"단풍이 든 숲속……."

묵묵히 상념에 잠긴 모습으로 있는 벨그리프를 보고 사티는 힘없이 웃었다.

"……한심하지? 미안, 애써서 구해줬는데……."

"아니, 그게 아니야."

벨그리프는 사티를 똑바로 바라봤다.

"너는, 내가 이런 정도로 한심하다는 말을 할 인간이라 생각하는 건가?"

"으음……. 아냐, 그렇지는."

"아기는 엘프처럼 귀가 뾰족했었나?"

"어? 아니, 마왕의 영향인지 태어난 아이는 평범하게 인간이었는데……."

"……등나무 덩굴로 짠 바구니가 아니었나?"

"아……?"

"수풀의 그림자에 놓여 있었지. 갓난아이가 천에 감겨서……. 로즈메리 화환이 있었어. 말린 개암나무의 가지와 말린 쐐기풀의 다발도."

"거짓말……. 어떻게 알아?"

사티는 놀라서 눈이 휘둥그레졌다.

벨그리프는 어쩐지 힘이 쭉 빠진 표정을 지은 채 사티의 뺨에 손바닥을 가져갔다. 그러곤 다정하게 쓰다듬으며 미소 짓는다.

"……그 아이를 주운 사람이 나야. 사티. 안제는, 네 딸이었구나."

"화, 확실히 흑발이고……. 어, 그치만, 그치만, 세상에……."

사티는 아연실색하여 입을 뻐끔뻐끔 움직이다가 불현듯 커다란 눈물방울을 뚝뚝 흘려서 떨어뜨렸다. 그대로 벨그리프에게 안겨 들어서 가슴에 얼굴을 파묻는다.

"……아! 기적이란 게, 정말 있구나. 벨 군……!"

"그래…… 정말로."

벨그리프는 가만히 사티의 은발을 손으로 빗겨줬다.

○

왕성의 어느 방, 현란하게 장식해 놓은 그 방은 황태자의 개인실이다.

수염을 깔끔하게 깎고, 완벽하게 몸단장을 마친 황태자 벤자민이 침상에 누운 채 옆쪽에다가 산처럼 쌓아 둔 서류를 유심히 훑어보고 있다. 길었던 감금 생활 때문에 바짝 말라서 수척해졌지만, 요 며칠간 요양하며 몸 상태는 제법 괜찮아졌다.

문 두드리는 소리가 난다. 대답하자 지팡이를 짚고 프랑수아가 들어왔다. 여전히 고단함이 느껴지는 얼굴이었지만, 밀랍같이 부자연스럽게 하얬던 낯빛에는 혈색이 돌아왔다.

"전하, 너무 무리하면 안 됩니다."

"무리하는 게 아니야, 편하게 누워 있잖아. 그나저나 난감한 게 이래저래 많아."

벤자민은 그렇게 말한 뒤 손에 들고 있었던 서류를 옆에 치웠다. 그쪽에는 다 읽은 자료가 쌓여 있었는데 역시 상당한 숫자였다.

"뒤처진 만큼 힘내서 쫓아가야지. 아무튼 가짜 놈, 확실히 눈에 잘 들어오는 성과는 만들어 냈는데 아주 무리가 있는 방식이야. 이래서는 몇 년 뒤에 부작용이 올 거야."

"지금부터 힘써도 궤도 수정은 가능할 테지요. 꽤 바빠지겠습니다……. 우선 몸 상태를 온전하게 회복하시는 게 먼저입니다만."

"자네도 열심히 힘을 보태줘야 할 거야. 다리 상태는 좀 어때?"

벤자민이 묻자 프랑수아는 부목을 대서 똑바로 고정한 왼쪽 다리를 쓸어 만졌다.

"기묘하군요, 잘 달려 있는데도 감각이 없다는 것은……. 그러나 한쪽 다리가 의족임에도 뛰어난 활약을 보인 누군가를 아는지라, 저는…… 저 또한 우는소리는 늘어놓을 수 없습니다."

"하하하, 그러게나 말이야. 『적귀』인가……. 신기한 녀석들이었지, 다들. 사실은 제도에 남아 나를 도와주길 바랐는데."

"……고작 모험가 따위에게 뒷수습까지 의지할 순 없습니다. 귀족의 집념을 보여줘야지요."

"자네도 참 솔직하질 못하네, 사실은 감사하는 주제에 말야. 그렇게 자꾸 툴툴거리면 안젤린한테 혼난다? 자네도 그 아이 덕택에 근본을 뜯어고칠 수 있었잖아?"

"아니……. 그러고 보니, 전하? 『흑발의 여검사』에게 구혼을 하셨다던데 말입니다."

노골적인 화제 전환이지만 효과는 즉각적이었다. 벤자민은 겸연쩍어하며 시선을 피한 뒤 쓴웃음을 지었다.

"……진심으로 질색하는 표정이 무엇인지 알게 되었지. 그 아이는 내 콧대를 아주 제대로 꺾어주는구나. 황태자라는 지위도 꽤 잘생긴 얼굴도 그 아이한테는 아무 가치가 없는 거야."

"뭐, 어차피 모험가잖습니까. 어서 잊어버리시는 게."

"그 모험가가 아니었다면 어떻게 되었을까."

다른 목소리가 들렸다. 소파에 마이트레야가 거들먹거리며 앉아 있었다. 옆쪽에는 계산을 마치고 놓아둔 듯한 서류가 잔뜩 쌓여 있었다.

프랑수아가 눈살을 찌푸린다.

"이 녀석."

"불만 있어?"

"……아니."

프랑수아는 한숨 쉬고는 눈을 내리떴다. 벤자민이 킥킥 웃었다.

"너는 다른 사람들을 같이 따라가지 않아도 괜찮은 건가? 마이트레야."

마이트레야는 탁자 위 설탕 과자를 입에 던져 넣었다.

"나는 도시 여자야. 시골에 틀어박혀서 흙이나 만지작거리는 처지는 절대 사절이지. 이렇게 너희를 도와주는 귀한 인력이니까 더 많이 감사해야 돼. 토끼 소년도 같은 마음일걸?"

벤자민의 침상 옆쪽에 의자가 있고, 그곳에 한쪽 팔을 잃어버린 파르카가 오도카니 앉아 있었다. 성당 기사의 제복이 아닌 근위대의 제복을 몸에 걸쳤다.

도노반이 죽고 마검의 영향에서 벗어난 파르카는 얌전하고 고분고분하며 아울러 한쪽 팔만 남았어도 웬만한 병사보다 검술이 뛰어났기에 벤자민의 호위로 발탁되었다. 본인은 변함없이 멍한 모습으로 한 마디도 떠들지 않았지만, 불만은 전혀 없는 듯하다.

"그래그래, 정말 감사하네."

벤자민이 웃으며 기지개를 켰다.

"슬슬 출발할 때가 되었구나……. 배웅까지 거절당할 줄이야."

"전하께서 배웅을 나가시면 큰 소동이 벌어지겠지요. 게다가 다음에 만났을 때 녀석들이 놀랄 만큼 저희도 성장하지 못한다면 비웃겠지요. 이별을 아쉬워할 때가 아닙니다."

"흐음, 또 만날 생각은 있구나."

"아니요……. 딱히……."

프랑수아는 휙 시선을 피했다. 벤자민은 웃고서 다른 서류를 손에 들었다.

"아무튼 확실히 맞는 말이야. 그때가 오면 안젤린도 프러포즈를 받아줄지도 모르니까."

"『적귀』보다 좋은 남자가 될 자신이 있어?"

마이트레야가 물었다. 벤자민은 움찔 굳어서 시선이 흔들거렸다.

"……아마도, 꼭."

"웃겨."

마이트레야는 또 설탕 과자를 하나 집어 들었다. 곧이어 휙 던지자 파르카가 재주도 좋게 입으로 받아먹었다.

"그런 땅딸보 말고 난 어때? 황태자비 마이트레야도 꽤 괜찮아."

"프랑수아, 아이린 지부장의 서간을 꺼내주겠나."

"조잡한 무시는 관둬."

그때 똑똑 문 두드리는 소리가 났다.

"전하, 제가 문병을 왔답니다!"

리젤로테의 기운찬 목소리가 들린다.

벤자민은 허둥지둥 자세를 바로하고 머리카락을 손으로 매만졌다.

○

격전을 치른 뒤 2주 가까이 상처의 치료 및 이런저런 뒤처리를 마친 일행은 각자 자신의 장소로 돌아갈 때를 맞이했다. 제도에서 머무른 시간은 비록 짧았지만, 그동안 소소하게 관광을 즐길 수도 있었고 벨그리프도 다른 일행들도 이 이상 제도에 오래 눌러앉을 뜻은 없었다.

안젤린이 사티를 맞잡고 깡충깡충 뛴다.

"엄마, 엄마~!"

"오~ 안제, 내 딸내미~."

카심이 재미있다는 표정을 짓고 둘을 바라본다.

"틈만 나면 저러는데 되게 즐거운가 보네. 저게 뭐람?"

“어머니가 생긴 딸과 딸이 생긴 어머니의 그림이군……. 그나저나 설마 진짜 이렇게 됐다는 게 놀랍다. 안 그런가? 벨. 네 녀석도 상당히 재주가 많은 남자로군.”

카심의 옆에 선 퍼시벌이 말했다.

“아, 이 녀석들아, 머리카락을 잡아당기지…… 음? 뭐라고?”

벨그리프는 두 어깨에 각각 하루와 마루를 태워주고 있었다. 쌍둥이는 두꺼운 겨울옷을 입어서 복슬복슬 부풀어 올랐다.

“아빠~.”

“이게 수염이야.”

쌍둥이는 즐거워하며 벨그리프의 머리카락이며 수염을 잡아당기고 있다. 퍼시벌은 어깨를 으쓱거렸다.

“거참, 너는 곧바로 아버지의 얼굴을 되는구나. 놀리는 재미가 없군.”

“뭐, 이제 와서 신혼이란 느낌도 안 들겠지. 둘 다 어른이 되어버렸고 말야……. 어떻게 할래, 퍼시. 꼬맹이로 남은 건 너랑 나뿐인데.”

“바보 같은 소리는 마라, 너뿐이다.”

“엥~ 그런가?”

카심은 껄껄 웃더니 머리 뒤편으로 깍지를 꼈다.

“어디~ 제도도 슬슬 작별이군. 이래저래 일이 많아서 지쳤어, 나는. 당분간 느긋하게 편안하게 쉬고 싶은걸.”

“그러게나 말이다……. 뭔가 이래저래 어깨의 짐을 내려놓은 기분이다."

퍼시벌도 고개를 끄덕거렸다.

뿔뿔이 흩어졌던 네 친구의 발걸음이 또 하나의 길에 돌아왔다. 아직 신경 쓰이는 문제가 없진 않지만, 긴 싸움의 나날이 드디어 끝을 맞이하려고 하는 참이다.

"조금 걱정되는 게 슈바이츠인데……. 어떻게 생각해? 뭔가 수작질을 걸어오겠지?"

"글쎄다. 어쨌든 알아서 우리한테 오면 반겨줘야지. 찾을 수고를 덜 수 있잖냐."

"헤헤헷, 나는 네 이런 태도가 좋아."

"게다가 톨네라에는『팔라딘』이 있다며? 제도에 틀어박혀 있는 것보다 훨씬 안전하지……. 기대되는군, 어서 만나고 싶다."

퍼시벌은 그렇게 말한 뒤 웃었다. 카심이 조금 조마조마한 표정으로 말했다.

"제발 부탁이니까 실력을 겨룬다고 마을을 싹 날려버리진 마라?"

"……너는 날 마수나 뭔가로 착각하는 거 아니냐?"

카심은 쓱 시선을 피했다.

쌍둥이의 공격에 벨그리프가 고전하던 때 한바탕 안젤린과 뛰어다니기를 마친 사티가 막 떠올랐다는 듯이 다가와서 벨그리프의 어깨 위 쌍둥이를 안아 들었다.

"어휴, 얘들아. 아빠를 괴롭히면 못써."

벨그리프는 후유, 한숨 내쉬고 어깨를 돌려줬다.

"이런, 아이고, 고맙다."

"아이들한테 되게 인기가 많네, 벨 군은……. 응? 서방님이라고 불러주는 게 좋아?"

"아니, 괜찮아. 호칭이야, 뭐. 너도 말하면서 좀 어색하지 않나?"

"아하하, 그러게. 자연스러운 게 제일이지. 자, 큰애야, 한 명 부탁할게~."

"네에~. 후후, 누나란다……."

사티에게 꼭 달라붙어 있었던 안젤린이 마루를 넘겨받았다. 옆에서 지켜보는 밀리엄이 쿡쿡 웃었다.

"또 가족이 늘어났네~ 안제."

"너무 행복해……. 지금 난 완전무결이야."

안젤린은 그렇게 말한 뒤 마루에게 뺨을 비비적댔다. 마루는 「꺄~」 떠들며 간지럽다는 듯이 몸을 꼬았다.

아넷사가 팔짱을 꼈다.

"아무튼 굉장하네. 전혀 상관없는 줄 알았던 사건들이 하나로 쭉 연결됐잖아."

"그치~ 좀 부럽다니까."

마르그리트도 동의하며 웃었다. 가족과 사이가 나쁜 엘프 공주님은 저런 광경에서 어떠한 선망을 느끼는 것 같다.

"……그래도 모녀라기보다는 자매로 보이는걸."

"확실히. 사티 씨 젊잖아."

사티가 정말로 배를 아파하면서 낳은 아이가 안젤린이었다는 사실은 당연하게도 놀라움과 함께 받아들여졌다. 하지만 안젤린은 놀라움 이상으로 몹시 기뻐했다. 자신이 미움을 받아 버려졌던 것이 아님을 알게 되었던 데다가 진짜 어머니가 벨그리프의 옛 동료였다는 것은 무척이나 기쁜 일이었다. 그리고 무엇보다 사티 개인에게 몹시도 좋은 인상을 느끼고 있던 참이다. 사티의 품에 안겼을 때 신기하리만큼 편안하며 따뜻했던 이유는 자신의 몸이 어머니의 온기를 기억하고 있었기 때문이었을까. 지금 뒤늦게 생각해본다.

다만 이렇게 되면 안젤린이 정말 마왕이라는 전제가 생겨나는데, 이미 미토와 벡같이 마왕을 유래로 하는 아이들을 보호해왔다는 사정이 있는지라 벨그리프도 안젤린도 「그게 어쨌다는 거냐」라는 태도다. 오히려 사티가 더욱 당황하는 지경이었다.

아무튼 간에 이러저러한 이유가 있어 벨그리프와 사티는 사실상 부부와 다를 바 없는 관계가 된 셈이다. 다만 양쪽 다 아이를 기르며 마흔을 넘긴 나이이며 정신적으로도 완전히 안정되어 있는지라 분명 신혼인데도 열렬함은 전혀 없었고, 이미 오랜 세월을 함께 보내온 부부처럼 편안한 분위기가 감돌았다.

"와, 와아~ 여러분, 여기에 다 계셨네요~."

문득 목소리가 들렸다. 고개 돌려서 보면 모린과 토야가 나란히 다가온다. 배웅이다.

벨그리프는 기뻐하며 미소 지었다.

"아, 둘이서 같이……. 고맙구나, 여러모로 신세를 졌어. 정말 큰 도움이 되었단다."

"아뇨, 저희야말로. 덕분에 저도 조금은 달라질 수 있을 것 같아요."

토야는 그렇게 말한 뒤 수줍게 웃었다. 퍼시벌이 눈에 쓱 힘준다.

"그래, 어쩔 셈이냐. 이대로 쭉 살아갈 테냐?"

"……한번 어머니와 형님의 무덤에 다녀오려고요. 그때 이름을 돌려줄 생각이에요."

"그런가. 뭐, 네 나름의 매듭이겠지."

"네."

"응? 무슨 이야기야?"

토야는 궁금하다는 표정을 짓는 안젤린을 보고, 다시 벨그리프를 봤다. 그리고 조금 씁쓸해하며 미소 짓는다.

"여러분을 만나서 좋았어요, 정말로."

"조만간 올펜에도 갈 거예요. 맛있는 가게, 가르쳐주세요!"

"모린, 너 말이야……."

힘이 쭉 빠지네. 토야가 이마에 손을 가져다 댔다. 다 같이 웃는다. 각각 작별의 인사를 나눈다.

안젤린이 토야의 어깨를 토닥이고 손을 꽉 잡아주었다.

"건강하게 지내. 다시 만나자. 꼭."

"응, 안젤린 씨도. 아버지, 어머니를 소중하게 대해드려."

"당연한 말씀……."

안젤렌은 흐흥, 가슴을 쭉 폈다.

밀리엄이 지팡이에 몸을 기댔다.

"그런데 결국 이슈멜 씨는 못 만나고 떠나는구나~."
아넷사가 고개를 끄덕거렸다.
"갑자기 바빠졌던 걸까……. 그래도 분명 건강하게 지내고 있을 거야."
"이봐, 토야. 이슈멜 만나면 잘 지내라고 말이나 전해줘라~."
"아하하, 알았어. 말해줄게."
햇볕은 따뜻하지만 바람은 이미 겨울이다. 솔개가 한 마리, 휘리리리 울며 하늘에서 원을 그리고 있다.
사티가 소매를 걷어붙였다.
"자~ 마지막 공간 전이를 써보실까. 다들 가까이, 가까이 붙어."
"그런데 사티, 정말 괜찮은 건가?"
"괜찮아, 그때 풍경은 지금도 선명하게 떠올릴 수 있거든."
사티는 미소 짓고는 조그맣게 짧은 주문을 읊었다. 꾸물럭, 눈앞의 풍경이 아지랑이처럼 흔들렸다. 배웅을 나온 토야와 모린의 모습이 흔들거리고 엷어지다가 사라진다. 신기한 부유감에 취해 있던 중 불현듯 시야가 하얗게 문들더니 사박, 무언가 차가운 것에 푹 빠졌다.
"으어엇, 이게 뭐냐— 풉!"
퍼시벌이 얼빠진 목소리를 내는가 싶더니 버석버석 뭔가 떨어지는 소리가 났다. 안젤린이 웃음소리를 냈다.
"그냥 눈이야, 퍼시 아저씨."
머리 위 나무에서 떨어진 눈을 제대로 뒤집어쓴 퍼시벌은 머리를 흔들어 떨쳐 냈다. 카심이 껄껄 웃는다.

"흐아~ 이거 굉장하군. 여기서 조난당하면 바보 되겠어."

"그럴 걱정은 없네. 이리 오게나."

벨그리프는 무릎까지 쌓인 눈속을 걸어 나아갔다. 가지만 남은 나무들 틈에서 진주색의 하늘이 보인다. 지금은 눈이 멎었다.

제도보다 아득하게 싸늘한 찬 바람이 피부를 쓸어 만졌다. 다만 이 추위는 벨그리프에게 귀향의 실감을 높여주었다.

눈은 깊숙하다. 설피가 없는 만큼 발걸음은 느리지만, 그래서 오히려 신중하게 길을 확인할 수 있다.

벨그리프가 고개 돌리면 가족과 동료들이 이런 추위에도 웃으며 뒤를 따라오고 있다. 무척 신기하다는 느낌이 들었다. 다만 저절로 미소가 묻어나는 것은 당연하다는 생각이 든다.

점점 마을이 가까워졌다. 하얀색이 일면을 덮은 평원의 저 너머에 익숙한 집들이 따닥따닥 붙어서 늘어서 있다.

여행은 끝났다. 집에 돌아가자.

피어오르는 연기가 잘 다녀왔다고 반겨주는 것 같았다.

특별 수록

번외편

MY DAUGHTER
GREW UP TO
"RANK S"
ADVENTURER.

EX 족적

이토록 오랜 시간을 흔들리는 마차를 타고 보내는 것은 처음이었다. 딱딱한 나무 바닥에 얄팍한 천을 깔아 놓았지만, 그럼에도 엉덩이는 꽤나 아프다. 휴식 시간이 올 때마다 적발 소년은 마차에서 내려 기지개를 켜며 딱딱하게 굳은 다리와 허리를 펴줬다. 여행을 동경했지만 이런 고생은 사절하고 싶다. 다만 이 앞에 기다리고 있을 미지의 풍경을 떠올리면 온갖 피로가 싹 날아가는 기분이었다.

톨네라에서 나오는 길의 나무들은 전부 단풍이 들어 잎이 지면에 떨어지기 시작했다. 공국에서 가장 겨울의 도래가 빠른 톨네라는 이미 바람에 눈이 섞이는 시기였던지라 남쪽으로 내려오는 중에 당연히 보게 되는 풍경이다. 뒤에 두고 온 고향은 이미 봄까지 안 녹을 눈이 내리고 있지 않을까. 겨울과 함께 남쪽으로 내려간다는 감상이 든다.

이웃 마을 로디나에서는 맡아본 적 없는 강렬한 돼지 냄새에 놀랐고, 보르도에서는 톨네라보다 훨씬 넓은 밀밭을 봤다. 지평선 저편까지 뻗어 나가는 게 아닐까 생각했을 정도다. 줄을 이루며 싹을 틔우기 시작한 밀들을 보고 소년은 벌써부터 향수에 젖을 뻔했지만, 아직은 이르다며 머리를 흔들었다.

소년이 동행한 사람들은 상단이었다. 마차가 네 대에 각각 상인이 한 명씩, 젊은 수습생이 다섯 명, 호위 모험가가 여섯 명 있었다. 모험가들은 마차에 탄 인원이 세 명, 말에 타 주위에서 따라가는 인원이 세 명이었다. 소년은 아직 모험가가 아니다. 따라서 머릿수에 들어가지는 않았지만, 상단의 대표와 가까운 곳에 앉아 있도록 요구받았다. 여차할 때는 호위로서 싸워달라는 의미일 테지. 물론 실제는 호위가 아닌 미끼의 측면이 강하다. 드러내서 말을 한 것은 아니지만, 소년은 자기 입장을 잘 이해하고 있었다. 그만큼 승차비는 대폭 깎을 수 있었다.

모험가 중 대표를 맡은 남자도 역시 소년과 가까운 곳에 있었다. 그 남자도 상단 대표의 호위를 담당하는 것 같았다. 애꾸눈에 콧수염을 기른 중년의 남자다. 랭크는 AA라고 들었다. 말수가 적고 쉽사리 다가서기 힘든 예리한 눈빛을 가진 남자였지만, 소년에게 모험가를 지망한다는 말을 듣고 나서는 드문드문 자신의 경험을 전해줬다.

덜컹, 소리를 내며 마차가 흔들렸다. 큰 돌멩이를 밟은 것 같다. 얼굴 찌푸리며 허리를 문지르는 소년을 보고 남자가 훗 웃었다.

“아직은 덜 익숙한가.”

“아, 네에, 맞아요.”

“조만간 익숙해질 거다.”

불그스름한 얼굴의 상인 대표가 껄껄 웃었다.

"젊으니까 금방 익숙해질 테지. 모험가가 되겠단 녀석이 마차에 탈 때마다 지치면 일을 못 한다고."

소년은 머뭇머뭇하며 고개를 끄덕였다. 상인은 히죽히죽하며 건조 과일을 입에 가져갔다.

"그 검은 조만간에 새것을 사서 바꿔야겠지?"

"아직은 잘 모르겠어요."

"그야 그렇겠지. 다만 목숨을 맡길 물건이잖나. 톨네라보다야 올펜에 당연히 더 많은 선택지가 있단 말이지. 혹시 괜찮다면 내가 알아봐줄 수도 있다만."

"아뇨, 그게."

"젊은 녀석을 너무 괴롭히지 마라."

남자가 거슬린다는 듯이 말했다. 상인은 큭큭 웃는다.

"아무렴. 알지, 안다네. 한데 당신도 같은 생각이 아닌가? 이 검으로 얼마나 높이 올라갈 수 있겠어?"

"사람에 따라 다르다. 경험을 쌓는 동안에 깨닫게 되지. 다른 사람이 떠들어서 바꿔줄 수 있는 게 아니야."

"고지식한 녀석이군, 뭐, 됐다."

"저기, 혹시 그때가 오면 잘 부탁드리겠습니다."

그렇게 머리 숙이는 소년을 보고 상인도 남자도 당황한 듯 눈이 동그래졌다. 상인은 곧 웃음을 터뜨렸다.

"모험가를 목표로 하기에는 아까울 만큼 성실한 녀석이군. 이봐, 모험가 따위 관두고 나랑 일해보겠나? 상인도 나쁘지는 않아."

"아뇨, 저기, 전."

"와하핫, 농담이야, 농담! 뭐, 빨리 고위 랭크가 돼서 우리 가게를 자주 이용해달라고."

"아, 네. 그야 물론이죠."

소년은 자신이 알지 못하는 세계로 뛰쳐나가는 중에 있었다. 또한 한 마을이라는 좁은 세계에서 성립되었던 인간관계 바깥에 있는 사람들 틈에 둘러싸여 조금은 위축되어 있었다. 타고나기를 신중한 성격이었다는 점도 관계가 있다. 그러나 15년의 인생 중 느꼈던 적이 없는 경험에 신비로운 고양감 또한 실감하고 있었다.

앞쪽을 가는 마차에서 젊은 수습생이 몸을 내밀며 큰 목소리로 외쳤다.

"나리, 슬슬 도착할 겁니다."

"오, 그러냐. 준비들 해라."

상인도 같이 앞으로 몸을 내밀며 이것저것 지시를 날리기 시작했다.

소년도 자기 짐을 확인한 뒤 허리에 찬 검의 위치를 고쳤다. 남자가 불쑥 중얼거렸다.

"서두르지 마라."

"네?"

"E랭크에서 D랭크는 비교적 간단하게 올라갈 수 있다. 다만 서두르지 마라. 닥치는 대로 돌진하는 녀석은 일찍 죽는다. 어차피 언젠가는 올라갈 수 있을 테니까 그 랭크에서 얻을 수 있는 교훈은 남김없이 얻어서 올라가라."

"네."

소년이 고개를 끄덕이자 남자는 멀쩡한 한쪽 눈을 감았다.

"한쪽 눈을 그렇게 D랭크 무렵에 잃어버렸다. 조금 무리를 했지. 다행히 목숨을 건져 살아남았지만, 두 눈으로 보았던 풍경이 그리워질 때가 있구나. 나처럼 후회하고 싶지 않다면 서두르지 마라."

소년에게 이 말은 몹시도 묵직하게 와닿았다. 묘하게 자꾸 들뜨려 하던 마음이 조금 차분해지는 것 같았다. 소년은 머리 숙였다.

이윽고 상단은 도시에 진입했다. 소년은 곧바로 압도되었다. 높다란 건물, 놀랄 만큼 많은 사람들과 떠들썩한 소리, 흩날리는 먼지며 맡아본 적 없는 기묘한 냄새. 본 적이 없는 의복을 입은 사람들. 모든 광경들이 소년의 눈에 신기하게 비치며 강렬한 인상과 감동을 불러일으켰다.

마차가 많이 모이는 광장에서 소년은 마차를 내렸다. 소년은 여기까지다. 상단은 이곳에서 더욱 남쪽을 향해 내려간다고 한다.

상인이 씩 웃더니 소년의 어깨를 두드렸다.

"여기까지군, 잘 가라. 열심히 살아. 인연이 있다면 또 만나자고."

"신세 졌습니다."

소년은 머리 숙였다. 그리고 힐끔 모험가 남자를 바라봤다. 남자는 휘하의 모험가들과 뭔가 상의를 하는 중이라 소년을 보고 있지 않았다.

방해하면 미안하니까. 소년이 막 발길을 돌리던 때에 불현듯

「죽지 마라」라는 말이 들려왔다. 남자가 한쪽 눈으로 소년을 보고 있었다. 소년은 머리 숙였다.

도시는 몹시 혼잡했다. 톨네라에서는 축제 날에도 이토록 사람이 많이 모이지는 않는다. 많은 사람들 틈을 누비며 눈이 어지럽도록 바뀌어 가는 거리의 풍경에 현기증을 느끼면서도 소년은 어찌어찌 모험가 길드에 도착했다.

길드는 큰 건물이었다. 석회를 쓴 벽에 저녁 해가 비추이고 있었다. 저 멀리서는 하얗고 아름답게 보였지만, 가까운 곳에서 보면 이곳저곳에 크고 작은 흠집이 있었는데 그래서 오히려 장엄하다는 인상을 받았다.

내부도 떠들썩했다. 소년이 들어와도 누구도 신경 쓰지 않는다. 끊임없이 사람이 들락날락하기 때문일 테지. 오히려 기분 좋았다. 괜히 주목을 받는 처지가 싫었기 때문이다.

로비에는 모험가로 보이는 인물들이 잔뜩 있었다. 갑옷을 입었거나 검과 창을 휴대했거나 혹은 두꺼운 로브를 껴입고 지팡이를 들고 있거나 했다. 이따금 톨네라에 찾아오던 사람들의 복장을 잔뜩 목격할 수 있었기에 소년의 가슴이 고동쳤다. 이제 곧 자신도 저 사람들과 동업자가 될 테니까.

무슨 이유인지 자꾸 신중해지는 걸음걸이로 카운터에 다가가자 여성 접수원이 부드럽게 웃는 얼굴로 소년을 맞아주었다.

"안녕하세요. 어떤 용건으로 오셨을까요?"

"저기, 모험가가 되고 싶어서요."

일순간 접수원은 사람을 평가하는 눈빛을 지었다가 곧 미소 짓더니 서류를 한 장, 깃펜을 곁들여서 카운터에 내밀었다.

“그럼 이 서류에 기입을 부탁드리게요.”

글자를 읽고 쓸 줄은 알지만, 일상적으로 문장을 자주 쓰지는 않았던 터라 조금은 긴장된다. 소년은 신중하게 손을 움직여서 항목을 채워 나갔다.

“……다 썼습니다.”

“네.”

접수원은 제출받은 서류를 쭉 훑어보며 항목을 하나하나 확인했다.

“……네, 문제없네요. 처음은 E랭크부터 시작하게 되세요. 받을 수 있는 의뢰의 난이도는 제한됩니다만, 착실하게 실적을 쌓아주시면 곧 승격할 수 있답니다. 강제 사항은 아니지만 안전 면으로도 효율 면으로도 파티를 구성하는 쪽으로 추천드릴게요. 요즘은 조금 드는데 희망자는 길드 소속의 교관에게 교습을 받을 수도 있으니 혹시 필요하시면 이용해주시고요.”

접수원은 기타 다양한 부분을 설명해줬다. 소년은 진지한 표정으로 말을 들었다. 설명이 다 끝났을 때 접수원이 키득 웃었다.

“성실한 분이네요.”

“네?”

“다른 분들은 대부분 흘려듣고 가시거든요.”

“그, 그런가요.”

적당히 무뚝뚝한 게 오히려 모험가다울까? 소년은 뺨을 긁적였다. 시골뜨기 티를 낸 것 같아서 조금 부끄러웠다. 그런 소년을 보고 접수원은 쿡쿡 웃었다.

"많이 활약해주세요, 으음……. 벨그리프 씨."

접수원은 서류를 쓱 보고 말했다.

소년— 벨그리프는 수줍게 고개를 끄덕였다.

○

"이 자식, 뭐하는 짓이냐!"

벨그리프에게 뒤에서 잡혀 제지당한 남자가 노성을 쏟아 냈다. 벨그리프를 뿌리치고 돌아선 뒤 멱살을 거머쥔다.

"왜 막았냐! 한 번만 공격하면 해치울 수 있었는데!"

"아니, 함정이야! 만약에 검을 찔렀다면 독침이 날아왔을 거다!"

"시끄럽다! 저놈만 잘 해치웠다면 소재도 전부 모았을 텐데 또 처음부터 다시 찾아야 되잖냐!"

"하지만, 가만 놔뒀으면 네가 죽었어."

"죽을 리 있냐! 네놈이 해독제까지 사 놨는데!"

"독의 종류가 달라. 저 독침은 신경독이야. 그쪽을 대비하는 약도 사자고 말했는데 자꾸 낭비라면서……."

"작작 좀 우겨라!"

뺨에 충격이 치달리는가 싶더니 화끈 뜨거워졌다. 얻어맞았나

보다.

"이제 됐다. 너와 다니면 답답해서 못 버티겠다, 겁쟁이 자식. 다들 똑같은 생각이라고. 오늘로 끝내자, 너는 추방이다. 알겠나!"

남자는 벨그리프를 홱 밀쳐 내더니 난폭하게 발길을 돌려서 주위에 있던 파티 멤버들과 함께 떠나갔다. 멤버들도 벨그리프를 잠깐 쳐다봤지만, 눈에 동정의 빛은 없었고 오히려 후련해하는 느낌이었다.

벨그리프는 얻어맞은 뺨을 매만지다가 거하게 한숨 쉬었다. 털썩 바닥에 주저앉는다. 어째서 자꾸 이렇게 관계가 꼬이는지 답답하다.

도시 생활은 톨네라에서 보낸 시간과 모든 것이 다 달랐다.

우선 무엇을 하든 돈이 쓰인다. 제대로 된 침상을 확보하는 데도 돈이 필요하고, 식사도 값을 치러야 한다. 아직 집을 임대할 만한 자금이 없는 벨그리프는 값싼 숙소를 잡아야 했고, 약초를 비롯한 소재 수집 중심의 의뢰를 받아 수행하면서 일당을 벌고 있었다.

토벌 의뢰는 아직 수주하는 게 많이 어렵다. E랭크의 솔로 모험가가 받을 수 있는 토벌 임무는 많지 않으니까. 들은 이야기에 따르면 그런 임무를 성공시키는 경우 D랭크의 승격이 빨라진다던데 예전에 만난 애꾸눈 모험가의 말이 떠올라서 벨그리프는 꾹 참았다. 비록 마을에서는 나름 실력이 있는 인물로 통했지만, 올펜 같은 큰 도시에서 살아가면서 자신 이상의 실력자가 산처럼 많다는 것을 절감했기 때문이다. 서둘러서는 안 된다.

그럼에도 비슷한 또래의 젊은 모험가들이 활기차게 토벌 의뢰를 받아 수행하는 모습을 보면 아무래도 좀 조바심이 들 수밖에 없다. 자신도 저런 의뢰는 분명 감당할 수 있을 텐데. 아쉬운 마음이 든다. 하지만 이성은 서두르지 말라 말한다. 각각의 다른 생각이 충돌하는지라 도무지 차분해질 수 없는 나날이 잠시 이어졌다.

길드에는 파티 멤버를 모집하는 게시판이 있었다. 이름과 연락처를 — 대부분은 숙박하는 여관의 이름이나 주소를 — 종이에 써서 잔뜩 붙여 놓는다. 파티를 만들고 싶은 사람이나 혹은 가입하고 싶은 사람은 여기에서 골라 협의한다. 물론 모집하는 쪽도 조건을 달아 두는 경우가 대부분이다. 일정 이상의 랭크를 요구하거나 마법사, 사수와 같은 후위에 한정 짓거나 좀 특이한 사람은 나이와 성별까지 세세하게 지정하는 경우도 있다.

파티 대다수는 고향에서 함께 올라온 친구들끼리 모인 부류인 것 같았다. 그런 파티에 뒤늦게 들어가려면 용기가 필했지만, 이것저것 가릴 처지가 아니었다. 벨그리프는 전위를 찾는 파티에 겨우 가입해서 드디어 마수와 싸울 기회를 얻었다.

그러나 처음 잠깐은 환영받았지만, 소년의 신중한 성격이며 어떻게든 도움이 되고자 습득했던 지식 및 행동이 안 좋게 작용하여 점점 기피당했다. 그렇게 결국은 사이가 틀어졌고 파티에서 추방당하기에 이르렀다.

"……죽어버리면 다 끝인데 말이야."

혼자 중얼거린다. 어째서 사람들은 모두 다 자신이 무사하리라 확신을 갖는 것일까. 누구든 죽을 때는 허망하게 죽는다. 톨네라에서도 어제 함께 일했던 친구가 쓰러지는 나무에 맞아 죽었다는 소식을 다음 날 갑자기 들은 경험도 있다. 생명은 무상하다. 자신은 괜찮으리라 어째서 자신 있게 말하는가?

신출내기 모험가들은 다들 마음이 급했다. 모험가가 되려는 인물은 생계가 막막하거나 혹은 고위 랭크에 동경을 갖는 인물들뿐이다. 정말 좋아서 마냥 하위 랭크에 머무르고 싶어 하는 사람은 없다. 벨그리프도 물론 비슷한 입장이었지만, 예전에 들은 애꾸눈 모험가의 말이 쭉 마음에 각인되어 있었다. 그 뿐 아니라 다른 사람들처럼 아득바득 더 높이 올라가자는 마음도 들지 않았다. 그런 태도가 다른 모험가들과 충돌을 유발하는 요인이 되었는지도 모르겠다.

이곳은 올펜의 시가지에서 대략 한 시간가량 떨어져 있는 산악지대다. 위험도가 특별히 높진 않지만, 마수가 서식하는 지역인지라 일반인은 잘 접근하지 않는다. 해가 기울어지고 있는 시간이어도 이곳에서 혼자 하룻밤을 지새우는 것은 현명한 선택이 아니다. 벨그리프는 일어나서 옷에 묻은 먼지를 털었다. 입속이 찢어졌는지 내뱉은 침에 피가 섞여 있었다. 바람이 살을 에이듯 싸늘하다.

"……아우."

내일부터 또 어떻게 할까. 벨그리프는 고민했다. 혼자 활동하는 한계는 이미 잘 알고 있었기에 다른 파티를 찾아야 할 테다. 다만 자신의 행동이나 성격이 자꾸 빈축을 산다면 슬슬 바꾸는 게 좋지 않으려나. 그 녀석들처럼 앞뒤 가리지 않으며 치고 나가서 검을 휘두르고, 상처 입더라도 아랑곳 않고 그야말로 목숨을 걸어서…….

"아니, 안 되지. 그래서는 안 되지."

벨그리프는 머리를 흔들었다. 고위 랭크의 적, 예컨대 용이나 대악마 상대라면 괜찮은 방법이다. 그런 상대가 적이라면 오히려 목숨을 걸고 싸워야 간신히 이길 수 있을 것이다. 다만 E랭크가 하위 랭크의 마수에게 목숨을 걸어서 어쩌자는 말인가? 도시나 마을을 지키기 위해서라면 또 몰라도 기껏해야 소재를 구하기 위해 목숨이나 팔, 눈이나 다리를 잃어버리면 무슨 의미가 있지?

"……손해 보는 성격이네, 어휴."

벨그리프는 살짝 자조하며 웃었다. 분명 웃었는데도 풍경이 이상하게 젖어서 흐려졌다.

○

회녹색 머리카락이 바람에 흔들린다. 대충 이발을 안 해서 길어졌을 뿐 딱히 머리에 고집은 없다. 처음에는 이마나 목덜미에 자꾸 닿아서 간지러웠는데 지금은 이미 익숙해졌다.

소년은 싸구려 검을 연마하고 있었다. 베는 힘이 약해져도 갈아서 해결하면 된다. 고급 숫돌은 물론 없지만, 시간을 들여 연마하면 싸구려여도 제법 괜찮은 위력을 발휘해줄 것이다. 물론 마수와 싸울 때마다 새로 갈아줘야 한다는 것이 꽤 귀찮았지만.

소년은 작은 마을의 촌장 집안에서 태어났다. 모두가 밭을 일구며 목축을 하고 이따금 사냥을 나가는 생활을 했다. 평온한 생활이었다. 가끔 마수가 나타나긴 했지만 마을에는 적은 숫자이나마 모험가가 들르는 숙소와 주점이 있었기에 돈만 지불하면 아무 문제가 안 나게 쫓아내줬다.

토지는 비옥했기에 게으름 부리지만 않는다면 밭은 인심 좋게 곡식을 베풀어줬다. 밭에 나가거나 동물들을 쫓아다니고 식사 때마다 주신에게 기도를 올린다. 어디에나 있는 평온하고 작은 마을이었다.

다만 소년에게는 불만이 많았다. 평온함에 대한 불만은 아니다. 모두가 그런 생활을 당연하게 여기며, 게다가 소년에게도 똑같이 요구하는 것이 불쾌했다. 촌장 집안의 아들인 만큼 주변의 사람들은 소년을 예비 촌장으로 대우했고, 부모도 마땅히 뒤를 이을 것이라 굳게 믿었다. 또한 소년이 바깥세상에 동경하는 모습을 보일 때마다 엄하게 질책했다.

—너는 이곳에서 살다가 이곳에서 죽는다. 그게 운명이다.

농민은 자기 분수를 지켜야 한다. 부모도, 마을 사람들도 똑같이 말했다. 한데 저런 규칙을 누가 정했지? 소년은 항상 의문이었다.

자기 인생은 자신의 것이다. 다른 누군가의 소유가 아니다.

소년은 자연히 분개했다. 질책이나 설득을 들을 때마다 오히려 소년의 마음은 불타올랐고 결국은 어느 날 밤에 짐을 챙겨서 마을 바깥으로 뛰쳐나갔다.

그렇게 며칠이 걸린 여행의 끝에 이야기만 잔뜩 들었던 올펜이라는 도시에 도착했다. 처음 본 도시는 현기증이 날 만큼 거대했지만, 소년의 마음은 오히려 들끓었고 온갖 광경이 눈부시게 보였다.

소년은 다 연마한 검을 앞으로 뒤로 살펴봤다. 검이 램프의 불빛을 반사하며 번쩍번쩍 빛났다.

"좋아."

칼집에 넣은 뒤 침상에 드러눕는다. 천장을 올려다봤다. 램프의 불이 흔들릴 때마다 천장에서 그림자가 하늘하늘 춤췄다.

내일은 합동 토벌의 임무가 있다. C랭크 이하의 모험가와 파티가 다수 소집되어서 이상 발생한 인간형 마수를 토벌한다. 지금도 마수들이 던전 주변에 모여 있기에 고위 랭크의 모험가들이 감시 중이다. 하위 랭크 모험가들의 경험을 쌓아주기 위해 일부러 고위 랭크 모험가에게는 의뢰를 맡기지 않고 길드가 주도해서 합동 의뢰로 진행한다고 했다.

남이 준비한 판에 올라가야 한다는 게 조금 아니꼽기도 하지만 쓸데없이 오기를 부려 봤자 본인만 손해다.

소년의 검 실력은 확실했다. 또래 검사들 누구를 봐도 소년은 질 것 같지가 않았다. 다만 자아가 강한 성격과 일단 열중하면 시야가 좁아진다는 안 좋은 측면이 있어서 지금껏 만들었던 파티는 모두 다 내부 분쟁으로 실패를 거듭했다. 물론 랭크야 올라갈 도리가 없다. 이번 합동 의뢰도 솔로로 받아야 했다.

"……제대로 된 녀석이 없단 말이지."

소년은 벌러덩 누운 채 다리를 바꿔 꼬았다. 자기 단점은 둘째로 쳐도 이제껏 맞아들였던 동료들 중 소년의 눈에 찬 인물은 없었다. 경험 부족의 이유도 물론 있겠지만, 대부분은 아득바득 위를 목표로 할지언정 저돌 맹진의 돌격밖에 모르는 놈이거나 혹은 친구놀이의 연장으로 재미 반 놀이 반이었던 놈들뿐이었다.

소년은 더욱 위로 올라가고 싶었다. 유랑민이나 음유 시인, 여행하는 모험가들에게 들었던 영웅담을 동경했었고, 용이나 마왕 같은 존재와 검을 겨루고 싶은 마음도 있었다.

나를 잘 써먹어줄 녀석이 있다면 좋을 텐데.

소년은 눈을 감았다. 검 솜씨에는 자신이 있었지만, 결점도 숙지하고 있다. 다만 자신의 강점은 결점과 따로 떼 놓을 수 없는 부류이다. 뛰어나가야 할 때 망설이지 않고 뛰쳐나갈 수 있는 과감함이 강점으로 연결된다. 좋게 말하면 망설임이 없고, 나쁘게 말하면 사려가 부족하다. 양면이 있는 문제였다.

그 타이밍과 상황을 잘 파악해주는 동료가 있다면? 소년은 계속 생각했다. 자신의 시야가 좁다는 것은 잘 알고 있다. 이제 와서 고치기도 어려울 테지. 그렇다면 이 같은 나를 잘 이해해주는 동료를 맞아들이도록 하자. 그러면 나는 마음껏 날뛸 수 있다.

없는 사람을 찾는 게 아닐까. 이런저런 생각을 하던 중 소년은 잠에 빠져들었고 금세 다음 날이 찾아왔다. 잘 연마한 검을 휴대한 채 소년은 집합 장소로 향한다. 이미 많은 모험가들이 모여 있었다. 길드 소속의 고위 랭크 모험가가 지휘관 위치에 서서 지시를 날리고 있다.

하위 랭크의 모험가들은 살기등등하다만, 주위에서 만에 하나의 사태를 대비하며 준비하고 있는 고위 랭크 모험가들은 태연자약하다. 여유로운 표정으로 하위 랭크의 모험가들을 바라보는데, 저러한 자세 하나만 봐도 격의 차이를 실감할 수 있었다.

그래, 두고 보자고. 소년은 혼자 생각했다. 언젠가 나도 저 위치에 서주겠다.

회녹색 머리카락의 소년은 주위를 둘러봤다. 시야가 탁 트인 평원이지만, 군데군데에 완만한 구릉이 있다. 저 너머에서는 마수들이 무리를 지어 으르렁 소리를 질러 댄다. 적들도 이쪽 상황을 살펴보는 것 같았다.

이윽고 전투의 막이 올라갔다. 모험가들은 앞다투어 마수에게 덤벼든다. 마수들도 살기를 가득 쏟아 내면서 앞으로 밀려든다. 가장 앞으로 치고 나가는 인간과 마수가 부딪치자마자 주위는 금세 혼전의 양상으로 흘렀다. 비명과 노호, 마법의 영창, 칼과 창 부딪치는 소리가 귀를 먹먹하게 하며 울려 퍼졌다.

소년은 살짝 어이없어하며 조금 뒤쪽의 위치에서 뛰쳐나왔던 마수를 상대하고 있었다. 나보다 더 심한 놈들이군. 기가 막힌다. 공을 세우고 싶은 마음은 알겠지만, 이런 상황이 벌어지면 뭐가 뭔지 알 수가 없다. 애당초 미리 지휘관이 애써서 편성했던 진형이 아무 도움도 안 되잖은가.

"다른 사람이 봤을 땐 이런 꼴이었나, 나도……."

폭주하다시피 앞으로 쭉쭉 치고 나가기만 하는 신출내기 모험가. 멀리서 보면 나도 똑같은가. 소년은 살짝 의기소침했다. 가까이 다가드는 고블린을 상대하며 세 번의 칼질로 베어 넘긴 뒤 얼굴을 지푸린다. 한참 공들여 갈았는데도 여전히 베는 힘이 약하다.

"……큭! 위험해!"

문득 근처에 있던 적발 소년이 당황하며 부대의 측면을 향해 뛰쳐나갔다.

"이쪽이다! 측면에서 온다!"

회녹색 머리카락의 소년이 퍼뜩 놀라며 돌아봤더니 본대에서 떨어져 멀리 우회해서 온 듯한 마수 무리가 앞으로 치고 나가기만 하는 아군의 옆구리를 물어뜯고자 하는 참이었다. 근방의 모험가들이 목소리에 반응하며 허둥지둥 방어 태세를 갖춘다. 비록 선수는 빼앗겼으나 기습의 형태는 모면했다.

저 붉은 머리, 이런 혼전 속에서 측면의 기습을 감지한 건가.

회녹색 머리카락의 소년은 저절로 입가에 미소가 떠올랐다. 이 녀석은 놓치면 안 된다.

이윽고 전투는 끝났다. 고위 랭크 모험가의 도움도 있어서 모험가 측의 압승으로 막을 내렸다. 줄줄이 길드로 돌아가는 사람들 틈을 누비며 회녹색 머리카락의 소년은 적발 소년을 찾아다녔다.

"시끄럽다! 우리 파티에 쓸모없는 놈은 두지 않는다! 오늘이 마지막이니 썩 꺼져!"

노성이 들려왔다. 쓱 봤더니 적발 소년이 지친 모습으로 어깨를 으쓱거리고 있었다. 그러곤 짐을 다시 짊어지더니 돌아가고자 하는 터라 소년은 허둥지둥 다가가서 말을 걸었다.

“이봐.”

말을 건네자 적발 소년이 멈춰 서서 고개를 돌렸다. 설마 자신에게 말을 붙이리라는 생각은 하지 않았는지 신기하다는 표정으로 주위를 둘러보다가 다시 소년을 마주 바라봤다.

“……나?”

“맞아. 너, 굉장하더라.”

“음……? 뭐가?”

“뭐기는……. 아까 측면의 기습 말이지. 용케 눈치챘더군.”

“아니…… 뭐.”

적발 소년은 쑥스러워하며 입을 우물우물했다.

틀림없다. 이 자식은 좋은 녀석이다. 게다가 엄청나게 유능하다. 이 녀석과 같이 다니면 틀림없이 더 올라갈 수 있다. 회녹색 머리카락의 소년은 쾌활하게 웃음 지었다.

“마음에 들었다! 너, 내 파티에 들어오지 않겠어?”

“응? 어, 너의, 파티에?”

“그래! 잠깐 봤는데 너 지금 혼자잖냐?”

“그렇긴, 한데…….”

적발 소년은 머리를 긁적였다.

“그런데 나는 지금까지 몇몇 파티에 들어갔다가 전부 쫓겨났거든. 별로 네 기대처럼 활약할 자신이 없네……."

"무슨 소리냐! 오늘 네가 기습을 먼저 알아차리지 못했으면 틀림없이 더 많은 피해가 발생했을 거다! 나는 제대로 봤다고. 너는 대단한 녀석이야. 같이 파티를 하자. 응?"

적발 소년은 잠시 당황하며 시선이 흔들거리다가 이윽고 어색하게 웃음을 띠고 고개를 끄덕거렸다. 회녹색 머리카락의 소년은 웃음을 터뜨리며 손을 내밀었다.

"퍼시벌이다. 퍼시라고 불리기도 하지. 검으로는 아무한테도 지지 않는다. 잘 부탁한다."

"어, 음, 나는 벨그리프야. 잘 부탁해, 퍼시."

벨그리프는 머뭇머뭇, 그러나 힘 있게 퍼시벌의 손을 마주 쥐었다.

○

올펜의 거리는 몹시 혼잡하다. 사람들이 길을 오가고, 대로는 짐수레와 마차도 돌아다닌다. 돌바닥은 햇살을 반사하며, 공기는 먼지가 많고 건조하다.

퍼시벌과 파티를 만든 벨그리프는 처음부터 당황했는데 다른 인원이 아무도 없어서였다. 내 파티. 이런 표현을 쓰기에 달리 누군가가 더 있을 줄 알았는데 「이제 만들려고. 네가 첫 번째다」라며 아무렇지도 않게 말하는지라 받아칠 수가 없었다.

퍼시벌은 지금껏 들어갔던 파티의 녀석들과 달랐다. 애당초 먼저 벨그리프를 높이 평가하며 영입하는 형태는 처음이었다. 미리 좋은 평가를 받았다는 게 어쩐지 신기했고 또한 쑥스러웠다.

파티를 만든 다음 날에는 퍼시벌이 먼저 벨그리프가 잡아 둔 숙소로 옮겨 왔다. 알뜰한 벨그리프는 숙소도 되도록 저렴하고 아울러 열악하지는 않은 곳으로 선택했기 때문에 퍼시벌도 좋은 숙소를 찾았다면서 기뻐했을 정도다.

이런 식으로 생활하는 공간까지 가까워졌던 상대는 처음이었던 터라 벨그리프는 조금 긴장했다. 그러나 퍼시벌은 구김살 없이 쾌활하며 자주 웃었고 대화를 나누는 게 즐거웠기에 벨그리프도 금세 마음을 터놓을 수 있었다. 이 소년과 같은 파티를 만들었다는 게 기쁜 인연이라는 생각도 들었다.

그렇게 이런저런 이야기를 나누다 바로 검을 겨루어봤다. 다만 벨그리프는 전혀 상대가 되지 않았다. 퍼시벌의 실력에 아연실색했다.

"……강하구나, 너는."

"말했잖냐, 검으로는 아무한테도 지지 않는다고."

퍼시벌은 히죽 웃더니 목검을 빙글빙글 돌렸다.

"너도 소질은 나쁘지 않은데 아무래도 자신감이 좀 모자라군. 검에 패기가 없다."

"응, 나도 알긴 아는데 말이야……."

벨그리프는 쓴웃음을 짓고 지면에 굴러떨어진 목검을 주워 들었다. 퍼시벌은 하품을 했다.

“자, 얼른 길드에나 가볼까. 신생 파티의 첫 출진이다.”

“아니, 둘이서 파티라고 말하기는 좀……. 게다가 둘 다 검사잖아.”

“뭘, 네가 뒤를 지켜주면 문제없다.”

그렇게 말한 뒤 퍼시벌은 성큼성큼 걸음을 뗀다. 괜찮으려나. 살짝 걱정하면서 벨그리프도 뒤를 따랐다.

결과부터 말하자면 첫 번째 의뢰의 성적은 처참했다. 마수 토벌도 겸하자는 퍼시벌의 주장에 따라서 받은 의뢰였다. 마수의 숫자가 많아서 물리치는 데는 성공했지만 해치우는 데 너무 열중하느라 소재로 쓸 만한 부위가 거의 남지 않았다. 그뿐 아니라 유독 단단한 갑각을 가진 마수가 섞여 있었기에 퍼시벌의 싸구려 검이 멋지게 부러져버렸다.

퍼시벌의 실력은 확실했다. 두려움 없이 앞으로 치고 나가서 훌륭한 몸놀림으로 잇따라 마수를 처치했다. 하지만 모피가 필요한데도 난도질을 하는 바람에 결국 의뢰를 완수하기 위한 조건은 달성하지 못했다. 게다가 검까지 부러뜨렸으니까 대실패라고 말해도 과언이 아니었다.

“원래 칼날이 안 좋았거든. 그러니까 힘 꽉 줘서 막 베어야 겨우 잡히더라고.”

이게 숙소의 방에서 듣게 된 퍼시벌의 변명이다. 벨그리프는 한숨 쉬었다.

“너는 의뢰를 완수하고 싶은 거야, 그냥 마수를 쓰러뜨리고 싶은 거야. 어느 쪽이지?”

"그야 임무지. 아직 최하위 랭크니까 임무를 못 하면 위로 못 올라가잖냐."

"그럼 지금 방식으론 무리야. 실력은 확실하니까 모피를 노려야 하는 의뢰라면 일격으로 목을 치거나 뭔가 다른 방법이 있겠지. 그러니까 조금 더 괜찮은 검을 사자. 도구가 나쁘면 이렇게 좋은 실력도 활용할 수가 없으니 아깝잖아."

"좋아, 그럼 다음엔 잘 해낼 수 있겠지. 기운 좀 나게 술이나 마시러 갈까?"

"검을 새로 맞출 때까지는 안 돼. 게다가 토벌 의뢰도 당분간은 못 받겠지. 우선 자금을 모으는 게 먼저겠네."

"엑, 네 검을 빌려주면 되지 않겠냐."

"……그러면 나는 어떻게 싸우라는 거야."

"아……. 맞네. 알겠다, 어쩔 수 없군."

결국 우선은 필요 물품을 장만하자고 결정한 뒤 벨그리프의 주도로 착실하게 의뢰를 받아 처리했다. 대부분 약초를 비롯한 소재 채집의 의뢰이다. 퍼시벌은 투덜투덜 불평을 늘어놓았지만, 어차피 검을 못 쓰는 데다가 벨그리프의 말에 일리가 있다는 것은 이해했는지 푸념을 쏟아 내기만 할 뿐 의뢰에는 제대로 따라와줬다.

그런 식으로 한동안 지내다가 슬슬 퍼시벌의 검을 새로 맞출 금액이 모일 것 같았기에 두 사람은 미리 봐 두자는 목적도 겸해서 무기 상점을 향해 거리를 걷고 있었다.

"드디어 무기가 손에 돌아오겠군. 어이구, 소재 채집만 하는 건

질려버렸어.”

“그래도 꽤 솜씨가 괜찮던데. 솔직히 놀랐어. 너는 자질구레한 일은 잘 못할 거라고 멋대로 착각했었거든.”

“아, 뭐, 대충. 너야말로 대단하더라. 원래 좀 했던 일이냐?”

“응……. 작은 마을이었으니까……. 너도?”

“그렇지, 뭐. 그게 싫어서 뛰쳐나왔지만.”

서로가 잠시 입을 다물었다. 양쪽 다 고향 이야기는 별로 하기 싫다는 게 명백했다.

기묘하게 어색한 분위기가 감돌던 때 느닷없이 꽥꽥 소리가 들렸다.

“거기 서라, 이 못된 꼬맹이야!”

고개 돌리자 뒷골목에서 지저분한 차림의 소년이 갈색 머리카락을 휘날리며 뛰쳐나온다. 그 뒤쪽에서 앞치마를 걸친 중년남이 숨을 헐떡이며 나타났다.

“누, 누가 저 꼬맹이를 잡아줘! 돈 안 내고 도망쳤어!”

“흐음, 재미있군. 붙잡으면 사례는 챙겨주겠지!”

퍼시벌이 기뻐하며 소년의 앞을 가로막았다. 비록 검은 없어도 퍼시벌은 도수공권으로도 제법 괜찮은 실력을 자랑한다.

“이 자식, 꼬마야! 다치기 싫음 얌전히 붙잡혀라!”

갈색 머리카락 소년은 일순간 놀라서 눈이 휘둥그레졌다가 곧 비웃음을 닮은 미소를 짓더니 퍼시벌에게 손바닥을 내밀어서 공을 아래쪽으로 던지듯이 쭉 휘둘렀다.

"으앗!"

순간 연파란색의 마력 덩어리가 퍼시벌에게 덮쳐들었다. 정면에서 제대로 맞아버린 퍼시벌은 거리의 옆쪽으로 휙 날아갔다. 그 곁을 달려서 지나친 갈색 머리카락 소년은 힐끔 퍼시벌을 곁눈질로 보면서 코웃음 치고, 어안이 벙벙하여 굳어 있던 벨그리프에게 메롱 혀를 내밀더니 곧장 달려갔다.

"마탄……. 저 나이에."

벨그리프는 혼잣말하다가 퍼뜩 놀라며 퍼시벌에게 가까이 달려갔다.

"퍼시, 괜찮아?"

"아야야……. 제길, 마법사인 줄은 몰랐지."

퍼시벌은 머리를 문지르다가 벌떡 일어섰다.

"저 자식, 실력이 꽤 괜찮은데. 나를 날려버렸잖아, 마음에 들었다. 저 녀석을 찾아내자. 파티에 끌어들일 거야."

"뭐?"

"척 봐도 빈민가 꼬맹이잖아. 고아원에서 살면 좀 깔끔한 차림이었을 테고, 그렇다고 모험가라는 느낌도 아니었지. 저 나이에 저만한 마법을 쓸 수 있다면 분명히 금방 성장한다. 다른 놈한테 빼앗기기 전에 붙잡아야겠군."

"아니, 좀, 잠깐 기다려봐."

"뭐야, 호위가 필요하다고 말한 건 너인데."

"그야 그렇지만……. 아니, 진심이야? 어떤 녀석인지도 모르는데?"

"꿍얼꿍얼 떠들지 마라. 벨, 너 역시 내가 뭐하는 놈인지 몰랐을 때 파티에 들어왔잖냐. 다 똑같은 거야."

이렇게 의욕이 솟는 퍼시벌은 말릴 수 없다. 벨그리프는 쓴웃음과 함께 한숨 쉬고는 머리를 긁적거렸다.

"알겠어. 뭐, 넌 사람을 보는 안목이 있으니까, 믿을게."

"좋았어. 결정 났다, 우선은 저 녀석을 찾아보자고!"

○

소년은 부모의 얼굴을 본 적이 없었다. 철들었을 무렵에는 빈민가의 쓰레기투성이 소굴에 있었다.

빈민가에는 어른도 제법 많았지만, 비슷하게 아이들의 숫자도 많았다. 키울 수 없어 내버린 아기도 있었고, 부모를 잃어 길거리를 헤매다가 이곳에 다다른 아이도 있었다.

어른들도 많은 부류가 있었다. 큰 중상을 당하여 일을 못 하게 되었는데 돌아갈 고향도 없는 전직 모험가나 범죄자로서 쫓기다가 몸을 숨기고 있는 마법사, 모셔야 할 주인에게 쫓겨난 전직 시중꾼, 지저분하고 작은 텐트에서 손님을 받는 창부 등 온갖 인생이 교차하는 곳이다.

소년의 칙칙한 갈색 머리카락은 아마도 부모에게 물려받았을 텐데, 주위에 있던 누구도 소년의 부모에 대해 알지 못했다. 아기 때 길러준 노인이 살아 있었을 무렵, 부모의 이야기를 할 때마다

이 없는 입을 벌리며 웃었다.

"버림받은 게지. 겨울날 밤이었다. 눈이 내렸어. 내가 안 주워 줬다면 얼어 죽었을 테지."

"……똑같은 이야기를 몇 번 하는 거야."

소년은 읽던 마도서에서 얼굴을 들어 올리더니 진저리 내며 벽면에 몸을 기댔다.

노인은 술주정뱅이였는데 가끔 거리의 쓰레기를 뒤져서 값나가는 물건을 발견하면 고물상에 팔아 치우거나 가끔은 구걸을 해서 생활했다. 길러준 사람이기는 하나 소년은 노인을 별로 좋아하지 않았다. 그래서 죽었을 때도 별달리 슬프지 않았다. 쓰레기 뒤지기도 구걸도 싫었다. 이왕이면 다른 사람의 덕을 바라는 게 아니라 자기 힘으로 무엇이든 얻어 내고 싶었다.

빈민가에는 범죄자도 많다. 생존을 위한 양식을 얻기 위한 경우가 대부분이지만, 나이를 먹은 아이들은 범죄 행위를 영웅시하는 경향도 있어서 마치 힘을 자랑하듯이 절도나 무전취식 따위를 되풀이했다. 소년도 그런 아이들 중 하나였다. 아이들은 아이들 나름의 집단을 만들었지만, 소년은 낯가림을 하는 성격 탓에 딱히 속하는 곳 없이 혼자서 행동했다. 아이들의 사회에서도 겉도는 인물은 기피된다. 소년은 같은 아이들 사이에서도 친구가 없었기에 이대로 쭉 혼자서 살아가게 되리라 생각했었다.

소년의 운명을 바꾼 것은 길가의 노점에서 훔쳐 낸 마도서 한 권이었다. 평소라면 어딘가에 팔아 치워서 돈으로 바꿔버렸을 책에 묘하게 이끌리며 소년은 페이지를 넘겼다.

글자를 읽거나 쓰는 방법만큼은 빈민가에 사는 어른에게 배워 두었다. 그래서 마도서도 어찌어찌 읽을 수 있었다. 읽어 나가는 중에 소년은 신비가 가득한 마법의 세계에 푹 빠져버렸다. 거듭거듭 되풀이하여 읽고 자기류로 연습을 하는 사이에 간단한 마법은 실제 사용까지 가능하게 되었다. 그러다 보면 불현듯 세상에 달라 보이기 마련이었다.

소년은 마도서를 덮고 바깥에 나갔다. 흙이 훤히 드러난 바닥은 울퉁불퉁한지라 구정물이 고인 곳도 있었다. 냄새나고 더럽고 먼지투성이라 방금 전까지 탐구하던 마법의 세계에서 단숨에 현실로 끌려 돌아온 기분이 든다.

이곳에서 태어나 자랐다. 그럼에도 고향이라는 느낌은 들지 않는다. 하지만 이곳 이외에서 살아가는 방법을 알지 못한다. 따라서 매달리다시피 마법에 몰두했고, 직접 시험해보기 위하여 나쁜 짓에 손댔다. 그것도 나름 재미있다. 멍청한 어른들을 마법으로 놀려주는 게 즐겁다.

"모험가라, 흠."

소년은 중얼거렸다. 얼마 전 앞을 가로막었던 자신보다 두세 살쯤 많았을 소년들을 떠올린다. 검을 갖고 있었으니 모험가였을 테지.

길드에는 가본 적 있다. 모험가 등록에 제한은 없다. 빈민가에서 사는 고아들도 일거리를 찾기 위해서 길드에 나가보는 경우가 드물지 않다. 소년도 일단은 모험가로서 의뢰를 받을 수 있는 상태이기는 하다.

다만 등록을 마쳤더라도 제대로 된 무기 하나 없는 어린아이에게 할당해줄 만한 의뢰는 적다. 어른 모험가도 하위 랭크일 때는 의뢰를 서로 차지하려고 시비가 붙곤 한다. 하물며 어린아이끼리는 적은 의뢰를 두고 쟁탈전이 벌어진다. 일거리를 못 구하는 날도 많다. 따라서 자신이 모험가라고 생각했던 적은 없었다.

소년도 딱히 좋아서 나쁜 짓을 하는 건 아니지만, 그렇다고 거리 청소나 약초 채집 같은 일거리를 담담히 수행하는 것은 성장 내력이나 성격적인 부분을 봐도 무리였다. 낯가림을 하는 터라 누군가에게 가르침을 청하지도 못한다. 결과적으로 무전취식이나 절도와 같은 나쁜 짓에 손대지 않으면 살아남질 못한다.

그딴 식으로 정의로운 척 자신의 앞에 서다니 분수도 모르는 놈이지. 소년은 기억을 떠올리며 웃고 표정이 풀어졌다. 내 마법에는 검을 든 모험가도 적수가 못 된다니까. 자신감이 붙는다.

다만 마도서 한 권만 읽어서는 한계가 있었다. 마법의 세계에 몰두하면 할수록 소년의 호기심은 무럭무럭 부풀어 올랐다. 그런 생각을 하면 이렇게 살아가는 게 몹시 불만족스럽다는 마음이 든다.

“찾았다아!”

갑자기 울려 퍼지는 목소리에 소년은 무심코 몸을 움츠렸다. 고개 돌리자 회녹색 머리카락의 소년이 희희낙락하며 달려온다.

“켁!”

저 자식, 얼마 전 그놈이다!

설마 이런 곳까지 쫓아올 줄이야. 소년은 당황했지만 여기서 붙잡혀줄 순 없었다. 허둥지둥 도망치고자 달려 나갔다.

"도망치지 마라앗! 얌전히 있어!"

"오, 오지 마~!"

소년은 죽기 살기로 달렸지만, 쫓아오는 소년의 기세가 정말이지 심상치 않다. 기필코 붙잡겠다는 굳건한 의지가 사람의 형태를 띠고 쫓아오는 것 같았다.

고작 한 번 마법으로 날려버렸을 뿐인데 뭐 이리 집요한가. 어른스럽지 않아. 갈색 머리카락 소년은 이를 갈았다. 붙잡히면 어떻게 될까. 흠씬 두들겨 맞을까, 병사에게 끌고 갈까, 아니면 둘 다인가. 아무튼 간에 몸성히 넘어가지는 못할 것이다. 마법을 쓸 수 있더라도 현역 모험가, 게다가 검사를 상대해서 싸우고 무사할 수 있다 자신할 만큼 소년은 낙관적이지 않았다.

갈색 머리카락 소년은 잘 아는 빈민가의 샛길을 종횡무진 달려 다니다가 가끔은 마탄을 날리면서 겨우겨우 회녹색 머리카락 소년을 뿌리쳤다. 완전히 따돌렸음을 깨달은 뒤 소년은 무릎 꿇고서 두근두근 소리를 내는 심장과 거칠어진 호흡을 가다듬었다.

"흐억, 흐억……. 젠장, 뭐하는 자식이야."

소년을 숨을 가라앉히고 주위를 경계하며 슬쩍 보금자리로 돌아왔다.

그로부터 이틀쯤 지났지만 소년은 지난 추격전을 경계하며 틀어박혀 있었다. 도둑질도 무전취식도 하지 않았다. 더 정확하게는 할 수가 없었다는 말이 옳겠다. 언제든 불쑥 그 회녹색 머리카락이 나타날 것 같아서 소년은 도저히 불안을 떨칠 수 없었다.

그렇게 소년이 가만있는 날은 드물었기에 빈민가의 아이들은 수근수근 귓속말을 주고받았다. 이미 얼마 전 소년을 쫓아왔던 모험가의 이야기는 소문이 퍼져 나갔다.

"제대로 쫄았군, 저 자식."

"헹! 마법 좀 쓴다고 우쭐거리더니 꼴좋다. 붙잡혀서 병사한테 끌려가버리라지."

험담은 으레 당사자의 귀에 들어오는 법인지라 저런 숙덕거림의 대상이 되었다는 데 분개한 소년은 바깥으로 나왔다. 누가 겁먹었단 말이냐. 오기가 솟아났다.

막상 나와보면 빈민가는 평소와 똑같았다. 누군가가 매복을 해서 기다리는 것도 아니었고 병사 무리가 순회를 돌지도 않는다. 소년은 흥, 코웃음 쳤다. 무서워했던 자신이 바보 같다는 생각이 들어 화딱지가 났다. 기분 전환으로 무언가 못된 짓이라도 저질러 줄까.

소년은 시장으로 향했다. 시장도 평소와 똑같이 사람들이 가득 넘쳐났다. 사람이 많아야 뭐든 행동하기가 더욱 수월하다.

노점 사이를 누비며 돌아다니던 중 마도구를 진열해 놓은 가게가 눈에 들어왔다. 마도서도 몇 권 있었다. 허기를 느끼는 마음도 있었지만, 역시 호기심이 더 앞선다. 소년은 물건들을 살펴보면서 슬쩍 가게의 주인을 돌아봤다. 주인장은 조금 통통한 남자였는데 눈을 감은 채 꾸벅꾸벅 졸고 있었다. 허술한 녀석이군. 소년은 마도서를 한 권 손에 들고서 다른 상품도 고르는 시늉을 하며 슬그머니 다른 손님의 뒤에 숨었다가 곧 조금씩 가게 앞에서 멀어졌다. 얼마간 떨어진 다음부터는 도망치는 토끼처럼 빨라질 테지.

이런 도둑질이야 쉽다. 또 새로운 마법을 익힐 수 있겠다. 득의양양 미소를 짓던 소년의 얼굴에 갑자기 경악이 퍼져 나갔다. 들고 있었던 마도서에서 불쑥 보라색 빛이 쏟아지더니 밧줄이 되어 소년의 다리를 옭아매어서다. 물론 나자빠졌다. 빛의 밧줄은 소년을 옴짝달싹 못 하게 묶어버렸다.

"곤란한데, 손님. 대금은 정확하게 치러주셔야지."

방금 전 노점의 주인이 생글생글 웃으며 다가왔다. 그러나 눈은 웃지 않는다.

"마법 도구를 훔치려고 하다니 바보 녀석이로군. 도둑질 방지 마법이 있단 생각은 안 하는 거야?"

소년을 몸을 비틀었다.

"자, 잠깐, 잠깐만! 난 딱히 훔치려고 했던 게 아니라!"

"도둑은 다 똑같은 말을 하더군."

가게 주인은 싸늘한 눈으로 소년을 내려다보며 손가락을 휙 흔들었다. 그러자 빛의 밧줄이 꽉 죄어들었고 소년은 비명 질렀다.

"그래, 어떻게 처리할까. 이대로 병사에게 끌고 가는 게 무난한가."

"미, 미안하다니까! 돌려줄게! 돌려줄 테니까!"

"안 되지, 안 돼. 그게 꽤 비싼 마도서거든. 너 같은 녀석의 손이 닿았다는 게 일단 마음에 안 들어."

마침 순회를 도는 병사가 다가오고 있었다. 소년의 얼굴이 절망으로 물들었다. 설마 이따위 어처구니없는 실수로 붙잡혀버릴 줄이야. 가게 주인이 병사를 불러 세우려고 할 때 우당탕 급한 발소리가 들리더니 회녹색 머리카락이 끼어들었다.

"오, 잠깐만 기다려봐! 그 녀석이 끌려가는 건 곤란하다고!"

"으엑, 너!"

"드디어 찾았다. 뭘 하고 다니는 거냐, 멍청이."

회녹색 머리카락 소년은 갈색 머리카락 소년을 어이없어하는 눈으로 내려다봤다. 소년은 죽기 살기로 몸을 꿈틀거리며 도망치려 했지만, 역시 빠져나올 수 없었다. 앞에는 호랑이, 뒤에는 늑대다.

"진짜 끈질기네! 살짝 날려버렸다고 뭘 이렇게……."

"그 한 번이 중요한 거다! 이번에는 절대 안 놓친다!"

"으앗, 저리 가! 저리 가!"

갈색 머리카락 소년은 바닥에 누운 채 새우처럼 몸을 구부렸다가 폈다가 발악하지만, 이렇다 할 발버둥질도 되지 못했다. 마도구 상점의 주인이 의아하다는 표정을 지었다.

"누구냐, 너는. 이 녀석 친구냐?"

"아닌데? 딱히 누구든 상관없잖아. 아무튼 한 번만 봐줘. 뭣하면 그 마도서, 덤을 붙여서 매입해줄 테니까."

"뭐? 어, 어째서……?"

어리둥절하는 갈색 머리카락 소년을 보고 회녹색 머리카락의 소년을 보고 마도구 상점 주인은 턱을 쓰다듬었다.

"사주겠다면야 딱히 상관없는데 말이다. 나도 귀찮은 일은 사절이니까. 그런데 좀 비싸다만?"

"그래, 얼만데?"

가게 주인이 소곤소곤 가격을 말하자 회녹색 머리카락 소년의 안색이 달라졌다.

"그렇게나 값이 나가냐……."

"관둘 테냐? 뭐, 별수 있나. 이 녀석은 감옥행이군. 이보쇼……."

또 병사를 부르고자 하는 가게 주인에게 이번에는 적발 소년이 다가섰다.

"여기요."

"음? 오……. 오오."

건네받은 화폐를 헤아리더니 가게 주인의 표정이 바뀌었다. 쓱 봐도 기분이 좋아졌고, 갑자기 싹싹하게 생글생글 웃으며 적발 소년을 쳐다본다.

"이렇게 많이? 괜찮겠나?"

"위로금이라고 생각해주시죠. 대신 이 녀석은 눈감아주실 수 있겠습니까?"

"물론, 물론 괜찮지. 흐흐, 오늘은 운 좋은 날이구나."

가게 주인이 손가락을 흔들자 보라색 빛은 훽 사라졌다. 다시 가벼운 발걸음으로 노점 쪽에 돌아갔다.

갈색 머리카락 소년은 여전히 어안이 벙벙한 채 일어서서 품에 남은 마도서를 다시 꼭 안았다.

"저기, 저기, 어째서……."

"바보 자식아, 네가 붙들리면 파티에 끌어들일 수가 없잖아."

회녹색 머리카락의 소년에게 머리를 얻어맞은 소년은 눈빛이 마구 흔들거렸다.

"파티? 무슨 소리야? 난 모험가가 아닌데……."

"그러니까 모험가가 되잔 말이잖냐. 얼마 전 영입 얘기를 하려고 갔더니만 냅다 도망치던데. 덕분에 요 며칠 너만 찾아다니느라 일도 못 했다."

"그치만, 그치만 나는, 붙잡아서 병사에게 끌고 가려는 줄만 알고……."

"내가 그딴 시답잖은 짓을 왜 하냐!"

분개하는 회녹색 머리카락 소년에게 적발 소년이 살짝 어이없어하며 말했다.

"퍼시, 너처럼 사납게 쫓아가면 누구든 도망치지. 내가 말했잖아."

"시끄러워. 어쩔 수 없었어. 도망친 이 자식 잘못이야."

"또 우기네……."

"그나저나 벨, 어디서 돈이 생겼냐?"

"……네 검을 살 예산이었어."

"……뭐라앗?!"

회녹색 머리카락 소년은 적발 소년에게 바짝 다가들었다.

"왜 덜컥 써버렸어!"

"이 아이를 영입하고 싶다며? 돈을 안 냈다면 지금쯤 끌려갔을걸."

"그야 그렇긴 한데……. 그렇다고, 내 검은……."

방금 전까지 기세가 완전히 사라져서 의기소침하는 회녹색 머리카락 소년을 보고 갈색 머리카락 소년은 무심코 웃어버렸다. 그러자 회녹색 머리카락 소년이 미간을 주름지도록 찌푸렸다. 서슬퍼렇게 바짝 다가오더니 또 머리를 때린다.

"아파! 뭔 짓이야!"

"시끄럽다! 따지고 보면 네 탓이잖아, 바보 자식아! 우리 파티에서 제대로 일해서 갚아라! 도망치지 말고!"

"아, 알겠다니까……. 근데, 날 진짜 받아주려고?"

"그게 아니면 이렇게까지 해줄 리 없잖아. 그 마도서, 줄 테니까 실력을 더 연마해라. 우리는 언젠가 고위 랭크의 모험가가 될 거야. 어중간한 실력으로 꾸물거리면 두고 갈 테다."

갈색 머리카락 소년은 갈팡질팡하며 적발 소년을 돌아봤다.

"지, 진짜로?"

"하하, 네가 함께해주면 아마도 갈 수 있지 않을까."

그렇게 말한 뒤 적발 소년은 어깨를 으쓱였다. 갈색 머리카락 소년은 주뼛주뼛하며 두 사람을 바라봤다.

"저기…… 도와줘서 고마워. 나는 카심이야. 잘 부탁해."

"카심인가, 나는 퍼시벌이다. 퍼시라고 불러라."

"나는 벨그리프. 잘 부탁할게, 카심."

두 사람이 어깨를 토닥여주자 카심은 쑥스러워하며 웃었다. 퍼시벌이 팔을 치켜들었다.

"좋았어. 이 녀석이 가입한 기념으로 술이나 마시러 가자!"

"아니……. 알잖아, 아까 지갑을 텅 비웠거든. 당분간 술자리는 없어."

"엑~."

○

대륙 북부에 동서로 뻗어 나가는 엘프령은 광대한 곳이다. 대부분은 숲이 펼쳐져 있고, 온갖 품종의 나무에 뒤덮여 있다. 아울러 1년 중 대부분이 춥고 강설량도 많다.

엘프령은 이름이 나타내듯이 엘프들이 사는 땅이지만, 엘프들은 국가처럼 거대한 규모로 한데 모여서 살아가는 것을 선호하지 않는다. 광대한 국토 이곳저곳에 작은 촌락을 만들어 생활하며 이따금 왕래가 이루어졌다. 씨족에 따라 왕은 있지만, 엘프령 전체를 통괄하는 지배자는 없다. 영토가 광대한 만큼 위치에 따라 기후나 환경도 달라지는지라 각 촌락마다 생활 양식이 다양했다.

소녀가 태어나 자란 곳은 엘프령 동쪽의 산기슭에 있는 촌락이었다. 산에서 내려오는 냉기가 혹독하기에 한여름에도 산 표면의 눈은 사라지지 않는다. 비교적 인간의 나라와 가까운 촌락이었기에 엘프들도 가끔 인간의 시장에 나갔다 올 때가 있었다.

엘프는 정신적인 부분에 중점을 두고 생활하는 종족이다. 그럼에도 물질로 구성된 육체를 가지고 있는 이상은 일상의 영위가 필요하다. 먹지 않으면 배가 고프고 옷도 입어야 한다. 거의 농업과 수렵 채집 등의 자급자족으로 갖은 물자를 조달하지만 꼭 바깥에서 찾아 구해야 하는 물품도 있는 법이다. 엘프끼리 서로 교환하는 경우도 많지만, 가끔은 인간과도 거래했다.

인간에게 있어 엘프령의 소재는 군침이 나는 물건이다. 인간령에서는 사람들이 진입하지 못하는 땅이나 던전이 아닌 한 입수할 수 없는 소재도 엘프령에서는 구할 수 있다. 약의 재료가 되는 루멜 나무도 거목으로 자라나고, 영수(靈樹)라고 불리는 오마 나무도 숲을 이루어 하나같이 두껍고 훌륭하게 우뚝 솟아난다. 그 덕분에 엘프들은 수액이나 잎을 채집해서 인간들과 소금 및 철, 포목, 밀과 야채의 씨앗으로 교환했다.

시장은 국경에 있었다. 광장에 노점이 잔뜩 늘어서 있고 이곳저곳에서 찾아온 행상인이며 유랑민들이 동서남북의 다양한 물품들을 늘어놓는다. 음악, 춤, 공연까지 곁들여지니 마치 축제와 비슷하게 떠들썩했다.

엘프들의 노점도 무척 성황이다. 좀처럼 구하기 힘든 것이 엘프령의 물품인지라 행상인들은 다들 사들이고 싶어 한다. 엘프들도 손님맞이에 쫓기느라 지친 표정을 짓고 있었다.

그렇게 시끌시끌한 와중에 소녀는 후드를 눈 깊숙이 눌러쓰고 몰래 엘프들의 집단을 빠져나왔다. 그대로 인파에 섞여 확실하게 길을 또 확인하며 관문으로 향했다.

소녀는 엘프령의 생활이 지긋지긋했다. 자신의 내면과 마주하면서 하루하루의 의무를 검소하게 수행하며 살아간다. 엘프라면 아무도 의문을 갖지 않는 생활이지만, 소녀는 따분하고 지루한 삶이라는 생각이 들어서 견딜 수가 없었다.

본래 전통적인 생활에 대해 막연한 불만을 품어왔다는 것은 확실하다. 확실히 자신은 엘프이다. 다만 어째서 태생 때문에 자신의 삶까지 결정되어야 한단 말인가? 이러한 의문이 나날이 소녀의 마음에서 피어오르며 그림자를 드리웠다.

그게 터졌던 계기는 동족의 영웅담이다. 엘프 중『팔라딘』이라고 불릴 만큼 대단한 영웅이 나타났다며 널리 사람들 입에 오르내리고 있다는 소식을 들었을 때 자신의 마음속에는 멀리 생경한 장소에 대한 동경이 싹텄다. 처음에는 작은 감정이었지만, 이렇듯 시장에서 다양한 인간을 볼 때마다 동경심은 자꾸자꾸 부풀어 올랐다.

물론 갈등은 있었다. 불안도 있었다. 다만 더욱 큰 동경과 호기심이 결국 이겼다. 눈이 깊숙이 쌓인 숲의 풍경만이 아닌 어딘가 먼 곳에 가고 싶었다.『똑같은 곳』을 떠나고 싶었다. 수렵 생활로 단련한 검과 마법 실력도 자신이 있다. 젊음에서 비롯된 무모함도 거들어 결국 소녀는 엘프령을 뛰쳐나왔다.

관문을 넘고 글단의 산길을 지나 틸디스의 평원을 에메랄드색 눈동자에 비춰 냈을 때 소녀의 가슴은 고동쳤다.

더 멀리 가보고 싶어.

이유는 딱히 없었다. 무작정 먼 곳에 가고 싶었다. 그렇지, 『팔라딘』은 어디에서 모험했었더라? 분명 서쪽에 있는 나라였지. 동방과 다른 세계가 펼쳐진다던데. 거기까지 가면 먼 곳에 왔다는 기분이 들지 않을까.

소녀는 흔들리는 마차를 타고, 때로는 걸어서, 서쪽으로 서쪽으로 쭉 나아갔다. 검을 써서 돈 버는 방법을 배웠고, 술맛을 배웠다. 하루하루의 온갖 경험이 신선해서 좋게도 나쁘게도 마음 편안할 틈이 없었다. 엘프이기에 당연히 사람들 눈을 끌었고, 여기저기에서 이상한 녀석들이 수작을 거는 경우도 많았다. 그래도 어찌어찌 벗어날 수 있었다. 경험을 쌓을 기회가 되어주기는 했지만, 틸디스와 에스트갈의 국경을 넘을 무렵에는 소녀도 인간에게 짜증을 느끼게 되고 말았다.

"아야야야야! 미안, 잘못했다!"

팔을 꺾인 남자가 비명을 질러 대더니 허둥지둥 도망쳤다. 거절했는데도 끈질기게 들러붙은 게 잘못이야. 엘프 소녀는 흥, 코웃음을 쳤다.

"시끄럽다니까, 진짜."

주신 뷔에나에게 사랑받는 아이. 이러한 수식을 받는 경우도 있는 엘프는 거의 예외가 없이 아름답고 단정한 용모를 보유했다. 그뿐 아니라 좀처럼 인간들 앞에 모습을 드러내지 않는 터라 이상하게 숭배받거나 과도하게 기대받거나 반대로 얕보여서 시건방지게 나온다거나 해서, 아무튼 소녀는 별로 멀쩡한 만남을 가졌던 적이 없었다.

오로지 엘프라는 종족으로만 나를 바라보는 인간뿐이야.

소녀는 그게 불만이었다. 검도 마법도 남 못지않았다. 동쪽에서 나라를 지나 건너온 실력은 가짜가 아니다. 그럼에도 인간들은 다 자신의 실력을 보려고도 하지 않고 사탕발림을 늘어놓는다. 남자들의 흑심이 뻔히 다 들여다보였다. 설마 못 알아채리라 생각한 걸까.

"웃기지도 않아."

서쪽의 끝까지 왔는데도 똑같다. 도대체 언제가 되면 먼 곳에 왔다는 생각을 할 수 있을까. 소녀는 한숨을 한 번 쉬고는 마음을 다잡은 뒤 얼굴을 들어 올렸다. 우선 의뢰를 하나 받아서 일당을 벌어야 한다.

만나는 인간마다 다 진절머리가 났지만, 인간의 도시는 소녀에게 현기증이 날 만큼 커다란 곳이었다. 엘프의 촌락은 씨족의 수장이 사는 장소가 아닌 한 자그맣고 인원수도 적다. 인간들은 이렇게 잔뜩 한곳에 모여 살아간다. 건물은 커다랗고 튼튼하며 여기저기 다양한 장식에 공을 들여 놓았다. 이곳 올펜은 지금껏 들렀던 도시 중 가장 대단하다. 사람이 많아 어질어질하고 복잡하게 얽힌 거리는 엘프에게 미궁이나 마찬가지였다.

겨우 길드에 도착했다. 지금껏 들어가봤던 어떤 길드보다 컸기에 들어갈 때는 두근두근했다.

오가는 인간들이 다들 시선을 보내고 있다. 역시 엘프가 신기한 걸까. 슬슬 익숙해졌지만 썩 좋은 기분은 들지 않았다.

자, 접수처에 가볼까. 걸음을 떼려는데 앞길을 키가 큰 남자가 가로막았다.

“이봐, 너 엘프군? 혹시 모험가인가?”

“그렇긴 한데. 무슨 볼일이야?”

남자는 뒤쪽에 있는 동료인 듯한 녀석들과 숙덕숙덕하더니 곧 다시 소녀를 마주 바라봤다.

“척 봐도 혼자군? 여기에서 모험가를 할 거라면 파티를 짜는 게 좋다. 어때, 우리 파티에.”

“이봐, 잠깐만.”

남자가 말을 마치기 전에 옆에서 다른 남자가 끼어들었다.

“이 자식 파티는 상태가 영 별로거든, 우리 파티가 더 좋다.”

“뭐라고!”

“아가씨, 이 자식들이 하는 소리를 진지하게 들으면 안 돼. 우리 파티가 제일 좋거든.”

어느 틈인가 옆에 다가섰던 젊은 남자가 은근슬쩍 팔을 붙잡으려고 들기에 소녀는 쌀쌀맞게 뿌리치고 혀를 내밀었다.

“사절이야! 다른 데 찾아봐!”

“뭐냐, 사람이 친절하게 말을 붙여주는데!”

“네놈은 왜 나서서 깝죽대냐, 비켜라!”

“무슨 짓이냐, 이놈!”

점점 장내의 분위기가 흉흉해지는가 싶더니 결국 싸움이 벌어졌다.

왜 이렇게 된 거야? 살짝 당황하면서도 마구 날뛰는 모험가들의 주먹을 피하고 부딪히지 않게 몸을 피하던 중에 불현듯 팔이 끌려갔다.

"흐엥?"

"따라와!"

"어, 앗, 와아."

쭉 끌려가면서 인파의 틈을 빠져나왔다. 시야가 트이자 회녹색 머리카락을 지닌 소년이 단단하게 손을 붙잡아 끌어가는 게 보였다. 너무 갑작스러워서 머리가 따라가질 못한다. 게다가 소년은 상당히 힘이 좋았다. 그렇게 쭉 끌려갔더니 눈이 휘둥그레진 적발 소년과 갈색 머리카락 소년이 서 있었다.

"이봐들, 가자! 오늘은 철수다, 철수!"

"어, 아아……. 어라, 잠깐! 그 아이!"

적발 소년이 놀라서 소리 높이자 회녹색 머리카락 소년은 히죽 웃었다.

"저 싸움판에 놔뒀다가는 좋은 꼴 못 볼 테니까."

"너는 도대체……. 에잇, 이러쿵저러쿵 떠들 여유는 없지."

아직 머리가 못 따라왔다. 소녀가 눈을 끔뻑끔뻑하자 갈색 머리카락 소년이 손을 뻗어서 뺨을 건드린다. 곧이어 몰랑몰랑 손가락으로 만지작거렸다.

"와, 굉장하네. 피부가 비단처럼 매끈매끈하잖아."

"뭐야, 손 치워. 아니, 누군데, 너희들."

겨우 한마디 쏘아붙였는데 회녹색 머리카락의 소년은 개의치 않고 또 팔을 잡아당겼다.

"누구든 뭔 상관이냐. 일단 나가자."

그대로 길드 바깥까지 끌려 나갔다. 저항은 물론 해봤는데 머리가 혼란스럽기도 하고 소년의 힘이 강하기도 해서 뜻대로 되질 않았다.

이윽고 인간들이 지나다니지 않는 곳으로 왔다. 공터이며 주위에 건물은 있지만, 다만 하늘은 탁 트여서 해가 잘 비친다.

줄곧 달음박질치느라 숨이 가빠졌다. 소녀는 훅훅 숨을 몰아쉬며 가슴에 손을 가져다 대고 호흡을 가다듬었다. 가빴던 숨이 점점 가라앉는다.

"……괜찮니?"

문득 말소리가 들렸다. 얼굴을 들어 올리자 적발 소년이 걱정하는 표정을 짓고 이쪽을 보고 있었다.

호흡을 가다듬는 동안에 혼란도 수습되었다. 아마 이 소년들도 모험가 같다. 길드에 있었으니까 당연할 테지. 그럼 이 녀석들도 나를 파티에 끌어들이려는 목적이겠네. 이런 생각이 들자 갑자기 질색하는 기분이 솟았다.

"무슨 볼일이야?"

퉁명스러운 말투가 나왔다. 적발 소년은 살짝 당황하는 표정을 지었다. 하지만 회녹색 머리카락 소년은 전혀 개의치 않고 팔랑팔랑 손을 흔들었다.

“그냥 도와준 거다. 너, 아까 패거리들 죄다 상대했다가는 멀쩡하게 못 빠져나왔다니까?”

“흥이다. 도와달라는 말은 아무도 안 했는데.”

홱 고개 돌린다. 혼자서도 충분히 잘 빠져나올 수 있었다는 생각을 한다. 회녹색 머리카락 소년의 미간이 휙 올라갔다.

“어엉? 이 자식, 태도가 좀 괘씸하네.”

“도와준 척 생색내 봤자 소용없어. 어차피 너희도 내가 단순히 엘프라는 이유 때문에 접근한 거 아니야? 다들 바보 같다니까. 영입을 하고 싶어도 일단 실력을 본 다음이어야 할 텐데.”

“누가 영입은 해준대냐. 너같이 비실비실한 녀석은 나부터 절대 사절이다.”

이 발언에는 소녀도 열이 확 올라왔다. 벌컥하며 소년을 마주 바라보고 되받아친다.

“뭐, 뭐라고! 너희야말로 약해 보이는 애들만 잔뜩이잖아! 괜히 잘난 척이야!”

“약해 보인다고! 이 자식아, 듣자 듣자 하니까!”

회녹색 머리카락 소년은 허리에 찬 검에 손을 뻗는다. 소녀도 재빨리 칼자루에 손을 가져갔다.

“왜, 붙을래? 좋아, 한 방에 날려버려줄게!”

“어, 잠깐만, 잠깐! 두 사람 다 일단 진정하자!”

허둥지둥 끼어드는 적발 소년을 난폭하게 밀쳐 냈다. 마찬가지로 적발 소년을 밀쳐 낸 소년이 고함질렀다.

"물러나 있어. 이 바보 녀석에게 분수라는 것을 깨닫게 해줄 테다."

"내가 할 말이거든! 살짝 따끔한 맛을 보여주겠어!"

두 사람은 허리에 찬 검을 칼집째 뽑아 들더니 동시에 덤벼들었다. 상단에서 내리 휘두른 검이 소년의 머리를 때렸다, 그렇게 인식한 순간, 소녀는 허리에 충격을 느꼈다. 묵직한 통증이 몸속 깊숙이까지 울리는 터라 소녀는 무릎 꿇고서 몸부림쳤다. 소년도 머리를 부여잡고 「끄어아아」 신음한다.

"끄, 끄으읏……."

소녀는 울먹거리며 얼굴을 들어 올렸다. 몹시 아프다. 이렇게 반격을 당한 건 엘프령을 뛰쳐나온 이후 처음인지도 모르겠다.

갈색 머리카락 소년이 배를 부여잡고 웃는다. 적발 소년은 어이없어하며 한숨 쉬었다.

"이게 웬 난리람……."

"베, 벨, 혹에 바르는 약……."

회녹색 머리카락 소년이 신음했다.

"자업자득이잖아……. 못살아."

적발 소년은 짐에서 약병을 꺼내 들더니 천에 묻혀서 회녹색 머리카락 소년의 머리에 가져다 댔다. 그다음은 약병을 들고 소녀를 돌아봤다.

"자, 너도. 많이 아프지?"

"벼, 별로……."

"허세 부리지 마라. 나한테 맞은 일격이잖냐? ……뭐, 너도 제법 하는군. 비실비실해서 약한 줄 알았더니 검 솜씨가 꽤 괜찮잖아. 어땠냐? 벨."

"그래. 무척 훌륭하던데. 검을 들고서 때릴 때까지 물 흐르는 것 같았어."

"으, 으음……."

소녀는 얼굴을 붉힌 채 고개 숙였다. 어쩐지 검 실력을 칭찬받은 게 몹시 오랜만인 듯하다. 적발 소년이 주뼛주뼛하며 다가왔다.

"아무튼, 음, 약은, 바르는 게 좋을 거야."

"……멀쩡한걸, 이쯤이야."

"아니, 가만 놔두면 꽤 오래 아플걸. 퍼시의 일격은 강렬하니까."

소녀는 우물쭈물하다가 옷을 젖혀서 맞은 부위를 노출했다. 안쪽에서 피가 고였는지 보라색으로 물들었다.

"……발라줄래?"

"어? 내가?"

"응."

소녀는 고개를 끄덕였다. 적발 소년은 입을 뻐끔뻐끔하다가 이윽고 마음을 굳힌 듯 약을 천에 적셔서 살짝 긴장하며 피부에 가져다 댔다. 약이 서늘하며 차갑고 아릿했기에 무심코 「하읏」 목소리가 나왔다. 적발 소년이 당황하며 손을 빼냈다.

"미, 미안. 아팠어?"

"아냐, 괜찮아. 그거, 젖은찜질로 되려나?"

"으, 으음. 그러게. 그러는 게 좋겠네……."

소년은 재빨리 습포를 만들어서 허리에 붙여줬다. 통증이 다 가셨다고 말할 정도는 아니어도 꽤 누그러졌다. 소녀는 후유, 숨을 내쉬고 바닥을 굴러다니는 통나무에 걸터앉았다.

"……너희도 모험가야?"

"그렇지, 뭐. 너도냐? 아니, 길드에 있었으니까 당연한가."

바닥에 주저앉은 회녹색 머리카락 소년의 말에 소녀는 고개를 끄덕여줬다. 갈색 머리카락 소년이 팔짱을 꼈다.

"엘프 모험가인가. 난 동화 속에나 나오는 이야기인 줄 알았어."

"혹시 『팔라딘』을 말하는 거야?"

"맞아, 맞아."

"아는구나."

저절로 소녀의 얼굴이 활짝 피었다. 자신보다 연하로 보이는 소년도 엘프의 영웅을 알고 있었다. 어째서인지 까닭도 없이 기뻐졌다. 갈색 머리카락 소년이 부끄러워하며 손을 맞대고 만지작거렸다.

"만난 적 있어? 혹시…… 『팔라딘』하고?"

"아니, 못 만났어. 그래도 『팔라딘』을 동경해서 모험가가 되고 싶다는 생각을 한 거야."

"그러면 너도 S랭크가 목표냐?"

회녹색 머리카락의 소년이 물었다.

"너도? 그럼 너희도야?"

"당연하잖냐. 우리는 쭉 치고 올라갈 거다. 다른 풍경을 보러 말이야."

—다른 풍경을. 먼 풍경을.

엘프 소녀는 고동치는 가슴을 내리눌렀다. 호흡이 가빠지면서 어쩐지 뺨이 뜨거워지는 것 같았다. 이 소년들과 함께라면, 혹시.

적발 소년이 걱정하는 표정을 짓고 묻는다.

"괜찮니? 몸이 안 좋아?"

"아냐, 그게 아니라."

소녀는 잠시 망설이다가 얼굴을 들어 올렸다.

"저기, 아까는 혼자 지레짐작해서 미안했어. 혹시 괜찮으면 나도 동료로 받아줄 수 있을까?"

"엉? 너를?"

"나도, 다른 풍경을 보고 싶어. 안…… 될까?"

소년들은 당황하며 얼굴을 마주 바라봤다. 그러다가 회녹색 머리카락의소년이 후웃, 어색하게 웃으며 손을 내밀었다.

"퍼시벌이다. 퍼시라고 불러줘라."

"난 카심. 자, 잘 부탁해."

갈색 머리카락을 쑥스러워하며 적발 소년의 뒤에 숨더니 말했다. 엘프 소녀는 미소 지으며 퍼시벌의 손을 쥐었다.

"퍼시 군이랑 카심 군이구나. 너는……. 약, 고마워. 맞아, 벨이랬지?"

"그, 그래. 벨그리프. 벨이면 돼."

방금 전까지 평범하게 대화 나눴는데도 갑자기 다들 긴장하는 게 우스워서 엘프 소녀는 쿡쿡 웃었다. 엘프령을 나오고 처음 친구가, 동료가 생겼다. 조금은『똑같은 곳』에서 멀어졌으려나 생각이 든다.

“나는 사티라고 해. 얘들아, 잘 부탁할게.”

○

막막함을 느끼던 올펜 생활이 점점 색채를 띠며 확대되어 갔다. 네 사람이 모인 새로운 파티에서 벨그리프는 지난 파티의 인원들에게는 느낀 적 없었던 신기한 연대감과 신뢰감을 경험할 수 있었다. 리더 퍼시벌도 최연소인 카심도 엘프 사티도 다들 특이한 구석이 한둘이 아니었는데 모여서 함께 무엇인가를 하면 즐거웠고, 같은 시간을 공유한다는 것이 몹시도 사랑스럽다는 생각이 들었다.

그렇다 해도 마냥 편하기만 하지는 않았다. 퍼시벌은 곧잘 폭주하며 사티도 비슷하게 무모한 구석이 있는 데다가 서로가 매사에 경쟁하는지라 쓸데없이 사태가 복잡해지곤 했다. 카심은 장난을 좋아하는 탓에 퍼시벌과 사티가 자제를 못 하고 뛰쳐나가면 은근슬쩍 부추기며 둘의 폭주에 박차를 가했다.

그런 분위기를 잘 제지하고, 제동을 걸고, 갖가지 조정이나 준비를 담당하는 역할은 벨그리프가 담당했다. 달리 할 만한 사람이 없다는 이유도 물론 있었지만, 벨그리프는 저런 역할을 본인이 나서서 맡았다.

동료들은 세 사람 모두 확실한 실력을 보유하고 있다. 네 사람이 모인 뒤 수차례 의뢰를 수행하거나 가볍게 대련 및 모의전을 치르며 벨그리프가 얻은 확신이다. 올펜에 온 이후로 줄곧 자신 이상의 실력을 많이도 목격했었지만, 세 사람은 장래성도 포함해서 특히 빼어났다.

아울러 이런 확신은 제아무리 용써도 자신은 뒤를 쫓아갈 수 있을 것 같지가 않다는 어두운 마음을 품게 만들기도 했다. 다만 애당초 자기 평가가 썩 대단하지 않았던 벨그리프는 당연한 게 아니겠냐며 생각을 고쳐먹었고, 그렇다면 자신이 맡을 수 있는 역할에 온 힘을 다하여 매진하겠다고 생각했다. 실제 세 사람이 그런 면에서 자신을 신뢰해준다는 것이 벨그리프에게는 위안이었다. 지난 파티에서는 떠맡아서 했던 갖가지 일감이 지금 파티에서는 이것이 나의 역할이라고 생각할 수 있게 되었다. 약간의 열등감은 느낄지언정 동료들에게 도움이 될 수 있다는 것이 기뻤다.

"이런, 한 마리 빠졌다! 벨, 부탁한다!"

퍼시벌의 옆을 지나쳐서 에인갈 한 마리가 달려왔다. 대형견만한 크기의 사슴 비슷한 마수인데 날씬한 겉모습과 달리 흉포하며 머리에 난 뿔도 딱딱하기에 찔리면 위험하다.

벨그리프는 검을 겨누고 뿔을 들이대며 달려온 에인갈을 요격했다. 그렇다 해도 퍼시벌이나 사티처럼 엇갈리며 단숨에 베어 가르는 기예는 못 부린다. 힘이 새어 나가지 않게 잘 방어해서 뒤쪽에 있던 카심에게 외쳤다.

"카심!"

"그래!"

재빨리 몸을 빼내는 벨그리프의 뒤쪽에서 마탄이 날아들었다. 공격을 방어당한 뒤 경직되었던 에인갈은 마탄을 정통으로 맞고 나가떨어졌다. 즉각 벨그리프가 목에다가 검을 찔러 넣는다. 에인갈을 잠시 버둥거리다가 곧 움직임이 멎었다.

"이제 끝났나……."

벨그리프는 숨을 돌리고 주위를 둘러봤다. 정확히 다섯 마리였던 에인갈 중 세 마리가 쓰러졌고 두 마리는 도망친 듯하다. 퍼시벌과 사티는 혼자서 한 마리를 쓰러뜨렸나 보다. 카심이 히죽히죽하며 다가왔다.

"헤헤헤, 손발이 잘 맞았지? 나, 도움이 되네?"

"물론이지. 네 덕분에 살았어."

벨그리프는 웃으며 밧줄을 꺼내 들었다.

"해체할 테니까 매다는 거 도와줄래?"

"아니, 난 힘쓰는 일은 좀……. 아, 퍼시가 온다, 저기."

"응."

고개 돌리니 퍼시벌이 검을 납검하며 다가오고 있었다.

"조금 놓쳤군. 뭐, 의뢰의 수량은 다 채웠지?"

"맞아. 해체할 테니까 잠깐 손 빌려줘."

"알겠다."

에인갈을 매달던 중에 저쪽에서 사티도 빠른 걸음으로 다가온다. 어쩐지 살짝 흥분한 모습이었다. 다리를 멈춘 다음에도 팔을 휙휙 흔들어 댄다.

"크으~ 이제야 모험가라는 느낌이 들어! 역시 이래야 제맛이지!"

"벌써 만족하지 마라, 아직은 시작에 불과하니까."

말은 저러면서도 퍼시벌 역시 얼굴은 히죽거리고 있다. 채집 의뢰라지만 드디어 제대로 된 마수와 싸울 기회를 잡았으니까.

벨그리프는 해체용 나이프를 꺼내 들었다. 에인갈의 간장 채집이 이번 의뢰였다. 마법약의 재료로 쓴다고 한다. 물론 모피와 고기, 뿔도 소재인지라 길드에서 매입해준다. 의뢰 이외에도 약간의 돈을 번다는 게 마수 토벌의 장점 중 하나였다.

사티가 가입했을 무렵은 퍼시벌의 검을 막 새롭게 맞춘 참이어서 파티에 돈이 없었다. 따라서 한동안 자질구레한 의뢰를 받아 처리하며 돈을 저축하고 조금씩 장비를 장만했다. 한 명과 네 명은 갖춰야 할 장비도 많이 다르다. 가진 것이 옷 한 벌뿐이었던 카심이나 자질구레한 장비는 가지고 있지 않았던 사티를 위해서도 필요로 하는 물건은 많다. 영약은 너무 비싸서 엄두가 안 났지만, 그럼에도 몇 종류의 약을 갖추었고 연기 구슬이나 발광탄 등 도구류도 몇 개는 준비하는 것이 좋다.

준비가 얼추 끝날 때까지 벨그리프는 되도록 위험한 의뢰를 받지 않도록 조정했고, 절제를 기본 지침으로 삼았다. 당연히 주점에서 술자리를 갖기란 불가능하다. 싸구려 술을 한 병 나눠 마시는 소소한 술자리 이외에는 아무것도 할 수 없었다. 다른 세 사람이 투덜투덜 불평해도 단호하게 타일렀다.

아무튼 간에 갖가지 우여곡절은 겪었으나 드디어 장비를 대강 다 갖추었고 마침내 이번이 신생 파티의 첫 실전이었던 셈이다.

마수와 싸울 필요가 있는 의뢰는 다른 의뢰보다 보수가 비교적 높다. 푼돈을 열심히 벌 바에야 제대로 큰돈을 벌고 싶다는 것은 나이가 어린 모험가들 모두가 품는 욕망이며, 그 때문에 능력 이상의 의뢰를 받아 죽는 사람도 있다. 길드 측에서도 얼마간 억제하고자 노력하지만, 현장에서 하는 행동까지 책임을 질 수는 없다.

그런 우려가 있었기에 벨그리프는 지나치리만큼 주도면밀하게 준비를 마쳤다만, 에인갈을 상대해서 일대일로 승리할 수 있는 퍼시벌과 사티를 보면 과도한 걱정이었다는 생각도 든다. 그러나 그런 방심이 위험하다. 예전에 만난 애꾸눈 모험가의 말을 떠올리며 벨그리프는 살짝 머리를 흔들고 나이프를 고쳐 쥐었다.

솜씨 좋게 해체를 진행하던 중 불현듯 주위가 조용해졌다. 이상하다는 생각이 들어 벨그리프가 얼굴을 들어 올렸더니 다른 세 사람이 이쪽을 빤히 쳐다보고 있었다.

"……왜?"

"아니……. 이번 보수랑 소재를 판 돈을 더하면 여유가 좀 있겠지?"

"아마도."

"여유가 좀 있구나?"

사티가 말을 거들었다.

"그럼, 쓸 수 있는 돈이 생겼네?"

카심도 말을 거들었다.

"……."

벨그리프는 묵묵히 에인갈의 내장을 갈라 간장을 고이고이 천으로 감싼 다음에 곧장 기름종이를 둘렀다. 그러고 나서야 겨우 입을 열었다.

"좋아. 오늘 밤에는 주점에 가자."

살짝 긴장하며 벨그리프를 쳐다보고 있었던 세 사람의 표정이 순식간에 활짝 피었다.

"좋았어, 지갑 담당의 허락이 떨어졌다! 오늘은 실컷 마신다!"

"아니, 적당히 자제 좀 해줄래……?"

걱정스레 말하는 벨그리프는 아랑곳 않고 세 사람이 벌써부터 기분을 낸다.

"헤헤헤, 기쁘다아. 나 말야, 제대로 된 술집에 들어가는 건 처음이야."

"어디에 갈까. 싸고 맛있는 데를 알아 놓을걸. 벨, 너는 어딘가 알고 있나?"

"뭐, 술도 마실 수 있는 식당인데 괜찮다면야, 싼 곳은 좀 알아."

"에헤헤, 기쁘다. 벨 군은 말이 통하는구나. 진짜 좋아!"

갑자기 등에 사티가 안기는지라 벨그리프는 하마터면 균형을 잃을 뻔했다.

"잠깐, 나이프 들고 있잖아!"

"미안~."

대답만 잘할 뿐 사티는 에헷에헷 웃으며 벨그리프의 뺨을 몰랑몰랑 꼬집었다. 그러다가 앞으로 쏙 돌아들더니 본인도 허리에서 나이프를 뽑았다.

"해체 도와줄게. 나도 할 줄 알거든."

"아, 고마워. 퍼시, 카심, 주변 경계를 맡아주겠어?"

"알겠다. 얼른 끝내자, 연회니까."

"결정도 났겠다, 저기 시체도 이리로 가져오자고."

그렇게 말한 뒤 카심과 퍼시벌이 달려갔다. 벨그리프는 둘을 곁눈질로 보다가 곧 나이프를 고쳐 쥐고는 해체 작업 중이던 에인갈 쪽에 마주 섰다.

○

이 같은 분위기로 네 사람의 나날이 본격적으로 시작됐다. 받는 의뢰도 차츰 안정되었고, 던전 탐사에도 도전할 수 있었다. 카심은 부쩍부쩍 새 마법을 습득했다. 퍼시벌과 사티는 경쟁하듯 실력을 갈고닦으며 한발 먼저 D랭크로 승격했다. 벨그리프는 이래저리 휘둘리는 경우가 많았지만, 은근히 즐겁다고 생각할 만큼 파티에 정을 붙였다. 네 사람이 함께한 지 아직 반년이 겨우 지났는데도 죽마고우가 이럴까 싶을 만큼 친근함을 느꼈다.

날이 지남에 따라 서로의 성격도 잘 알 수 있었다. 다만 신기하게도 네 사람 다 고향이나 지난 과거는 이야기하고 싶어 하지 않았다. 다들 자신이 살던 곳에서 뛰쳐나온 처지잖은가. 과거를 돌아볼 바에야 앞에 기다리고 있을 미래를 내다보는 데 시간을 썼다.

벨그리프는 처음에는 언젠가 톨네라에 돌아가자는 생각을 갖고 있었다. 적어도 불편함이 없을 만큼 금전을 벌게 되면 고향에 금의환향하는 것도 나쁘지 않겠다는 생각이었다. 하지만 이런 식으로 백년의 지기를 얻어보니까 이 친구들을 내버리고 고향에 돌아가자는 생각은 전혀 들지 않았다. 모험가로서 재능의 한계를 느끼기는 했으나 그럼에도 동료들과 함께 거들어 가며 살아가고 싶다는 바람을 가졌다.

어쨌든 간에 아직은 한참 나중의 이야기다. 비록 열등감은 있을지언정 벨그리프도 아직껏 겨우 열여섯 살이다. 재능이 없다는 아쉬움의 다른 부분에는 어떠한 계기 덕분에 자신도 더 높이 올라갈 수 있지 않을까 하는 엷은 기대감 또한 자리했다. 아울러 하루하루 검의 단련을 게을리하지 않았다. 그럼에도 퍼시벌이나 사티에게는 상대가 되지 않았지만.

"에취."

옆에서 걷던 사티가 재채기를 했다.

"괜찮아?"

"응."

사티는 훌쩍훌쩍 콧소리를 냈다.

"추운 날씨는 분명 익숙한데 말이야."

"엘프령과 비교하면 이쪽은 따뜻한 편이겠지. 다만 그만큼 몸이 놀란 게 아니려나?"

"그런가 봐. 뭐랄까, 따뜻해서 방심했어~ 이런 느낌?"

오늘은 조금 멀리 나왔다. 올펜에서 마차로 이틀 떨어져 있는 도시이다. 조그맣지만 던전이 있어 그곳을 탐색하자며 퍼시벌이 말을 꺼냈다.

다만 이동은 지치는지라 도착하고 바로 던전에 진입할 수는 없었다. 도착한 때가 점심을 지난 무렵이기도 했고, 하루는 쉬면서 몸 상태를 조절한 다음에 내일 출발하자고 이야기를 마쳤다. 한나절의 휴식 시간이 생겼다. 벨그리프는 잠시 산책이나 다녀오자는 생각에 바깥으로 나왔다. 그러자 사티도 같이 따라왔다.

사티는 엘프인지라 물론 사람들 눈을 끌었지만, 이제는 꽤 익숙해졌는지 수작을 거는 놈들도 가볍게 상대했다. 남자인 자신이 사티를 지켜줘야 할까? 벨그리프도 잠시 생각을 떠올리기는 했는데 단순하게 보면 사티가 더 강하기 때문에 괜히 끼어들지 않고 얌전히 지켜봤다.

지금도 벨그리프가 잠깐 떨어진 동안에 모험가인 듯한 남자가 들러붙어서 사티는 귀찮아하며 손을 흔들고 있다.

"괜찮잖아, 잠깐만 같이 다녀보자고."

"잠깐도 싫은데요~. 너무 끈질긴 남자는 미움받거든?"

그러나 남자도 물러나질 않는다.

"그래도 혼자잖아? 가녀린 엘프가 혼자 다니면 위험할 텐데?"

사티는 일순간 울컥하는 표정을 지었다가 곧 무슨 생각을 떠올렸는지 장난스럽게 표정이 바뀌더니 조금 떨어진 곳에 서서 지켜보던 벨그리프를 가까이 끌어당겼다.

"유감이네요~ 혼자가 아니거거든요. 여기 일행이 있단 말이야."

"어, 잠깐."

꽉 팔을 끌어안긴 채 벨그리프는 당황했다. 일행이면 그런 의미인가?

"엉? 아, 아니. 저런 시원찮은 남자보다야……."

"뭣이라~? 내 남친을 바보 취급하지 마라~ 에잇~."

사티는 호들갑스럽게 화난 척 시늉하더니 가벼운 몸놀림으로 뛰어올라서 남자에게 발차기를 날렸다. 남자는 엎어져서 허둥지둥 도망쳤다. 사티는 쿡쿡 웃었다.

"후후, 재미있네."

"사티……."

벨그리프는 기막히다는 듯이 한숨을 푹 쉬고 고개를 수그렸다. 다만 사실은 기막힘보다 분명 빨개졌을 얼굴을 숨기려는 의도가 더 강했다. 사티는 헤죽헤죽하며 벨그리프의 얼굴을 들여다봤다. 에메랄드색 눈동자에 자신의 얼굴이 비쳐 보이는 것 같았다.

"많이 쑥스러웠어? 벨 군?"

"놀리지 말아줘, 어휴……."

"후후, 여전히 귀엽다니까."

사티는 웃음 지으며 기지개를 켜고 벨그리프의 머리를 토닥토닥 쓰다듬었다. 도무지 이 아이는 당할 수가 없구나. 벨그리프는 쓴웃음을 지었다.

작은 도시이기에 조금만 걸어도 바깥에 나올 수 있었다. 도시 바깥은 바위가 많은 평원이었다. 벌써 갈색을 띠어 가는 풀 틈에서 크고 작은 바위가 우뚝 서 있고, 여러 바위가 햇살을 반사하고 있다. 가까이 다가서자 햇볕을 받아 데워졌는지 약간은 온기를 띠고 있었기에 바람은 싸늘한데도 신기하게 따뜻하다는 느낌이 든다.

두 사람은 바위에 몸을 기대며 앉았다. 하늘은 푸르지만 서쪽 방향에 비늘구름이 끼어 있었고, 구름이 점점 이쪽으로 흘러오고 있는 것 같았다.

"잠들 것 같아."

사티가 말했다.

"자도 괜찮아."

"그치만 지금 잠들면 밤에 못 잘 것 같단 말이야."

그건 그럴지도 모른다. 벨그리프는 수통을 꺼내 들어서 따뜻한 차를 휴대용 컵에 따라 사티에게 건넸다.

"고마워. 이 주변은 조용하네. 던전이 있는 곳은 도시를 사이에 두고 반대편이었나?"

"응. 오래된 매장지가 던전화되었다더라. 지하에 들어가게 되겠네."

"음~ 그럼 상대는 언데드가 중심이려나?"

"아마도. 발광탄은 많이 사 놨고 성수도 있어. 저랭크 던전이니까 아마 특별히 어렵지는 않겠지만."

"모험가에게 절대는 없다. 맞지?"

벨그리프는 뺨을 긁적였다. 어느 틈인가 입버릇이 된 말이다. 사티는 후훗, 웃고는 차를 홀짝이다가 후유, 숨을 내쉬었다.

"던전을 조사하거나 마수와 싸우는 것도 좋아하지만, 이런 시간도 참 좋아. 조용한 게 싫어서 엘프령을 뛰쳐나왔을 텐데 이상한 느낌이야."

"뭐, 딱히 괜찮지 않아? 양쪽 다 제각각 좋은 게 있잖아. 괜히 한쪽에 얽매일 필요도 없다고 봐."

"어른이구나, 벨 군은."

사티는 구물구물 무릎을 끌어안았다. 어쩐지 목소리의 음색이 조금 조용해졌다.

"……나는 말이야, 열중해서 막 달려 나가는 중에 있잖아, 이렇게 차분해지는 게 조금 무서운가 봐. 문득 머릿속이 휙 냉정해졌을 때 나는 언제까지 이렇게 지낼 수 있을까 의문이 들거든."

"그랬던 거야?"

벨그리프가 묻자 사티는 퍼뜩 놀라며 얼굴을 들어 올렸다.

"아니, 딱히 일부러 항상 시끄럽게 떠드는 건 아니거든? 그것도 진짜 내 모습이다?"

"……그게 다 진짜여도 나는 좀 고생스러운데."

"에헤헤, 그래도 벨 군은 이러니저러니해도 다 받아주니까 좋아해."

사티는 그렇게 말한 뒤 벨그리프의 어깨를 살며시 톡톡 건드렸다.

—좋아한단 말을 이렇게 아무렇지도 않게 꺼내면 나는 마음이

자꾸 흔들리는데 말이야.

벨그리프는 쓴웃음을 지었다. 그리고 자신도 차를 한 모금 마셨다.

"나는, 이런 시간도 좋아. 전혀 불안해지지 않아. 이런 시간이, 쭉 앞으로도 이어지면 좋겠다는 생각이 오히려 드는걸."

사티는 일순간 어리둥절하다가 쿡쿡 웃고는 더욱 깊숙이 바위에 등을 기댔다.

"벨 군은 있잖아, 정말 퍼시 군이랑 같은 나이야? 너무 차분하잖아~ 왠지 모두의 아빠 같아."

"그냥 천성이라서……."

벨그리프는 머리를 긁적였다. 자신이 아빠가 될 날이 과연 오기는 할까.

조금씩 해가 기울어지며 바람도 쌀쌀해졌다. 두 사람은 일어나서 나란히 숙소로 돌아왔다.

방에 돌아왔을 때는 퍼시벌과 카심이 깨어나서 체스를 두고 있었다.

"오, 왔군. 미리 가보고 왔어?"

퍼시벌이 말했다.

"아니, 그냥 산책이야. 체스를 갖고 왔었던가?"

"숙소에서 빌려주더라. 시간 때우기에 괜찮아."

카심이 대답했다.

"누가 이기는 거야?"

사티가 판을 들여다본다.

"나지."

"건방진 소리 마라, 나다."

"누가 무슨 색인데?"

"내가 검은색."

"그럼 카심 군이 이겼네. 음~ 나도 해볼래~."

"이 승부가 끝나고 나서."

퍼시벌이 의자에 앉아 버텼지만, 사티는 그 어깨를 두 손으로 꾹꾹 밀었다.

"벌써 다 끝났는데, 뭐. 얼른, 퍼시 군. 비켜라, 비켜."

"맞아, 퍼시는 약해서 재미없어. 사티랑 바꿔."

"이 자식들, 조금은 리더를 존중해줘라. 제길, 마음대로 해."

입을 삐죽거리는 퍼시벌 대신 사티가 카심과 마주 앉아서 말을 올려놓는다. 벨그리프는 쿡쿡 웃고는 배낭에서 도구를 꺼내 하나씩 확인했다. 옆에 퍼시벌이 다가왔다.

"여전히 공들여서 확인하는구나."

"가끔씩 병이 살짝 깨졌거나 자루가 찢어지는 경우도 있거든. 사용 빈도가 높은 도구는 위에 넣어야 할 테고, 그리고 한꺼번에 넣어서 온 발광탄과 성수를 넷이서 나눠 들어야 하지."

"발광탄은 네가 넉넉하게 챙겨라. 가장 타이밍 좋게 쓸 수 있는 사람이 너이기도 하고, 알기 쉽게 신호를 보내주니까 눈 감기도 편하더라."

"그렇게 할게. 지하 던전이라서 검은 알 안경을 쓰지도 못하거든."

퍼시벌은 훗 웃었다.

“거참, 난 너를 데려온 게 가장 잘한 짓이었다고 생각한다. 이렇게까지 꼼꼼한 녀석은 거의 없다고.”

“그, 그런가?”

벨그리프는 조금 쑥스러워져서 살짝 고개를 숙인 채 손을 움직였다.

다음 날도 날씨가 무척 좋았다. 이른 아침에 검을 휘두르다가 그 후 짐을 점검한 뒤 아침 식사를 먹고 숙소에서 나왔다. 던전의 바로 옆쪽에 작은 길드가 있었는데 비슷하게 던전 탐색을 가는 모험가들이 다수 들락거렸다.

접수처에서 절차를 밟고 던전의 입구에 선다.

“좋아~ 출발해보실까.”

퍼시벌이 칼자루에 손을 얹었다. 사티도 카심도 두근두근하는 표정으로 고개를 끄덕거린다.

“평소처럼 내가 앞에 나선다. 사티를 사이에 두고 카심, 최후미는 벨. 뭐, 진형이야 적당히 판단해서 움직이라고. 벨, 뭔가 할 말은 있나?”

“좁을지도 모르니까 동료끼리 다치지 않게 조심하자. 너무 검을 크게 휘두르지 말고.”

“저기, 있잖아. 나 말야, 마력 탐지 쪽 마법을 써보고 싶은데.”

“알았어. 다만 아직은 시험 단계니까 너무 과신하지는 않는 게 좋겠네.”

“있잖아, 벨 군. 크게 휘두르는 게 안 되면 찌르기 위주로 쓰는 게 좋으려나?”

“가능하면 말이지. 다만 거기에 얽매여서 몸의 움직임이 어색해지면 의미가 없으니까 그 부분은 임기응변으로. 주위를 잘 보고 다니면 분명 괜찮을 거야. 출발할까? 퍼시.”

“그래. 좋았어, 간다.”

퍼시벌이 성큼성큼 걸음을 뗀다. 사티가 뒤를 따르고, 다시 카심이 쫓아간다.

최후미에서 따라가는 벨그리프는 세 사람의 등을 보았다. 넷이 된 이후부터 이렇듯 쭉 등을 봐왔다. 지금은 이게 기뻤다.

“왜 그래?”

“아니야.”

웃음이 새어 나왔나 보다. 친구들이 의아해하며 벨그리프를 돌아봤다가 다시 앞쪽을 봤다.

던전 안쪽은 꽤 어둑해도 램프와 불빛이 벽에 반사되기에 그럭저럭 밝다. 퍼시벌이 사티와 뭔가 이야기를 나눈다. 카심은 머리 뒤쪽에 깍지를 끼고 주변을 살펴보면서 걸어간다.

벨그리프는 뒤쪽으로 눈길을 줬다. 많은 모험가가 들락거리기에 지면에는 크고 작은 발자국이 남아 있다. 오래된 발자국은 새로운 발자국에 묻혀서 사라져 간다. 그 많은 발자국 중에 자신의 신발 자국을 뚜렷하게 알아볼 수 있을 것 같았다.

■ 작가 후기

후기도 아홉 번이나 쓰려니까 점점 쓸 소재가 사라지고 있다.

제도에서 모험을 마친 벨그리프와 일행의 이야기라도 물을까 싶어 톨네라에 가봤다만, 반년이 지나도록 돌아오지 않아서 그라함과 아이들과 함께 집 안에서 무릎을 끌어안고 기다리던 중 눈에 갇혀서 돌아갈 수가 없게 되었다. 전 · 후편으로 쓸 계획이었다고 앞 권의 후기에 써 두었다만, 그런 사정이 있어 후편에 해당하는 9권의 간행이 대략 반년쯤 이후가 되어버린 것은 진심으로 유감스럽다.

작가는 규슈(九州)의 오이타(大分)현에서 살고 있기에 톨네라같이 추위가 혹독한 곳은 익숙하지 않다. 음, 어릴 적에는 야마나시(山梨)현에 있었고, 겨울마다 도로가 얼어붙는 지역이었으니까 일단 익숙해지면 별것 아니기는 하다. 다만 앞 권의 간행이 초여름의 5월이었고, 가벼운 복장이었으니까 얼어 죽을 뻔했다.

아무튼 간에 어찌어찌 무사히 9권 간행이 이루어졌다. 여기까지 끌고 왔다는 것이 글을 쓴 사람인데도 왠지 신기하다는 기분이 든다. 다음 권에서 두 자릿수에 올라선다는 것도 기묘한 느낌이다. 단지 쓰기만 할 뿐이라면 얼마든지 가능하다만, 서적이라는 형태를 갖춰 세간에 퍼뜨리겠다면 결국 독자 여러분의 구입에 힘입어야 비로소 가능하지 않은가. 언제나 감사드립니다.

앞 권은 전 · 후편의 사이였던 터라 권말의 특별 단편은 생략하는 방향으로 진행했었다만, 그만큼 이번에는 권말에 상당한 분량의 문장을 추가했다고 자부한다. 전체가 과거 이야기인지라 안젤린을 비롯한 소녀들의 출연은 전혀 없었지만, 그런 내용이었다고 생각하며 즐겨주시면 감사하겠다. 아저씨, 아주머니가 소년, 소녀였던 시절의 이야기를 읽어봐도 나름 재미가 있을 테니.

이번 권도 많은 분들의 도움이 있어 어찌어찌 완성되었다.

내가 톨네라에서 눈에 파묻혀 있는 동안 어스 스타 노벨의 관계자분도 이래저래 우당탕 바쁜 분위기였다. 담당 편집자분이 교체되면서 후임이 여러모로 힘들었던 것 같다. 그렇게 핑계를 만들어서 내가 자신의 늦은 일 처리를 외면한 채 젠체한지라 담당 편집자 I씨는 무척 고생하셨을 거다. 그럼에도 어찌어찌 간행까지 끌고 올 수 있었다는 것이 감격이다. 작가는 머리를 들 수가 없다.

매번 전했던 말이지만, toi8씨의 미려한 일러스트가 이야기를 다채롭게 꾸며준다. 이런 지경까지 함께해주셨기에 정말이지 기대 이상의 기쁨이다. 찾는 사람이 많은 잘나가는 일러스트레이터이니까 시간을 할애해주셨다는 게 송구스러운 동시에 어떠냐, 굉장하지, 자랑하고 싶기도 하다.

또한 얼마 전에 (2020. 8. 12.) 만화판 4권도 발매되었다. 이쪽은 원작으로 말하자면 아직 2권 시점의 이야기인지라 앞으로 쭉 즐거움이 많이도 남아 있다. 원작에 충실하면서도 만화 독자의 연출이 가득하기에 작가도 항상 기대하고 있다.

다음은 10권. 다음은 이제껏 심각했던 전개와 달리 목가적인 분위기로 만들고 싶은 생각이다. 결말까지 얼마 안 남았다만, 여기까지 온 이상 모쪼록 마지막까지 함께해주신다면 기쁘겠다.

2020년 9월 길일, 모지 카키야

앞으로 더 힘들겠지만,
힘내서 버티자!!
레이와 2년
흥日 길일

toi8

모험가가 되고 싶다며 도시로 떠났던 딸이 S랭크가 되었다 9

초판 1쇄 발행 2021년 9월 20일

지은이_ MOJIKAKIYA
일러스트_ toi8
옮긴이_ 김성래

발행인_ 신현호
편집부장_ 윤영천
편집진행_ 김기준 · 김승신 · 원현선 · 권세라
편집디자인_ 양우연
관리 · 영업_ 김민원 · 조인희

펴낸곳_ (주)디앤씨미디어
등록_ 2002년 4월 25일 제20-260호
주소_ 서울시 구로구 디지털로 26길 111 JnK디지털타워 503호
전화_ 02-333-2513(대표)
팩시밀리_ 02-333-2514
이메일_ lnovelpiya@naver.com
L노벨 공식 카페_ http://cafe.naver.com/lnovel11

Bokenshani naritaito miyakoni deteitta musumega srankni natteta Vol.9
By MOJIKAKIYA, toi8

ISBN 979-11-278-6193-3 04830
ISBN 979-11-278-4829-3 (세트)

값 10,000원

세계 최고의 암살자, 이세계 귀족으로 전생하다 1~5권

츠키요 루이 지음 | 레이아 일러스트 | 송재희 옮김

세계 제일의 암살자가 암살 귀족의 장남으로 전생했다.
그가 이세계에서 맡은 임무는 단 하나.
【인류에게 재앙을 가져온다고 예언된 《용사》를 죽이는 것】.
그 고귀한 임무를 완수하기 위해 암살자는 아름다운 종자들과 함께
이세계에서 암약한다.
현대에서 온갖 암살을 가능케 했던 폭넓은 지식과 경험,
그리고 이세계 최강이라고 칭송받는 암살자 일족의 비술과 마법.
그 모든 것이 상승효과를 낳아 그는 역사상 견줄 자가 없는 암살자로
성장해 나간다.
"재밌군. 설마 다시 태어나서도 암살하게 될 줄이야."

전생한 「전설의 암살자」가 한계를 돌파하는
어쌔신즈 판타지!!

BOOKS

라이트노벨의 새로운 빛! L북스의 신간은 매월 20일에 발매됩니다. http://cafe.naver.com/lnovel11

L BOOKS
고블린 슬레이어 외전2
악명의 태도
다이 카타나
저자 카규 쿠모 일러스트 lack
中
L BOOKS